btb
Aus Freude am Lesen

btb

Buch

In einem kleinen verschlafenen Dorf in Schweden herrscht Idylle pur. Mauritz träumt von der großen weiten Welt und der hübschen Nachbarstochter Signhild. Heimlich beobachtet er ihr Haus, denn er will ihr näher kommen, ohne genau zu wissen, wie. Nur an die Angebetete denkend realisiert er viel zu spät, dass sich nebenan seltsame Dinge ereignen. Und dann geschieht etwas, das die Gemeinschaft in ihren Grundfesten erschüttert: Signhilds Vater, der Uhrmacher Kekkonen, ein mürrischer, wortkarger Mann, wird im ehelichen Schlafzimmer brutal ermordet aufgefunden. Wer war der Täter? Etwa jemand aus dem Dorf?

Autor

Håkan Nesser, geboren 1950, ist einer der interessantesten und aufregendsten Krimiautoren Schwedens. In seiner Heimat gilt er als der unbestrittene Star in seinem Genre. Für seine Kriminalromane um Inspektor Van Veeteren erhielt er zahlreiche Auszeichnungen, sie sind in mehrere Sprachen übersetzt, wurden erfolgreich verfilmt und werden demnächst auch im deutschen Fernsehen zu sehen sein.

Håkan Nesser

# Und Piccadilly Circus liegt nicht in Kumla

Roman

*Aus dem Schwedischen*
*von Christel Hildebrandt*

btb

Die schwedische Originalausgabe erschien 2002
unter dem Titel »Och Piccadilly Circus ligger inte i Kumla«
bei Albert Bonniers Förlag, Stockholm.

Verlagsgruppe Random House FSC-DEU-0100
Das FSC-zertifizierte Papier *Munken Print* für Taschenbücher aus
dem btb Verlag liefert Arctic Paper Munkedals AB, Schweden.

1. Auflage
Genehmigte Taschenbuchausgabe November 2005,
btb Verlag in der Verlagsgruppe Random House GmbH, München

Umschlaggestaltung: Design Team München
Umschlagfoto: Photonica/Johner
Satz: IBV Satz- und Datentechnik GmbH, Berlin
Druck und Einband: Clausen & Bosse, Leck
EM · Herstellung: AW
Made in Germany
ISBN-10: 3-442-73407-X
ISBN-13: 978-3-442-73407-8

www.btb-verlag.de

FÜR ELKE

# *Viel später*

Die Zeit ist ein Dieb.

Sie stiehlt unser Leben. Frisst unsere Tage, wie man behaupten könnte, und verschlingt unsere Nächte. Stunde für Stunde, Minute für Minute.

Menschen, Augenblicke, Geheimnisse.

Ganz hinten in meiner unordentlichen Schreibtischschublade, der mittleren, die ich nie leere, sondern immer nur fülle, da bewahre ich seit vielen Jahren einen Daumen auf.

Er liegt in seiner geheimnisvollen Einsamkeit zwischen Bleistiftstummeln, alten Quittungen, verbrauchten Olivettifarbbändern, Gummibändern, Büroklammern und Papierschnipseln, und er gehörte einmal einem deutschen Soldaten. Vielleicht werde ich davon berichten. Ja, wenn es so läuft, wie mir schwant, dass es laufen muss, werde ich es natürlich tun. Ob ich nun will oder nicht.

Ich hole ihn heute Abend hervor, den Daumen, es ist jetzt schon lange her, und ich sitze mit ihm auf dem Balkon und blicke über den Sund. In drei Stunden geht der Zug, ich habe noch Zeit, eine Weile den Sonnenuntergang zu betrachten. Vielleicht ist es trotz allem möglich, das wieder zurückzuerobern, was uns genommen wurde, vielleicht ergibt sich für mich die Gelegenheit, den Dieb zu bestehlen.

Warum nicht? Ihm nützt die Beute doch nichts, wir selbst sind diejenigen, die die Verantwortung übernehmen müssen.

Das Vergangene und das, was uns geraubt wurde, hervorholen müssen. *Ich selbst,* genauer gesagt, warum sich hinter einem *wir* verstecken?

Aber fünfunddreißig Jahre sind eine ganz schön lange Zeit, da kann viel auf der Strecke bleiben. Doch eine nächtliche Zugreise ist natürlich genau das richtige Tor zu den Erinnerungen. Seit das Rattern der Schienenstöße aufgehört hat, kann ich gar nicht mehr schlafen. Und die Schlaflosigkeit an sich kann schon die Diktatur des Heute und des gerade Existierenden vom Sockel stoßen, das ist keine neue Erkenntnis.

Ich schaue über den Sund und die Brücke. Erinnere mich und denke nach. Zunächst rief er an, dann sie. Nur eine Stunde später. Er hatte es bereits angekündigt, aber es war merkwürdig, ihre Stimme zu hören.

Hab nicht mehr viel Zeit, sagte er. Ich würde es zu schätzen wissen, wenn du vorbeischauen könntest. Da ist noch was.

Du kommst doch?, fragte sie ihrerseits. Es ist wichtig.

Nach all diesen Jahren ist es plötzlich ganz eilig und wichtig. Warum eigentlich?

Ich komme, sage ich. Natürlich komme ich, aber was will er von uns?

Sie sagt, das wisse sie nicht. Ich meine, herauszuhören, dass sie lügt. Meine, noch etwas anderes herauszuhören, das ich nicht richtig fassen kann.

Wo wohnst du? Von wo aus rufst du an?

Aus Luleå.

Das sind mehr als tausend Kilometer, und wir wollen uns in der Mitte treffen. In der Universitätsstadt, ich habe dort selbst einige Jahre in den Siebzigern gelebt. Kann mich noch an einiges erinnern. An ein Schloss. Einen Bach. Eine Frau, die B. hieß.

Dann bis morgen früh!, sagt sie. Klingt plötzlich fast ängstlich.

Um 7.50 Uhr, sage ich. Dann kommt mein Zug an.
Ich bin da und hole dich ab, sagt sie.

* * *

Ich schlafe nicht.

Auf der unteren Pritsche liegt ein riesiger Kerl und sägt Baumstämme. Er schläft für uns beide.

Ich habe ein Buch dabei, aber ich lese nicht. Habe genug Gedanken für eine halbe Menschheit.

00.42 Hässleholm.

01.34 Alvesta.

Die Zeit ist ein Dieb, und ich habe Witterung aufgenommen. Die nächtlichen Minuten ticken rückwärts, Tag für Tag, Jahr für Jahr. Bald sind wir da. Bald haben wir die Linsen auf die richtige Entfernung eingestellt.

Aber was will er von uns?

Von mir und von ihr?

Liegt er wirklich im Sterben?

Und wenn es schon vorbei ist, wenn wir ankommen? Dieser neuen Frau möchte ich wirklich nicht begegnen. Unter keinen Umständen und schon gar nicht unter diesen hier.

Quatsch. Unnötige Befürchtungen. Er hat versprochen, sie da rauszuhalten, und natürlich lebt er noch einen Tag länger, aus reiner Willenskraft, das macht doch jeder.

Ich verspüre ein gewisses Unbehagen, wie vor einem bevorstehenden Fiasko. Eine Kapitulation. Begreife eigentlich nicht so recht, warum. Ich versuche, nicht zu spekulieren, aber es ist sinnlos. Meine Gedanken sperren sich hartnäckig, was sollten sie in einer schlaflosen Nacht wie dieser sonst auch tun?

02.25 Nässjö.

Ich sollte versuchen, zumindest eine Stunde zu schlafen. *Da ist noch was.* Was? Ahne ich etwas oder nicht? Was sind das für verschämte, leichenblasse Larven, die in mein Unterbewusstsein kriechen? Lass mich nur eine Minute schlafen und sie zu Träumen formen.

Aber nein.

03.48 Linköping.

04.18 Norrköping.

Es beginnt schon zu dämmern. Bald ist der Morgen da. Keinen Moment des Schlummers, ich werde älter aussehen als nötig. Sie wird finden, dass ich alt bin.

Aber was soll's, ich *bin* ja auch alt. Bin es mit den Jahren geworden.

Mein zufälliger Bettgenosse lässt einen Wind fahren und seufzt zufrieden im Schlaf.

*Sie,* denke ich. Ausgerechnet sie, von allen Menschen.

Wir nähern uns jetzt Södertälje. Ich klettere hinunter und gehe duschen, es ist eng und unbequem. In Kürze umsteigen in Stockholm. Dann eine Stunde bis zur Universitätsstadt. Oder vierzig Minuten, heutzutage geht es schnell.

Ich stelle fest, dass ich zittere. Auf jeden Fall wird es im Hauptbahnhof für eine Tasse Kaffee reichen, das beruhigt mich ein wenig. Und für eine Zimtwecke, von der ich drei Viertel liegen lasse.

Der nächste Zug ist überfüllt mit Pendlern. Ich sitze neben einer dunkelhäutigen Frau, die nach allem zu urteilen Medizin studiert. Jung und üppig. Ich fühle mich alt und grau.

Arlanda.

Knivsta.

Uppsala.

Die Morgensonne sickert durch das schmutzige Fenster.

Und dann steht sie da.

# *Früher*

# I

# 1

Es war ein Donnerstag in meiner Jugend.

So ungefähr acht Monate, bevor die Kirche brannte. Dieser dramatische Februarsamstag – mit dem erschossenen Kerl oben in dem verbrannten Turm – war es natürlich, der die Leute das Drama um die Familie Kekkonen-Bolego vergessen ließ. Oder sie zumindest aufhören ließ, darüber zu jeder passenden und unpassenden Gelegenheit zu reden, wie man es den ganzen Sommer, Herbst und den halben Winter über getan hatte.

Man könnte also sagen: Es gibt nichts Schlimmes, was nicht auch etwas Gutes in sich hätte.

Ich selbst vergaß nichts. Während all der Jahre nicht, die verschwanden. Obwohl es genau das war, was ich mir mehr oder weniger vorgenommen hatte. Es auszuradieren. Zu begraben.

Aber es war unmöglich zu akzeptieren, dass so vieles ungeklärt blieb und einfach im Sand versickerte. Das ging so nicht. Diese Fragen, die nie eine Antwort bekamen, diese Qual, die immer weiter drückte – und als sich das Ganze endlich an einem Frühsommertag in Uppsala viele Jahre später klärte, da wusste ich plötzlich, dass ich die ganze Geschichte erzählen musste.

So, wie es gewesen war, aber in erster Linie so, wie ich es von der ersten Reihe aus erlebt hatte. Ich glaube, das wollte er, vielleicht wollte sie es auch. Früher oder später muss man sich versöhnen, sowohl mit seinem Schicksal als auch mit anderem, das ist etwas, was mich das Leben gelehrt hat.

* * *

Aber jetzt schreiben wir also das Jahr 1967. Ein Donnerstagnachmittag Ende Mai. Ich befand mich ungefähr auf gleicher Höhe mit dem Stadion in Sannahed, und diese verfluchte Fahrradkette war einfach abgesprungen. So etwas kommt in den besten Familien vor.

Außerdem goss es in Strömen, trotz der Jahreszeit ein richtiger Gewitterregen, es schien, als wäre der Blitz direkt in die Kette eingeschlagen, und ich hatte nicht übel Lust, diesen blöden Drahtesel ins Gebüsch zu werfen und nach Hause zu trampen. Das wäre nicht mehr als recht und billig gewesen, man sollte sich schließlich als Mensch nicht vom Fahrrad regieren lassen.

Aber ich besann mich – hätte ich das nicht getan, dann hätte ich sie nicht gesehen, niemals hätte ich diesen kurzen Blick durch die nasse Autoscheibe geworfen, und alles wäre anders gewesen. Vielleicht auch nicht, aber ich hätte mich zumindest nicht wie jemand gefühlt, der eine Art zweifelhafter Hauptrolle in diesem Melodram spielte, das sich dann während der Sommermonate und des Herbsts abspielte.

Ich besann mich also. Wer um Himmels willen würde einen ungepflegten, langhaarigen, triefnassen jungen Tramper in so einem Wetter auflesen?, dachte ich. Einen nassen Gammler, sechzehn Jahre alt, fast siebzehn. Ausgefranste Jeans, ausgefranster Armyparka und ausgetretene Tennisschuhe.

Und das auch noch in Sannahed. Ich zuckte mit den Schultern, ergriff mein Schrottfahrrad und machte mich auf in Richtung Kumla. Der Regen prasselte immer mehr.

* * *

Zu der Zeit dauerte es acht Minuten mit dem Zug von Kumla nach Hallsberg. Ich nehme an, dass es heute ungefähr genauso lange dauert, trotz des allgemeinen Fortschritts, aber ich habe mir nicht die Mühe gemacht, diese Frage zu überprüfen. Mit dem Fahrrad brauchte man eine Dreiviertelstunde. Das heißt, von Tür zu Tür. Von der Bryléschule über die Hochebene bis zur Fimbulgatan beim neuen Wasserturm von Kumla, auch wenn der nicht mehr besonders neu war, schon damals nicht, auf jeden Fall war er aber jünger als der alte.

Eineinhalb Stunden pro Tag mit anderen Worten, aber man sparte fast einen Hunderter für die Monatskarte, und das war viel Geld für einen pickligen Gymnasiasten. Eine kleine Packung John Silver kostete zweizehn, die Satirezeitschrift »Mad« ungefähr das Doppelte.

Den gewundenen Weg durch die Felder zu Fuß zu gehen, dauerte Stunden. So war es zu allen Zeiten gewesen. Scheiße, dachte ich, als ich an der Offiziersmesse vorbeikam, warum musste Elonsson ausgerechnet heute krank werden?

Denn es war Elonssons Idee gewesen. Dass wir Geld verdienen könnten, indem wir im Mai und Juni mit dem Rad statt mit dem Zug fuhren. Wir gingen in die gleiche Klasse im Gymnasium von Hallsberg, Elonsson und ich. In die Obersekunda, wie es die Leute Mitte der Sechzigerjahre noch nannten. Ich hatte der dummen Schnapsidee zugestimmt, und drei Wochen lang waren wir nun jeden Morgen und jeden Nachmittag über die Hochebene gestrampelt, mit einer Beharrlichkeit, die fast an Charakterstärke herankam.

Aber an diesem schicksalsschweren Donnerstag hatte Elonsson gekniffen. Ich erinnere mich noch, dass ich bereits bei dem starken Gegenwind am Morgen den Verdacht hegte, dass der Schweinehund unpässlich wurde, als er am Küchentisch saß und im Radio den Wetterbericht hörte. Er war manchmal so, der Elonsson, aber ich hatte keinen besseren Freund.

Ich hielt am Kiosk unterhalb des Kasinos an und überlegte. Drehte die spärlichen Münzen, die ich noch hatte, ein paar Mal in der Parkatasche, beschloss dann aber doch, sie lieber für ein Päckchen Tabak aufzusparen. MacBaren's Mixture. Auf Anraten eines Pfeifengurus in der Klasse namens Nisse von Sprackman hatte ich vor ein paar Monaten mit Hamiltons Mischung aufgehört. Er meinte, dass Greve Gilbert ein Alt-Männer-Tabak sei, der Mücken und Frauen gleichzeitig vertrieb, und auch wenn ich das nie so bemerkt hatte, war ich doch seiner Argumentation gefolgt. Die Wahrscheinlichkeit, dass der Sperrholzkiosk in Sannahed so etwas Exklusives wie MacBaren haben sollte, war so gering, dass ich mir gar nicht erst die Mühe machte, zum Tresen zu gehen.

Außerdem hatte ich noch ein paar Krümel. Ich stopfte sie in den Pfeifenkopf. Drehte die Pfeife auf den Kopf, und so gelang es mir, sie anzuzünden. Dann setzte ich meine Wanderung fort.

Ich überlegte, wie Dylan das hier wohl in Worte fassen würde. Ich überlegte, ob ich einen Versuch machen sollte, wenn ich nach Hause kam.

Bike accident homesick blues oder so.

Der Regen prasselte nieder.

* * *

Das Auto stand am Finkvägen am nördlichen Rand der Ortschaft. Direkt an der Einmündung zur Überlandstraße, auf der gleichen Seite, auf der ich anspaziert kam. Ich habe diese sekundenkurze Momentaufnahme so oft analysiert, habe von ihrem Gesicht hinter dem nassen Seitenfenster so viele Nächte lang geträumt, habe mich selbst in höchstem Maße verflucht, dass ich nicht stehen geblieben und ein bisschen genauer hingeguckt habe – aber was hätte es geändert? Es war nur eine Sekunde, und alles, was ich sah, war ihr Gesicht, das mir direkt entgegenblickte.

Und von dem Mann, der neben ihr saß, bekam ich überhaupt keinen Eindruck, konnte mir nicht erklären, warum sie dort hielten, und konnte nicht sagen, um was für ein Auto es sich handelte. Außer dass es ein dunkler Amazon war. Wenn es etwas gab, wovon es damals wimmelte, dann waren es dunkle Amazons, das erklärte mir Kommissar Vindhage ein ums andere Mal während unserer Gespräche später im Herbst.

Blau oder schwarz?, fragte er. Grün?

Keine Ahnung, antwortete ich. Ich bin farbenblind. Dunkel.

Sie registrierte mich natürlich – sie muss mich gesehen haben, aber sie identifizierte mich nicht. Ein durchnässter junger Mann mit strähnigem Haar und einem kaputten Fahrrad. Das konnte wer weiß wer sein. Oder jedenfalls ziemlich viele. Wenn sie begriff, dass es ihr Nachbar war, dieser arme Tropf, dann hätte sie doch wohl irgendwie reagiert, oder? Die Hand zu einem Gruß gehoben oder wiedererkennend genickt … womöglich die Tür geöffnet und gefragt, ob ich Hilfe bräuchte.

Aber sie saß nur auf dem Beifahrersitz, drehte den Kopf und zeigte mir eine vorbeihuschende Sekunde lang ihr Gesicht, genau als wieder ein Blitz über dem durchnässten Feld aufblitzte, und ich blieb nicht stehen. Wurde nicht einmal langsamer oder so.

Ester Bolego, das war alles, was ich dachte. Warum sitzt du denn da?

* * *

Es war fünf vor fünf, als ich die Fimbulgatan erreichte, und der Regen hörte so ziemlich genau in dem Moment auf, als ich das Fahrrad in die Garage schmiss. Meine Schwester Katta stand in der Küche und machte Pfannkuchen.

»Du bist ganz nass«, sagte sie.

»Was du nicht sagst«, erwiderte ich.

»Warum hast du nicht den Zug genommen?«

Ich gab keine Antwort. Ging stattdessen ins Badezimmer und ließ heißes Wasser einlaufen, ich fror so sehr, dass mir die Zähne klapperten, und seit ich durch Kumla gegangen und an der Kirche vorbeigekommen war – die damals wie gesagt noch nicht gebrannt hatte –, hatte ich mir vorgestellt, wie das heiße Wasser meinen klapprigen Körper umfließen würde.

Ich riss mir die Kleider vom Leib und schlüpfte hinein. Schloss die Augen und versuchte, nicht an Signhild zu denken.

* * *

Nicht an Signhild zu denken, das war eine Aufgabe, auf die ich in diesem Frühling viel Energie verwandte. Sie hatte meinen Kopf und all meine Sehnsucht so langsam immer mehr okkupiert, fast wie eine Art Fieber oder Virus, und es war einfach nicht machbar, all seinen Witz und seine Gedanken immer nur darauf zu verwenden. Als sie ins Lundbomsche Haus gezogen war, die Familie Kekkonen-Bolego, vor gut sechs Jahren, da war Signhild eine magere Zehnjährige mit dünnen Zöpfchen und zu großen Füßen gewesen, aber unser Viertel war mit Kindern schlecht bestückt, und so hatten wir uns ohne viel Geplänkel gefunden. Wir waren gleichaltrig – nur drei Tage hatte ich ihr voraus, und mit der Zeit hatte ihr Körper rein wachstumstechnisch die Füße eingeholt. Die Zöpfe verschwanden, und erwachsene Menschen, solche wie mein Vater und andere ständige Besucher, stellten gern fest, dass Signhild die Haare ihrer Mutter geerbt hatte. Dick, kastanienfarben und sich locker wellend. Fast wie eine Naturkraft. Etwas, in dem man sich verirren konnte.

Wahrscheinlich gab es noch andere junge Männer, die auch ein Auge auf Signhilds Vorzüge geworfen hatten, es wäre merkwürdig, wenn nicht, aber bis dahin, bis Ende Mai

1967, hatte ich keine potenziellen Rivalen im Viertel herumschleichen sehen. Und ich möchte behaupten, dass ich sehr wachsam war. In einem Winkel meines unstrukturierten, aber potenten Gehirns hatte ich die Vorstellung, dass ich eine Art Vorzugsrecht auf Signhild besaß, eine Art ius primae noctis, da ich sie doch schon seit ihrem zehnten Lebensjahr kannte. Wir hatten zusammen Äpfel geklaut, wir hatten bei Gewitter auf Hammarbergs Koppel gezeltet, und wir hatten eine Art Blutsbrüderschaft geschlossen, indem wir uns einen Regenwurm teilten. Das hatte ich mit niemandem sonst gemacht.

Wenn ich ab und zu an mein zukünftiges Leben und Martyrium dachte, dann tauchten meist zwei vollkommen unterschiedliche Varianten in meinem Schädel auf.

In der einen lebte ich in einer großen, harmonischen Familie zusammen mit Signhild. Alles war nur Liebe und Glückseligkeit. Friede, Freude, Eierkuchen. Kinder dutzendweise, turning cartwheels cross the floor.

Die andere Variante war das reine Chaos. Schwieriges Kreuzen auf dunklen Gewässern. Einsame Abende in suizidalen Bars. Ich wagte es mir kaum vorzustellen. Deshalb durfte ich nicht zu viel an Signhild denken. Deshalb durfte ich nicht im Joch der Gefühle versinken.

Es gab andere junge Frauen in meiner Nähe. Zumindest eine. Sie hieß Katta und war meine Schwester. Sie war in diesem Frühling einundzwanzig geworden, wohnte aber immer noch daheim. Arbeitete halbtags bei der Post und nahm bei Hermods Fernkurse. Sie hatte einen festen Freund, der Urban Urbansson hieß und Polizeianwärter bei der Polizei in Örebro war. Er trug Koteletten, fuhr in einem glänzenden Saab herum und war der Glückstreffer überhaupt. Das fand zumindest Katta, und das fand auch meine Mutter, was mein Vater meinte, wusste ich nicht. Die meisten nannten ihn Doppel-Urban, jedenfalls, wenn er nicht seine Uniform trug.

Einmal hörte ich meine Schwester ein liebevolles »Dubbelubbe« in sein Ohr flüstern, und daraufhin nannte ich ihn heimlich so.

Dubbelubbe.

Ich war nicht besonders beeindruckt von ihm. Er trainierte eine Viertelstunde am Tag mit Hanteln, und er meinte immer das, was er sagte. Er lachte nur, wenn mindestens zwei Drittel der Gesellschaft, in der er sich gerade befand, das auch tat. Oft trug er rote oder gelbe Socken mit grünen Kleeblättern drauf. Wenn er in Zivil war, so zivil, wie er nur sein konnte.

Katta machte Pfannkuchen, weil Dubbelubbe kommen sollte. Meine Mutter hatte die Spätschicht bei Gahns, und dann übernahm Katta immer die Stellung. Besonders wenn der Polizeiaspirant zu erwarten war, so wie an diesem Abend.

* * *

»Das war vielleicht ein Regenwetter«, sagte Dubbelubbe.

»Cats and dogs«, stimmte meine Schwester zu. Englisch war eines ihrer Fächer bei Hermods.

Ich sagte gar nichts. Mein Vater sagte gar nichts.

»Zwanzig Millimeter sind runtergekommen«, sagte Dubbelubbe. »Draußen in Vintrosa. Das haben sie im Radio gesagt.«

»So viel?«, fragte meine Schwester.

»Aber in der Stadt war es nicht so viel«, führte Dubbelubbe weiter aus. »Ich meine natürlich in Örebro.«

»Kumla kann man ja nicht gerade als Stadt bezeichnen«, sagte meine Schwester und verdrehte etwas schwachsinnig die Augen.

»Nein, Örebro ist da etwas anderes«, sagte Dubbelubbe. »Und bald kommt der Sommer.«

»Ja, das stimmt«, sagte meine Schwester.

»Kann mir jemand die Marmelade geben?«, fragte mein Vater und sah müde aus.

Das Lundbomsche Haus, in dem die Familie Kekkonen-Bolego wohnte, trug seinen Namen nach einem Fabrikanten Lundbom. Er hatte den Kasten Mitte der Zwanziger Jahre gebaut, aber im Zusammenhang mit der Depression in den Dreißigern war er Bankrott gegangen und hatte versucht, sich auf dem Dachboden zu erhängen. Gutes Essen, Pasteten, Punsch und Pralinen hatten jedoch dazu geführt, dass er hundertfünfzig Kilo wog und das Seil riss.

Lundbom ließ sich davon aber nicht beirren, er nahm den Zug nach Örebro und machte sich einen vergnügten Abend im Stora Hotellet und in der Freimaurerloge. Danach sprang er in den Svartån. Aber auch diesmal lief es nicht nach Plan, er wurde einfach von der Strömung mitgezogen und blieb schließlich an dem lehmigen Ufer vor Kolja liegen. Wie er durch die Schleusen gekommen war, ist ein Rätsel. In den frühen Morgenstunden wurde er von einem Jungen entdeckt, der ihn mit Hilfe eines Bootshakens herauszuziehen versuchte; dessen Spitze traf jedoch Lundboms Halsschlagader, so dass es zum Schluss doch noch so kam, wie es kommen sollte. Der Junge saß eine Weile wegen Verdachts auf Raubmord oder Totschlag in Untersuchungshaft, wurde aber schnell von jedem Verdacht freigesprochen.

Unser Haus lag dem Lundbomschen gegenüber und hatte keinen Namen. Nur Fimbulgatan 6, und im ersten Stock hatte ich mein Zimmer, eine Kammer von höchstens acht Quadratmetern. Seit einigen Jahren hing das Versprechen in der Luft, dass ich Kattas Zimmer übernehmen dürfte, wenn sie sich nur endlich ein für alle Mal für ihren Aspiranten entscheiden könnte.

Ihr Zimmer war doppelt so groß wie meines, außerdem hatte es einen kleinen Balkon, aber eigentlich war es mir nicht so wichtig. Während meines ersten Jahres auf dem Gymnasium hatte ich nicht besonders viel begriffen, aber eine Sache war mir jedenfalls klar geworden. In Kumla gedachte ich nicht länger als unbedingt notwendig zu bleiben, irgendwie gab es dazu einfach keinen Grund. San Francisco oder London, das waren wohl die Städte, die als Erstes in Frage kamen, wenn ich die Stimmung in der Welt richtig deutete, aber wie dem auch war, es wäre sicher auch kein Fehler, sich nach Liverpool oder Rio de Janeiro zu begeben.

Meine zufällige Behausung – im Mai 1967, wie gesagt – enthielt kaum mehr als das Lebensnotwendige. Ein Bett, einen Schreibtisch, ein Bücherregal. Einen Schrank und einen Plattenspieler mit eingebautem Radio, der sogar zu der Zeit schon die reinste Peinlichkeit war. Aber es war benutzbar, dieser mahagonifurnierte Radolan, und meine Plattensammlung bestand – wie eine erneute Kontrollzählung nach den Pfannkuchen erwies – aus vierundzwanzig Platten. Dreizehn EPs und Singles, elf LPs. Wenn ich Jim Reeves *Live at the Opry* mitrechnete, und das machte ich diesmal. Wenn man bedachte, dass der verdammte Elonsson mehr als siebzig hatte, war damit natürlich nicht viel Staat zu machen, aber ich hatte vor, die Quotierung im Laufe des Sommers zu verbessern – dann würde ich im Schweiße meines Angesichts auf den Torffeldern von Säbylund ackern und Geld wie Heu verdienen.

Obwohl Elonsson natürlich auch da draußen im Torf herumkriechen wollte, so dass der Vorsprung vermutlich nicht einzuholen war. So war es nun einmal.

Ich legte *Around and Around* auf und streckte mich auf dem Bett aus. Hörte die Scheibe bis zu Ende, und dann blieb ich noch eine Weile liegen und lauschte, wie der Regen auf der Kastanie vor dem Fenster auftraf. Die hatte vor ein paar Wochen kräftig ausgeschlagen, das war eine Art Neuheit in diesem Jahr. Trotz aller Musik und aller neuer Tonarten, die es plötzlich in der Welt gab, war es doch dieses Geräusch, das ich am meisten liebte: die Regentropfen, die auf das Laub der Kastanie fielen. Es war einfach unwiderstehlich, und das gehörte zu den sonderbaren Dingen, über die ich gern mit Tante Ida sprach.

Sie war eigentlich gar nicht meine Tante, sondern die meiner Mutter, aber alle Menschen nannten sie nur Tante, also tat ich es auch. Sie wohnte in einem kleinen Haus in der Mossbanegatan und war blind. Oder zumindest reichlich sehbehindert, auch wenn sie selbst behauptete, sie hätte genug vom Elend dieser Welt gesehen, und deshalb hätte sie einfach ihre Augen geschlossen, als sie achtzig geworden war. Trotzdem kam sie in ihrem Haus und in Erwartung ihres Schöpfers immer noch problemlos zurecht.

Es war Tante Ida, die mir den Daumen des deutschen Fähnrichs gab, als meine Krankheit entdeckt wurde – ich werde noch darauf zurückkommen –, und ich wusste, dass wir eine Art Bündnis geschlossen hatten, auch wenn ich sie inzwischen kaum öfter als einmal im Monat besuchte. Bestenfalls ein paar Mal.

* * *

Es regnete fast den ganzen Abend auf die Kastanie, und ich blieb in meinem Zimmer, abgesehen davon, dass ich gegen neun Uhr runterging, um mir ein Brot zu schmieren und Elonsson anzurufen. Er versprach mir, am nächsten Tag wieder gesund zu sein, vorausgesetzt, wir nähmen den Zug, und da ich sowieso noch nichts wegen meiner kaputten Kette unternommen hatte, willigte ich ein, drei Kronen sechzig zu opfern. Wenn wir Pech hatten natürlich nur. Wenn uns die Götter gewogen waren, sollten wir es zumindest bei einer Fahrt auch so hinkriegen. Es war selten, dass die Schaffner es schafften, in den lächerlichen acht Minuten durch den ganzen Zug zu kommen. Es kam nur darauf an mitzukriegen, ob sie von der Mitte aus losgingen oder jeder von einer Seite, und sich dementsprechend zu verhalten.

Ich hörte mir auch meine neueste LP an: *Bluesbreakers*

von John Mayall und Eric Clapton, und versuchte die Texte aufzuschreiben, während ich zuhörte, was trotz meiner ganz passablen englischen Fortschritte nicht so einfach war – anschließend ging ich dazu über, mich für den Test in dem selben Fach am kommenden Morgen zu präparieren.

Das war einfacher. Unsere erbärmliche Lehrerin hieß Rubenstråle, war hundertfünfunddreißig Jahre alt und sprach Englisch mit einem starken värmländischen Akzent. Sie hatte niemals eine Zeile weder von Dylan noch von Lennon gelesen, und wenn man *cos* statt *because* oder *yeah* statt *yes* schrieb, bekam man einen Minuspunkt. Aber man ließ nicht locker, steter Tropfen höhlt den Stein, und früher oder später würde auch Rubenstråle das Handtuch werfen müssen. Auf die eine oder andere Art und Weise.

Und an Waffen fehlte es uns nicht. Während des gesamten zweiten Halbjahres hatten Elonsson und ich unsere Aufsätze mit englischen Vokabeln der feinsten Art gewürzt.

buffeting – vor Kälte die Arme um den Leib schlagen
hydropathic establishment – Kaltwasseranstalt
goldfinch – Stieglitz

An diesem Abend schlug ich nach und lernte auswendig:

poultry – Federvieh
dibble – Setzholz
lockstitch – Kettenstich
coparcener – Miterbberechtigter
irrefrangible – unantastbar

Mein Wörterbuch war dick wie die Sünde und 1924 gedruckt. Ich hoffte, dass zumindest die Hälfte der Worte für Rubenstråle unauffindbar sein würde und dass ich ihr auf diese Art und Weise weitere graue Haarsträhnen und Kopfschmerzen der ganz allgemeinen Natur verpassen würde. We skipped the light fandango, wie man bald überall auf der Welt sagen würde.

* * *

Auch wenn meine Eltern wussten, dass ich dem Tabak zusprach, zog ich es doch vor, es nicht zu erwähnen, und in der Fimbulgatan herrschte eine Art Rauchverbot. Abgesehen davon, wenn mein Vater etwas trank, natürlich. Ich nahm meine letzte Pfeife an diesem Abend, rechtzeitig bevor meine Mutter von Gahns nach Hause kam, gegen halb elf, hing dabei halb aus dem Fenster, und alles war wie immer. Rechts von der Kastanie, in der Lücke, bevor die Nachbarhecke begann, sah ich das halbe Lundbomsche Haus. Ich konnte nicht umhin zu registrieren, dass oben bei Signhild Licht brannte. Diverse Gedanken überrollten mich, ich bekam eine ziemlich sinnlose Erektion, konnte sie aber wegdenken. Dachte stattdessen an das Gesicht ihrer Mutter hinter der Autoscheibe.

Was hatte sie dort gemacht? Draußen in Sannahed in einem dunklen Amazon an einem ganz normalen Donnerstagnachmittag? Und wer hatte neben ihr gesessen?

Das waren Fragen, die immer wieder auftauchen sollten, nicht nur während des Sommers, sondern fünfunddreißig Jahre lang.

Ich klopfte die Pfeife an der Wand aus und zog das Fenster zu.

## 2

Vergiss nicht, dass du ein Målnberg bist«, sagte mein Vater. »Nicht allen ist diese herrliche Mischung in ihrem Namen vergönnt. Eine Wolke und ein Berg.«

»Ich weiß«, erwiderte ich. »Das hast du schon mal gesagt. Aber warum muss es dann falsch geschrieben sein?«

»Weiß der Teufel«, antwortete Vater mit gerunzelter Stirn. »Das war schon immer so.«

Es war am Samstag. Die ganze Familie samt Dubbelubbe saß um den Esstisch und aß Hecht auf Meerrettich mit zerlassener Butter, eine der Spezialitäten meiner Mutter. Mein Vater warf hin und wieder gern mit solchen Weisheiten um sich, liebte es geradezu, alle Trivialitäten des Alltags in einen größeren Zusammenhang zu stellen. Ich glaube zumindest, dass er etwas in der Richtung anstrebte.

»Tutanchamon«, hatte er zum Beispiel festgestellt, als meine Krankheit entdeckt worden war. »Alexander der Große. Napoleon, wenn ich mich nicht irre. Du bist in guter Gesellschaft, mein Junge.«

Auch wenn ich es vor anderen nie zugab, so gefiel mir der Gedanke an die heilige Krankheit. Die Fallsucht, wie es früher hieß, klang ja nicht besonders aufregend, ich glaube, ich brauchte diese kleine geheimnisvolle Erhöhung. Den Pakt mit dem Übersinnlichen, die unsichtbare Markierung auf der Stirn, die nur die Auserwählten trugen.

Du gehst Hand in Hand mit Tutanchamon. Mit Alexander und Napoleon ... Ich hatte die Behauptungen meines Vaters in der Bibliothek überprüft und war zu der Erkenntnis gekommen, dass es – genau genommen – keinerlei medizinische Gründe gab, die dagegen sprachen, dass ich ein neuer John Lennon oder Ernest Hemingway werden würde.

Außerdem war es eine sanfte Variante. Die Elektrizität in meinem Körper brauchte ab und zu eine Entladung, wie Doktor Brundisius es damals vor fünf Jahren erklärt hatte. Aber keine größere, nur eine kleine Lukenöffnung, eine Absenz von einer oder ein paar Sekunden, als würde ich einen Augenblick lang schlafen. Kein Grund zur Beunruhigung. Kein Grund, etwas dagegen zu unternehmen.

Das konnte im Laufe der Zeit einfach aufhören.

Es könnte natürlich auch schlimmer werden, aber warum den Teufel an die Wand malen? Haha, du kannst Weltmeister im Schwergewichtsboxen und Ministerpräsident werden, mein junger Freund. Oder etwa nicht?

Verdammt blöde Kombination, hatte ich gedacht, aber nichts gesagt. Einen Schwindel erregenden Augenblick lang versuchte ich mir unseren Ministerpräsidenten Tage Erlander in Everlast-Shorts und Boxhandschuhen vorzustellen.

* * *

»Urban bedeutet Stadt«, warf Dubbelubbe ins Gespräch ein und schaufelte sich mehr Hecht auf.

»Stadt Stadtsohn«, sagte meine infantile Schwester kichernd.

»Oder eher stadtähnlich«, sagte Dubbelubbe.

»Bitte, nehmt euch doch noch vom Hecht«, sagte meine Mutter und schaute aus dem Fenster. »Ach, es ist richtig schönes Wetter heute. Ich weiß nicht, ob man nicht ...«

Sie redete häufig so, meine Mutter. Brach ihre Sätze mittendrin ab, als wüsste sie selbst nicht genau, was sie eigentlich hatte sagen wollen. Oder als wäre die Fortsetzung so selbstverständlich, dass man sie sich selbst denken konnte.

»Du bleibst doch heute Abend zu Hause, Mauritz?«, fügte sie hinzu, als niemand den Faden aufnahm.

Ich weiß nicht, warum meine Eltern mich Mauritz getauft haben. Es gibt keinen anderen Mauritz in der Familie, weder auf mütterlicher noch auf väterlicher Seite. In meinen ersten sechzehndreiviertel Jahren auf der Erde habe ich niemals einen Menschen getroffen, der den gleichen Vornamen wie ich trug. Die meisten wurden Lennart, Staffan oder Alf genannt. Es gab auch den ein oder anderen Hans-Ove oder Lars-Åke oder auch mal Vincent. Aber Mauritz? Niemals. In meinen jüngeren Jahren sammelte ich Fußballbilder aus dem Rekordmagazin, ich hatte sie an der Wand hängen, bis ich intellektuell wurde – 126 Fußballmannschaften aus der ganzen Welt, elf Spieler in jeder Mannschaft, 1386 Männer in der Blüte ihres Lebens, und nicht ein einziger hieß Mauritz. Aber so war es nun einmal. Mein zweiter Name war Bartolomeus.

»Nein«, antwortete ich. »Ich gehe zu Elonsson.«

Meine Mutter seufzte.

»Immer dieser Elonsson. Ich finde ja wirklich ...«

Ich antwortete nicht.

»Ihr könnt doch hier bleiben«, führte meine Mutter aus.

»Elonsson ist doch ganz in Ordnung«, erklärte ich.

»Er raucht, und sein Bruder hat Jonssons Ferienhaus angezündet«, sagte meine Mutter. »Ist das etwa nicht ...?«

»Ich habe keinen Kontakt mit seinem Bruder«, sagte ich.

»Brandstiftung«, sagte Dubbelubbe, »oder genauer gesagt, versuchte Brandstiftung.«

»Ja, ja, ja«, warf mein Vater ein. »Es ist die Pflicht des Hausherrn, den Kopf des Hechts aufzuessen, und jetzt habe ich meine Pflicht getan.«

»Es gibt Rhabarbergrütze zum Nachtisch«, sagte meine Mutter.

»Wir gehen heute Abend ins Prisma«, gab Katta bekannt. »Ubbe hat sich neue Tanzschuhe gekauft.«

»Mauritz müsste mal zum Friseur«, sagte meine Mutter. »Warum kannst du nicht wie alle anderen aussehen?«

The answer is blowing in the wind, dachte ich und stand vom Esstisch auf.

* * *

An diesem Abend klingelte ich tatsächlich bei Signhild. Kekkonen öffnete. Er sah ganz rot im Gesicht aus, und mir war gleich klar, dass er dabei war, sich vor dem Fernseher den Alkoholpegel für den Samstagabend zu erarbeiten.

»Na?«, sagte er nur, schob dabei eine Hand unter sein Hemd und kratzte sich am Bauch.

»Ist Signhild zu Hause?«, fragte ich höflich.

»Woher zum Teufel soll ich das denn wissen?«, erwiderte Kekkonen. »Da musst du schon hochgehen und selbst nachgucken.«

Er rülpste und schlurfte zurück ins Wohnzimmer zu Lucille Ball. Ich lief die Treppe hoch und stieß auf halbem Weg mit Signhild zusammen. Sie trug weiße Jeans und einen dunkelblauen Pullover. Ich sah, dass sie sich ein bisschen geschminkt hatte, und bekam einen Kloß im Hals. Ihre Haare waren frisch gewaschen, und sie war noch hübscher als sonst.

»Hallo«, sagte ich. »Ich wollte nur mal hören, ob du in die Stadt gehst oder so. Ich wollte um halb sieben ein paar Kumpels treffen, wir könnten dann zusammen gehen.«

Das war mutig, verdammt mutig. Ich fühlte mich am ganzen Körper etwas merkwürdig. Und wenn sie jetzt Ja sagt, dachte ich. Wenn sie das tut, kriege ich bestimmt einen Anfall.

»Nein, danke schön«, erwiderte sie. »Tut mir Leid, aber ich kann nicht. Mona muss jeden Moment kommen. Wir wollen zusammen ins Kino.«

»Ach«, sagte ich. »Was wollt ihr euch denn ansehen?«

»Paul Anka im Folkan«, sagte Signhild. »Um halb neun.«

So ein Kitsch, dachte ich. Dass diese alberne Mona Signhild zu so einem Mist mitschleppen kann.

»Ach so«, sagte ich und wandte mich zum Gehen. »Dann bis bald.«

»Ich finde Paul Anka einfach stark«, sagte Signhild.

»Und wie«, stimmte ich ihr zu. »Verdammt stark.«

»Wir kriegen einen Untermieter«, sagte Signhild.

»Was?«, entfuhr es mir, die Hand auf der Türklinke. »Einen Untermieter?«

»Ja. In Snukkes Zimmer. Er kommt ja sowieso nicht mehr nach Hause. Deshalb vermieten wir es und verdienen so ein bisschen Geld.«

»Ich verstehe«, sagte ich. »Nee, Snukke wird wohl in nächster Zeit nicht zurückkommen.«

Snukke war Signhilds älterer Bruder. Halbbruder, wenn man genau sein will. Der Sohn von Kekkonen, aber nicht von Ester Bolego. Ich weiß nicht, wie alt er zu der Zeit war, dreiundzwanzig, vierundzwanzig wahrscheinlich. Er hatte nur im ersten Jahr, nachdem sie in die Fimbulgatan gezogen waren, bei der Familie gewohnt, danach war er seinen verschlungenen Pfaden mit Autodiebstählen, Einbrüchen, Prügeleien und anderen Ungesetzlichkeiten gefolgt. Die Familie Kekkonen-Bolego behauptete, er würde sich nunmehr irgendwo auf den sieben Weltmeeren befinden, während alle anderen meinten, seine Aussicht wäre sicher sehr viel eingeschränkter.

Aber trotz allem nicht im Staatsgefängnis. Wenn er da gesessen hätte, wäre die Sache allgemein in der Stadt bekannt gewesen, und dem war nicht so.

»Er heißt Olsson«, fuhr Signhild fort, als ich bereits die Tür geöffnet hatte. »Zieht nächste Woche hier ein.«

»Ach«, sagte ich wieder. »Ja, das wird bestimmt gut.«

Das wurde es nicht, wie es sich herausstellte. Aber das konnte ich damals ja nicht wissen, sechzehn Jahre und zehn Monate alt, picklig und ahnungslos.

* * *

Ich traf Elonsson wie verabredet beim Dreckigen Bullen. Tjorven und Biffen hingen dort auch herum, ebenso wie Svante, Pucko, Balthazar Lindblom und noch ein paar andere. Die ganze Bande wirkte etwas bedrückt, abgesehen von Biffen und Tjorven, die in zwei Wochen nach London reisen sollten und über alles Mögliche plapperten, was sie dort machen wollten, alle Bands, die sie hören,und alle Bräute, die sie dort kennen lernen wollten. Vielleicht sahen die anderen deshalb so niedergeschlagen aus. Irgendwie erschien London doch ziemlich groß und Kumla im Gegenzug reichlich klein.

»Was machen wir?«, fragte Elonsson, als wir uns in eine Ecke zurückgezogen hatten. »Wenn wir noch eine Minute länger hier bleiben, dann hau ich Biffen eins aufs Maul.«

Wir verließen den Dreckigen Bullen, damit Elonsson seine Prophezeiung nicht wahrmachen musste. Wenn es jemanden in Mittelschweden und Umgebung gab, dem man keine aufs Maul geben durfte, dann war es Biffen. Sein Vater war schwedischer Meister im Ringen gewesen, sowohl in Freestyle als auch in Griechisch-Römisch, und es hieß, dass Biffen ihn bereits mit dreizehn Jahren auf die Matte gelegt hatte. Biffen junior, wie gesagt, Biffen senior war schon über fünfzig.

Es wurde auch gesagt, dass Biffen haargenau den gleichen Bizepsumfang hatte wie Sonny Liston und dass er einen DKW nur mit einer Hand umkippen konnte.

Und dass er das schon mal gemacht hatte.

»Wir können ins Kino gehen«, schlug ich vor. »Im Folkan läuft was mit Paul Anka.«

Elonsson ließ die Zigarette fallen, die er sich gerade zwischen die Lippen geschoben hatte.

»Was hast du gesagt? Paul Anka ...?«

»Ich habe nur Spaß gemacht«, versicherte ich.

»Vielen Dank«, sagte Elonsson und hob seine Zigarette auf. »Aber irgendwo hört der Spaß auf.«

Schweigend gingen wir zum Marktplatz. Es war ziemlich windig, und Regen hing in der Luft. Zwölf Grad, wie ich annahm, und die einzigen Lebenszeichen kamen von den üblichen Besoffenen um Törners Würstchenbude herum. Es war ein paar Minuten nach halb acht.

»Das hier ist nicht gerade der Nabel der Welt«, sagte ich. »Verdammt, ich wette, dass sich auf dem Leicester Square mehr Leute rumtreiben.«

Elonsson schob seinen Pony zur Seite, der bis über die Augen reichte, und schaute mich skeptisch an.

»Wir können es ja in Hallsberg versuchen«, sagte er schließlich. »Ich glaube, in der Grotte läuft was.«

Ich überschlug kurz meinen Kassenstand. Die fünfundzwanzig Kronen, die ich in der Brieftasche hatte, müssten für das Wesentliche reichen: Zugfahrkarte, Eintritt, ein kleines Päckchen MacBaren und ein Würstchen mit Kartoffelbrei. Ich nickte finster.

Die Nacht war noch jung.

* * *

In der Grotte lief tatsächlich etwas. Aber es war eine Tanzband aus Karlskoga mit dem Namen Bengt-Ivars oder etwas Ähnliches Selbstgestricktes, deshalb machten wir lieber eine ruhige Tour die Storgatan entlang. Vorbei an Stigs Buchhandlung, am Bergööska-Haus bis zur abgebrannten Ruine. Offenbar ging in dem dunklen Gemäuer etwas vor sich. In dem Schloss, wie es genannt wurde. *See Emily Play* war durch ein geöffnetes Fenster im ersten Stock zu hören, und ein paar schwankende Gestalten mit Bierdosen in der Hand pinkelten draußen ins Gebüsch – aber weder ich noch Elonsson fühlten uns direkt eingeladen. Wir erinnerten uns beide nur zu gut daran, dass wir trotz allem erst sechzehn waren. Elonsson mit seiner gespaltenen Lippe, ich war Epileptiker, und plötzlich wurde uns klar, dass wir eigentlich ganz dringend ein paar Würstchen mit Kartoffelbrei brauchten.

»Verdammt, was habe ich für einen Hunger«, sagte Elonsson. »Das bringt hier doch alles nichts. Wollen wir sehen, dass wir was zwischen die Zähne kriegen?«

Ich nickte, und so kehrten wir um und gingen wieder zum Marktplatz. Als ich einen Blick auf die Bahnhofsuhr warf, sah ich, dass es noch nicht einmal zehn Uhr war. Ich stellte fest, dass wir sowohl ein Würstchen als auch den 22.20 Uhr-Zug schaffen würden, und wenn ich mich nicht vollkommen täuschte, so würden wir somit rechtzeitig zum Filmende im Folkan in Kumla ankommen.

Der Abend war noch viel zu jung, um nach Hause zu gehen und sich in den Schlaf zu weinen.

Um etliches zu jung.

* * *

Im Zug trafen wir Röv-Enok und Lars-Magnus Tolvberg, und als sich herausstellte, dass Lars-Magnus in seinem Haus im Gartzvägen sturmfreie Bude hatte, verabredeten wir uns zu einer Pokerpartie als Abschluss des Samstagabends. Wir gingen natürlich am Gemeindehaus vorbei, aber offenbar sülzte Herr Anka dieses Mal ungewöhnlich lange, so dass wir nicht den Zipfel irgendwelchen herausströmenden Publikums sahen. Mir fiel auch keine sinnvolle Methode ein, die übrigen auf irgendeine Weise aufzuhalten, so dass ich beschloss, Signhild für diesen Abend lieber zu vergessen. Es war nicht das erste Mal.

Ganz gewiss nicht.

Wir spielten um fünfundzwanzig Öre mit obligatorischer Bubeneröffnung, wie immer. Maximale Erhöhung auf eine

Krone. Ich fing mit sechs fünfzig in der Tasche an, und als ich gegen ein Uhr heimwärts wanderte, war ich Röv-Enok fünf Kronen und Elonsson zehn schuldig.

Das war ein blöder Samstag gewesen, um Klartext zu sprechen. Ich fühlte mich ziemlich niedergeschlagen, und bei meiner letzten Nachtpfeife zum Fenster hinaus konnte ich nicht einmal einen Lichtschimmer von Signhild entdecken.

Ich werde niemals mit ihr zusammenkommen, dachte ich. Und auch mit sonst keiner.

In dreißig oder fünfzig oder siebzig Jahren werde ich ebenso unschuldig sterben, wie ich jetzt hier stehe und in die Dunkelheit hinausstarre. Ich werde niemals New York oder Liverpool oder eine nackte Frau sehen. Warum springe ich also nicht und mache diesem elenden Leben gleich ein Ende?

Mit Hinblick darauf, dass die Fallhöhe auf die weiche Rasenoberfläche nicht mehr als fünf, sechs Meter betrug, verschob ich diesen Beschluss jedoch in die Zukunft. Man will ja nicht behindert werden. Stattdessen legte ich Lightnin' Hopkins auf, so leise, dass es nicht durch die Decke zu hören war, kroch ins Bett und schlug den Salinger da auf, wo ich ihn am letzten Abend verlassen hatte.

Man muss etwas tun, während man auf den Tod wartet, wie Onkel Gunwald in Säffle anmerkte, als er beim Ladendiebstahl erwischt wurde, genau an dem Tag, als er in Pension ging.

# 3

Alles ist relativ – außer Ester Bolego«, hatte mein Vater einmal gesagt.

Ich begriff nie, was er damit meinte, aber ich begriff schon, dass Signhilds Mutter etwas Besonderes an sich hatte. Ein bisschen etwas extra, so dumm war ich ja nun auch wieder nicht.

Allein dass sie nicht den gleichen Nachnamen wie ihr Mann trug, war natürlich auffällig. Und dass Signhild sich lieber nur Bolego nannte, obwohl sie doch eigentlich beide Namen auf ihrem Taufschein stehen hatte.

Als wäre es Ester Bolego, die irgendwie das Ruder in der Hand hielt, ich weiß noch, dass ich das manchmal dachte. Dass letztendlich nicht Kalle Kekkonen derjenige war, der entschied, in welche Richtung es gehen sollte.

Oder Kalevi, wie er eigentlich hieß. Er war älter als sie, das konnte jeder sehen, außerdem noch deutlich hässlicher, und wenn ich zu der Zeit nur nicht so schrecklich jung und kurzsichtig gewesen wäre, dann hätte ich wahrscheinlich auch gesehen, was alle anderen sahen. Zumindest die so genannten erwachsenen Männer.

Dass auch die reife Frau im Lundbomschen Haus eine Schönheit war. Groß, kräftig und rotbraunhaarig, ihr Haar war eine halbe Nuance heller als Signhilds, aber die Konsistenz war zweifellos die gleiche. Dazu kleidete sie sich immer in kräftige Farben – gelb, rot und orange –, lange Kleider und merkwürdige Jacken und Tücher, die sie augenblicklich von den anderen kleinen Pastellfrauen in unserem Viertel und dem ganzen Ort unterschieden. Ein Pfau auf einem Hühnerhof, auch wenn sie nie direkt protzig herumlief.

Außerdem sang sie. In Sveas Konditorei, in der sie arbeitete, summte sie meistens – aber daheim, besonders während der schönen Frühlings- und Sommerabende, da konnte man ihre kräftige Stimme gut artikuliert vernehmen. Ein voller Alt, der durch die geöffneten Fenster des Lundbomschen Hauses drang und über die geschmückten Gärten der Fimbulgatan schwebte. Die Worte waren nie zu verstehen, die meisten waren wohl italienisch, ihr ungewöhnlicher Nachname deutete ja darauf hin, dass sie aus dieser Gegend stammte. Verdi und Puccini vielleicht, aber ich weiß es nicht.

Ich nehme an, dass die Konditorei einen Aufschwung erlebte, als sie dort zu arbeiten anfing, und es gab die These, wonach der Schlagersänger Owe Thörnqvist auf Tournee gewesen und eine Kaffeepause in Kumla eingelegt haben soll, kurz bevor er den Text zu Dagny schrieb.

Obwohl das sicher nur eine lokale Theorie war.

Sie hatte auch eine etwas auffällige Art zu sprechen, die Ester Bolego. Nicht, dass sie einen Akzent hatte, aber ihr Schwedisch kam irgendwie aus einem anderen Brunnen. Nachdenklich, klar und irgendwie veredelt. Wenn man sie etwas fragte, dachte sie oft gründlich nach, bevor sie antwortete, bohrte ihre warmen, dunklen Augen in den Fragenden und betrachtete ihn ernsthaft.

»Mein lieber Freund«, konnte sie sagen. »Wenn du wirklich mit meiner Tochter sprechen willst, dann musst du all deinen Mut zusammennehmen und die Treppe hinaufgehen.«

Oder: »Diese Frage kannst du dir selbst beantworten, oder nicht?«

* * *

Vielleicht besaß Signhild die gleiche Art des Ernstes wie ihre Mutter, und vielleicht liebte ich sie gerade deshalb. Ich wusste, dass sie niemals so einem pathetischen Plattfuß wie Paul Anka verfallen würde. Signhild und ich kannten uns seit unserer Kindheit, und in bestimmten Augenblicken war es einfach nicht vorstellbar, dass noch andere Frauen in meinem Leben eine Rolle spielen könnten. Oder andere Männer in ihrem.

Inwieweit Signhild auf die Idee kam, in den gleichen Bahnen wie ich zu denken, das war eine Frage, die ich zu diesem Zeitpunkt – dem Monatswechsel Mai/Juni 1967 – nicht im Traum hätte beantworten können. Ich glaube, ich spekulierte nicht einmal darüber, traute mich nicht. Bei bestimmten Dingen bohrt man lieber nicht zu tief nach, wenn man sein Haupt weiterhin hoch erhoben tragen will, das war mir so langsam klar geworden.

Von Kalevi Kekkonen hieß es unter anderem, dass er ein Kraftmensch sei. So wurden alle rotköpfigen Kerle bezeichnet, die mehr als hundert Kilo wogen, und auf Kekkonen traf die Bezeichnung besonders gut zu. Er arbeitete als Uhrmacher, war der geschickteste Uhrenfummler in ganz Svealand und Umgebung. Man konnte mit einer Dampfwalze über seine Armbanduhr oder Taschenuhr fahren, dann Kekkonen die Reste bringen und sie nach zwei Tagen wieder wie neu zurückbekommen.

Es war natürlich etwas merkwürdig, dass ein Riese wie Kekkonen mit so etwas Fummligem wie Uhren und Uhrwerken beschäftigt war, aber so war es nun einmal. Er arbeitete bei Didriksens Ur&Klock hinten am Stenevägen. Ein Däne und ein Finne. Es wurde behauptet, sie sprächen niemals miteinander, da jeder seinen Akzent der schwedischen Sprache hätte und deshalb den anderen nicht verstehen könnte. Aber im Uhrenreparieren waren sie Weltmeister.

Die Besten in Kumla, vielleicht sogar in der ganzen Welt.

Auch wenn man Kalevi Kekkonens professionelles Verhalten berücksichtigte, war es nur schwer zu verstehen, wie es ihm gelungen sein sollte, eine Frau wie Ester Bolego für sich zu gewinnen, darin waren sich viele einig. Aber wie man auch dazu stand, so war sie eine Frau aus Blut und Feuer.

Kekkonen war ein Mann aus Holz und Schnaps.

So geil ist der Finne auf seine Uhren, hieß es von ihm, dass er gegen die Zeit trinkt, sobald er kann.

Außerdem war er Kommunist, Aufwiegler und Schachspieler.

Und bald würde er tot sein

Kalevi Kekkonen, du Unglücksrabe.

* * *

Das frühere Leben und Schicksal der Familie Kekkonen-Bolego – bevor sie sich Ende der Fünfzigerjahre in Kumla niederließen – war kaum bekannt. Sie kamen aus Hjohållet und Sjuhärradshållet, so viel stand fest, aber wenn ich versuchte, von Signhild Genaueres zu erfahren, verstummte sie meistens oder fing an, von etwas ganz anderem zu reden. Halbbruder Snukke war offenbar nicht gerade ein Musterknabe, aber ich glaube, da lag noch mehr im Argen. Ich hatte mir nie die Mühe gemacht, nachzubohren, was es eigentlich war. Jeder Mensch hat das Recht auf seine Geheimnisse, da können die Nachbarn noch so sehr mit ihren Gebissen klappern, um eine Redewendung von Tante Ida anzubringen.

Meine eigene Familie verbarg übrigens auch das Eine oder Andere, das war mir schon klar. Es gab so eine Art Schweigen zwischen meinem Vater und meiner Mutter, das mir unwiderruflich auffallen musste, auch wenn ich mit ihm aufgewachsen war. Es war mit Sicherheit besser, das Maul zu halten und Gott einen guten Mann sein zu lassen.

Mein Vater war also Journalist. Er arbeitete seit fünfzehn Jahren als Lokalredakteur bei der Länstidningen mit Redaktion am Markt. Aber in seiner Jugend hatte er Theologie studiert, das Studium jedoch Hals über Kopf abgebrochen – aus unbekannten Gründen –, nur wenige Monate vor seinem Examen. Er sprach nie darüber, ich hatte das von Tante Ida erfahren, aber dass er es selbst niemals erwähnte, deutete zweifellos darauf hin, dass damit eine Art Skandal zusammenhing.

Welcher Art auch immer. Er ertrug es noch nicht einmal, Gösta Knutsson im Radio zu hören.

Er verließ Uppsala, das muss ein paar Monate nach Kriegsende gewesen sein, zog nach Örebro und angelte sich meine Mutter aus einer der Schuhfabriken. Als meine alberne Schwester Katarina Diotima geboren wurde, waren die beiden bereits verheiratet und wohnten in einer Wohnung in der Hertig Karls allé. In dem Jahr vor meiner Geburt zog man aus unbekannten Gründen nach Kumla, landete schließlich in dem windschiefen zweistöckigen Haus in der Fimbulgatan.

So war es. Weil Kumla genau in der Mitte der Welt lag, sollte man hier wohnen, wie mein Vater einmal in einer Weihnachtschronik vor ein paar Jahren schrieb.

Unterschrieben mit Arne M-berg, das hatte etwas mit Integrität zu tun.

* * *

Das Gymnasium lag in Hallsberg, eine Tatsache, die die Menschen in der Mitte der Welt nur schwer verstehen und akzeptieren konnten.

Wenn man aus Kumla kam, konnte man natürlich auch nach Örebro gehen, aber Hallsberg lag trotz allem dreizehn Minuten näher und entbehrte die Verlockungen und Gefahren der Großstadt. Elonssons und meine Eltern waren in diesen Fragen der gleichen Meinung gewesen, und deshalb waren wir beide an einem Ort gelandet, der Bryléschule hieß und dessen auffallendste Eigenschaft war, dass sie während meiner ersten Jahre auf dem Gymnasium nicht fertig gestellt war. Wir hatten Unterricht sowohl in der altehrwürdigen Östra Schule Wand an Wand mit dem Gerichtsgebäude als auch auf dem Bauplatz neben dem Sportplatz. Wir wanderten kilometerlang den Puttlabäcken entlang, diesen stolzen Strom, stolperten vor uns hin, kamen zu spät, vertrödelten unsere Jugend und reiften zum Mann. Die Haare wuchsen, die Pickel sprossen, wir wurden lang und bekamen einen krummen Rücken. In der Welt gab es Unruhen, unter anderem einen Krieg fern in Vietnam, aber meistens hatten wir genug mit uns selbst zu tun.

»The times they are a-changin'«, hatte Elonsson letzte Woche irgendwann festgestellt, als wir einem vorbeikommenden Brauereiwagen nicht hatten widerstehen können, uns direkt von der Ladefläche ein Bier kauften und die Sportstunde schwänzten.

Aber nicht nur Elonsson und ich. Insgesamt waren wir acht Jünglinge, die dort in dem grünen Gras lagen, grünes TT süffelten und auf Pfeifen und Zigaretten kauten. Die Köpfe lässig auf Sportbeutel gelehnt, blauer, wolkenbetupfter Himmel und noch vier Tage bis zu den Ferien.

Nur Elonsson und ich stammten aus Kumla. Der Rest kam aus der Fremde. Aus Laxå und Askersund. Pålsboda, Kilsmo und Hjortkvarn. Die ganze Klasse bestand aus Schülern von auswärts, der Zweig hieß »Allgemein«, und dort gehörte man hin, wenn man nirgendwo sonst hingehörte.

Was wohl so einiges über uns sagte. Doch, es gab da noch einen Jungen aus Kumla. Er war fünf, sechs Jahre älter als wir anderen, war dreimal hintereinander sitzen geblieben und auch in diesem Halbjahr nie da. Er hieß Runkén und wurde – nach allem, was ich später erfahren habe – Kommunalpolitiker in Växjö.

Aber jetzt schrieben wir das Jahr 1967. Und das hing unleugbar zusammen mit einem gewissen Freiheitsgefühl, während man da in dem Gras am Ufer des Puttlabäcken lag, lauwarmes Bier trank und rauchte.

»Das Leben«, sagte Pålsboda-Karlsson. »Verdammt, das hier ist das wahre Leben. Können wir uns nicht in fünfzig Jahren wieder hierher legen und berichten, wie es uns ergangen ist?«

»In fünfzig Jahren gibt es nur noch Insekten auf der Welt«, warf Otto aus Röfors ein und rülpste diskret in den Ellbogen. »Trink aus dein Glas, der Tod, der wartet schon auf dich.«

»Kluge Worte«, sagte Meandersson aus Vretstorp. »Dafür, dass sie aus dieser Richtung kommen.«

Wir waren nur zehn Jungen in der Klasse – Runkén nicht mitgezählt. Die Anzahl der Mädchen betrug mindestens das Doppelte, und wir von dem hässlichen Geschlecht hatten trotz allem einiges gemeinsam. So waren wir faul, wir benutzten Tabak, und wir waren Lebenskünstler. Natürlich jeder auf seine Weise, aber doch mit einer Art Respekt gegenüber dem anderem, der eigentlich ganz ansprechend war. Beispielsweise kam dieser zum Ausdruck, indem wir uns gern mittels verbaler Spitzfindigkeiten neckten, und wir benutzten meistens unsere Nachnamen, wenn wir miteinander oder übereinander sprachen. Ausgenommen Otto, dessen Vater Pole war und Szczećić hieß.

»Ich habe gehört, dass man es in Vretstorp genau umgekehrt macht«, behauptete jetzt dieser Otto.

»Umgekehrt?«, fragte Meandersson.

»Ja, man wirft die Säuglinge weg und zieht die Nachgeburt auf.«

»The times they are a-changin'«, wiederholte Elonsson und fabrizierte einen Rauchring, der langsam über den Puttla river segelte und sich so lange hielt, dass uns die Worte fehlten.

Als wäre es die Zukunft an sich, die wir in der milden Frühlingsluft davonsegeln sahen.

Elonsson und ich hatten übrigens noch eine weitere Gemeinsamkeit, abgesehen davon, dass wir beide in Kumla wohnten – wir waren die Jüngsten in der Klasse. Sowohl er als auch ich wurden bereits als Sechsjährige eingeschult. In unserem Teil der Welt kam es ab und zu vor, dass man mit gut entwickelten und begabten Kindern so verfuhr. Obwohl wir beide den Verdacht hegten, dass es eher daran lag, dass unsere Mütter keine Lust mehr hatten, zu Hause zu hocken und hinter uns herzuwischen, und sich lieber wieder ins Arbeitsleben stürzten.

»Ist mir doch scheißegal, was ihr macht«, schloss Pålsboda-Karlsson die Diskussion ab. »Ich jedenfalls werde in fünfzig Jahren herkommen und mich wieder hier hinlegen. Ihr seid herzlich willkommen.«

* * *

Es war übrigens genau an diesem Abend, dass der Untermieter Olsson eintraf, und irgendwie wurde dadurch der Stein ins Rollen gebracht. Zumindest waren viele im Nachhinein dieser Meinung, sowohl Leute in unserer Straße als auch andere. Es ist schwer zu sagen, was eigentlich was nach sich zieht, welche Faktoren tatsächlich eine Handlungskette bilden und welche nur zufällig zeitlich zusammenfallen. Es gibt natürlich auch Katalysatoren. Nach und nach wurde es ja eine verzwickte Aufgabe für die Polizei, alles auseinander zu pflücken, und niemand soll behaupten, es wäre ihr in diesem Fall gut gelungen. Ich habe nie übertriebenen Respekt für sie gehegt, weder damals noch später – vielleicht lag das an Dubbelubbe –, aber bei dem Gedanken, wie alles eigentlich zusammenhing, ist mir – jetzt, fünfunddreißig Jahre später – klar, dass ich ein wenig ungerecht war.

Es war nicht einfach, so ist es nun einmal.

Aber dass Olsson eines Abends Anfang Juni 1967 zu Kekkonen-Bolegos ins Lundbomsche Haus in der Fimbulgatan zog – daran konnte es keinen Zweifel geben.

Er kam wie ein Gewitter, und er hatte einen Hund mit Motorradbrille neben sich im Seitenwagen.

Das Gewitter war auf einen kaputten Auspuff zurückzuführen, daran gab es auch keinen Zweifel, und der Auspuff gehörte zu einem Motorrad. Einer schwarzen Enfield, nach allem, was ich erkennen konnte, der Seitenwagen war aus lackierten Hartfaserplatten, das Gestell selbst natürlich aus Metall.

Ich war dabei, unseren verdammten, moosbefallenen Rasen mit Hilfe unseres verdammten, rostbefallenen Rasenmähers zu mähen – und damit zehn Kronen zu verdienen –, als die Equipage angedonnert kam, deshalb erhielt ich einen ganz deutlichen ersten Eindruck. Unter lautem Knattern bog der Untermieter Olsson – ebenso wie der Köter mit großer in Leder gefasster Motorradbrille ausgestattet – auf Kekkonen-Bolegos Einfahrt. Bremste, schob die Brille auf die Stirn und schaute sich um. Gab dem Hund einen Klaps auf den Schädel und stellte die Benzinzufuhr ab, so dass der Lärm abebbte.

Stieg von dem Bock, öffnete dem Hund eine Tür, worauf dieser ausgiebig gähnte und sich dann auf den Weg auf die Erde machte. Soweit ich sehen konnte, war es eine Promenadenmischung. Halbgroß, grau- und schwarzzerzaust, mit unkontrollierten Schwanzbewegungen und einem Schädel, ungefähr so groß wie der eines kleinen Kalbs. Der Untermieter beugte sich herunter, kraulte ihn am Bauch und nahm ihm die Brille ab.

Ungefähr in dem Moment kam Kalevi aus dem Haus. Starrte den Neuankömmling ein paar Sekunden lang an und ging dann wieder hinein.

Nach einer halben Minute tauchte stattdessen Ester Bolego auf. Sie wischte sich die Hände an einer orangefarbenen Schürze ab und schob das Haar zurecht. Der Fremde stand immer noch zwischen Motorrad und Hund, ohne sich zu bewegen. Er war ziemlich groß, trug irgend so eine altmodische dunkelbraune Ledermontur und Lederstiefel, die ihm bis zu den Knien reichten. Von seinem Gesicht sah ich nichts, da es Ester Bolego zugewandt war, aber sein Haar war dunkel, hatte fast den gleichen Ton wie die Lederjacke und stand zu allen Seiten hin ab.

Ein paar Sekunden vergingen, dann wischte Ester Bolego sich noch einmal die Hände gründlich ab, trat heran und begrüßte ihn. Der Hund bellte zweimal kräftig und legte sich platt auf den Bauch. Ich stellte etwas peinlich berührt fest, dass ich stehen geblieben war und sie angestarrt hatte, worauf ich ihnen entschlossen den Rücken zukehrte und mit dem Rasenmähen weiter machte.

Ja, so ging es zu, als Olsson die Bildfläche betrat.

* * *

»Er ist Dichter.«

»Dichter?«

»Ja. Er schreibt Gedichte in ein blaues Buch. Außerdem hat er schon mehrere gedruckt. Wir haben eins signiert gekriegt.«

Am folgenden Abend war es mir gelungen, mit Signhild ins Gespräch zu kommen, wir waren beide auf dem Weg zum Zeitungskiosk am Bahnhof, sie, um ihre Illustrierte, ich, um New Musical Express zu kaufen.

»Den Untermieter meinst du? Redest du von ihm?«

»Ja, von Olsson. Er ist berühmt.«

Ich zündete die Pfeife an und dachte nach.

»Wie heißt er mit Vornamen?«

»Das weiß man nicht. Er selbst nennt sich nur Dichter Olsson.«

»Ich habe noch nie von ihm gehört. Woher kommt er denn?«

Sie zuckte mit den Schultern. Mir war schon klar, dass sie

etwas beleidigt war, weil ich die Größe ihres Untermieters in Frage stellte.

»Ich weiß es nicht«, sagte sie nach einer kleinen Pause. »Es spielt doch wohl keine Rolle, woher er kommt, oder?«

»Natürlich nicht. Starkes Motorrad«, versuchte ich es wieder gut zu machen. »Eine Enfield, glaube ich ... mit Seitenwagen und Bello und allem ...«

Sie lachte auf, wurde aber gleich wieder ernst.

»Der Hund, ja ... er heißt O Sole Mio. Er hat versucht, Papa zu beißen.«

»Zu beißen? Ich fand, er sah ganz friedlich aus.«

»Es war Papas Schuld. Er hat ihn getreten.«

Ich nickte. Es war typisch für Kalle Kekkonen, sich so zu verhalten. Was ihm in den Weg kam, das wurde einfach zur Seite getreten.

»Warum ist er zu euch gezogen?«

Signhild antwortete nicht sofort. Sie fuhr sich erst ein paar Mal mit den Händen durch ihr reizendes Haar und dachte nach.

»Ich weiß es nicht genau«, sagte sie dann. »Ich glaube, er kommt durch eine Arbeitskollegin von Mama. Wir hatten beschlossen unterzuvermieten, und dann haben sie während einer Kaffeepause darüber geredet ... ja, so ist es einfach passiert.«

Wir gingen an der Stavaskolan vorbei und kamen auf die Järnbägsgatan.

»Hast du was gelesen? Von seinen Gedichten, meine ich.«

Sie nickte und wurde ganz eifrig.

»Gestern Abend habe ich welche gelesen. Aus dem Buch, das er uns geschenkt hat. Sie sind ... nun ja, reichlich kompliziert sind sie.«

»Ich verstehe.«

Das tat ich nun gerade nicht, aber plötzlich wurde ich von Signhilds Nähe überwältigt. Und von dem Gefühl, neben ihr die Straße entlang zu gehen und mit ihr über Gedichte zu reden.

Auch wenn sie kompliziert waren. Und auch wenn ich noch keines davon gelesen hatte. Es fehlte nicht viel, und ich hätte ihre Hand genommen.

Der Dichter Olsson, dachte ich. Deine Bekanntschaft muss ich machen.

# 4

Die letzte Schulwoche verlief ohne größere Vorkommnisse.

Zu den starken Erinnerungen an mein erstes Jahr auf dem Gymnasium gehören die Pfahlrammen. Die Bryléschule in Hallsberg wurde auf einem Gelände mit unzuverlässigem Lehmboden errichtet, und um die Teile des Wissenstempels, die noch nicht fertig gestellt waren, auch stabil zu halten und dafür zu sorgen, dass sie nicht in der Tiefe versanken, war man gezwungen, sie auf Pfähle zu setzen. Fünf und sechs Meter lange Betonpfähle wurden in den Lehm in einem Ausmaß hineingerammt, das histrionisch war, um einen Ausdruck meines Geschichtslehrers Hedbalk zu benutzen. Die Arbeit ging von morgens bis abends, vom ersten Läuten bis zum letzten. Das Donnern war ungefähr jede dritte Sekunde zu hören, eine Tatsache, die – wenn sonst nichts – bedeutete, dass man ungefähr jedes fünfte Wort, das die Lehrer so ausspuckten, nicht verstand. Im Februar hatte von Sprackman einen Artikel in einer amerikanischen wissenschaftlichen Zeitschrift gelesen, in der behauptet wurde, dass ein durchschnittlicher Schüler ungefähr zwanzig Prozent dessen behielt, was während einer Stunde gesagt worden war – woraus sofort der unwiderlegbare Schluss gezogen wurde:

»Verdammte Scheiße, es sind natürlich genau die paar Prozent, die im Lärm verschwinden, die ich mir hätte merken sollen. Kein Wunder, dass ich bei Null stehe.«

Während einer Zeit im ersten Halbjahr hatte ich eine Serie kleinerer Anfälle während des Unterrichts. Niemand außer mir bemerkte es natürlich – unsere Klasse war ein ziemlich unkonzentrierter Haufen –, und irgendwie hatte das rhythmische Hämmern der Rammen damit zu tun. Eine halbe Minute vor dem Anfall selbst, der allerhöchstens ein paar Sekunden dauerte, wurde der Rammenlärm jedes Mal allmählich lauter und verzerrter, das eintönige Gerede des betreffenden Lehrers erstarb, und ich musste nur ruhig auf dem Stuhl sitzen und mich wappnen. Mich wappnen und Haltung bewahren.

Bum. Bum. Bum. Schweigen. Der Fall. Abwesenheit. Ein leichter Metallgeschmack auf der Zunge, von dem ich nicht weiß, woher er kam. Eine gewisse Trägheit hinterher. Bum. Bum. Bum.

Das ließ während des zweiten Halbjahrs nach. Wenn ich mich recht erinnere, so hatte ich zum Monatswechsel März/April ein paar winzig kleine Aussetzer, aber danach war ich im Großen und Ganzen von den Fingerzeigen auf meine Sterblichkeit befreit.

An diesen letzten Tagen schwänzten wir ein wenig. Ein Vorteil daran, in eine halbfertige Schule zu gehen, bestand in der Tatsache, dass die Kantine noch nicht aus dem Lehm herausragte. Stattdessen aß man im Bahnhofsrestaurant zu Mittag, die Kupons dafür wurden im Bündel gekauft und hatten jeweils einen Wert von drei Kronen fünfzig. Wenn man sich mit dem Standardgericht Bratwurst mit Kartoffelbrei und Preiselbeersaft zufrieden gab, bekam man einszehn zurück. In Lampas Konditorei kosteten eine Tasse Kaffee und eine Heißwecke einsvier. Das war eine ganz natürliche Reihenfolge, und jetzt, wo die Sommerferien bereits in Reichweite waren, fiel es nicht so leicht, den Hintern zu heben und sich von Lampa auf den Weg zum Nachmittagsunterricht zu machen. Lieber blieb man noch eine Stunde dort sitzen, schnorrte sich eine Krone für drei Songs in der Musikbox zusammen und begab sich dann etwas früher als gedacht auf die Fahrradtour heimwärts nach Kumla.

That's what I learned in school today, that's what I learned in school.

Das Wetter war schön, wie ich mich zu erinnern meine.

* * *

Das Schuljahr ging zu Ende. Auch nach diesem Halbjahr bekamen wir Zeugnisse.

Ich hatte in allen Fächern eine drei oder eine drei plus außer in Schriftlicher Darstellung, da hatte ich eine zwei. Vermutlich war das ein Fehler, ich konnte mich nicht daran erinnern, jemals etwas zu Stande gebracht zu haben, was mich über die Menge herausragen ließ, auch nicht, wenn es ums Aufsatzschreiben ging. Weder im ersten noch im zweiten Halbjahr.

Elonsson und ich verglichen unsere Noten, er war im Großen und Ganzen genauso mittelmäßig wie ich, und wir beschlossen, unseren Eltern das Elend nicht zu zeigen. Um auf der sicheren Seite zu sein, ließen wir den braunen Umschlag im Papierkorb beim Sannahedskiosk verschwinden, als wir dort auf dem Heimweg für Tabak und eine Limo anhielten. Als wir kurz darauf am Finkvägen vorbeikamen, fiel mir Ester Bolego in dem dunklen Amazon wieder ein. Es lag mir schon auf der Zunge, Elonsson davon zu erzählen, aber er hatte an Fahrt zugelegt und bereits zwanzig Meter Vorsprung, so dass ich es lassen musste.

Elonsson hatte außerdem nichts mit der Familie Kekkonen-Bolego zu tun, nicht die Bohne.

* * *

Am Nachmittag des letzten Schultags fuhr ich mit dem Fahrrad zu Tante Ida. Sie saß in ihrer Fliederlaube, hörte ein Hörspiel in ihrem Transistorradio und putzte Rhabarber.

»Setz dich, mein Junge«, sagte sie und schaltete den Apparat aus. »Hast du jetzt Sommerferien?«

Ich erklärte ihr, dass dem eigentlich so sei, dass ich aber am Montag anfangen würde, in den Torffeldern von Säbylund zu arbeiten.

»Ora et labora«, sagte Tante Ida. »Das ist das Schicksal der Menschen. Hast du eigentlich schon eine Freundin?«

»Nein, das hat noch nicht geklappt«, musste ich zugeben.

»Du solltest diese Signhild nehmen. Sie wird mal eine anständige Frau, und sie hat breite Hüften.«

In den letzten Jahren hatte Tante Ida sich eine sehr freie Art im Gespräch angewöhnt. Keine Ahnung, ob das nun am Alter oder an der Weisheit lag. Oder an einer gewissen, leichten Senilität. Oder ob das in irgendeiner Weise mit ihren schlechten Augen zu tun hatte. Vermutlich war es eine Kombination von allem zusammen.

»Aber du hast natürlich genauso lange Haare wie diese Homosexuellen aus England«, fuhr sie fort und köpfte eine neue Rhabarberstange. »Wenn du dir nur mal die Haare schneiden lässt, dann würde Signhild dir wie ein brünstiges Huhn verfallen.«

»Da wäre ich mir nicht so sicher«, erwiderte ich. »Aber ich werde drüber nachdenken.«

Sie ging dazu über, mich über die Lage in der Familie auszufragen. Über meine Mutter, meinen Vater und meine Schwester. Über die Cousins zweiten Grades weit hinten in Prästgårdsskogen. Über Onkel Hemming, ihren Halbbruder, der ein Lotterleben unten in Laxå führte. Ich informierte sie, so gut ich konnte, dann sprachen wir über meine Krankheit und den Daumen des deutschen Fähnrichs.

»Ich weiß, dass er heilende Kräfte besitzt«, stellte Tante Ida entschlossen fest. »Du musst doch zugeben, dass es dir besser geht, seit du ihn hast.«

Ich überlegte. Es stimmte tatsächlich. Tante Ida hatte mir

den Daumen in Glas in den Weihnachtsferien übergeben – oder besser gesagt, ausgeliehen, denn es war geplant, dass sie ihn mit sich ins Grab nehmen sollte –, als sie erfahren hatte, dass ich im Laufe des Herbsts ein paar Anfälle gehabt hatte. Damals hatte sie mir auch seine Geschichte erzählt. Und ihre eigene. Denn die hingen zusammen, da gab es keinen Zweifel.

Es war alles in allem ein wenig merkwürdig, und ich hatte einen heiligen Eid schwören müssen, nichts davon dem Rest der Familie zu verraten. Sie war sehr genau mit ihren Grenzziehungen, meine Tante Ida, und wenn ich sie recht verstand, so hatte sie kein besonders großes Vertrauen in irgendeinen ihrer noch lebenden Verwandten.

Vielleicht mich ausgenommen. Und vielleicht noch Hemming in Laxå, aber der ließ ja nie von sich hören, dieser Libertin.

Der deutsche Fähnrich war Tante Idas Lebensschicksal. Ihre große Liebe und ihre Bestimmung. An diesem Juninachmittag Mitte der Sechziger war sie gerade zweiundachtzig geworden. Sie war die Älteste in einer Kinderschar von sechsen, und als ihre Mutter im Kindbett starb, als Ida zwölf war, war es das Los der großen Schwester gewesen, die Verantwortung für die Jüngeren zu übernehmen und dafür zu sorgen, dass etwas aus ihnen wurde. Deshalb war sie bereits neunundzwanzig Jahre alt, als sie den Marktplatz der Liebe betrat. Man schrieb das Jahr 1914, und sie verliebte sich in einen deutschen Jüngling, der in Skåne Urlaub machte. Auf dem Jahrmarkt von Kiviks, wenn ich sie recht verstanden habe. Es war ein Juni, damals wie jetzt.

Er hieß Helmut und war mindestens genauso verliebt wie Tante Ida. Sie sahen sich, sie tanzten, sie himmelten sich an. Dann musste er zurück nach Lübeck, wo er seine Sachen regeln wollte, wonach sie sich in Kopenhagen treffen und dort heiraten sollten. Es gab keine Zeit für Zweifel oder Zögern.

Im August brach der Krieg aus. Ganz Europa wurde verrückt, Arbeiter und Bauernjungen griffen zu den Waffen, zogen ins Feld, um sich gegenseitig die Kehle aufzuschneiden und sich umzubringen. Helmut auch. Was ihn betraf, so kam er an die Westfront, er schrieb seiner geliebten Ida glühende, treue und hoffnungsvolle Briefe, doch im September 1916 bekam sie einen Brief, der dicker war als sonst. Er enthielt seinen rechten Daumen, den er bei einem Granatenangriff verloren hatte, den Ida aber jetzt als Zeichen ihrer Liebesbeziehung haben sollte. Vielleicht ahnte Ida schon, dass Helmut auch ein Granatsplitter in den Schädel bekommen hatte. Die Aktion war ja etwas sonderbar, aber sie warf ihm das niemals vor. Der Daumen war jedenfalls gesäubert, heil und lag in einer Art leicht grünlich schimmerndem Glasgefäß, wobei man sich fragte, wie um alles in der Welt es ihm gelungen war, so etwas mitten auf dem Schlachtfeld an der Marne zu Stande zu bringen ... aber vielleicht lag er auch in einem Krankenhaus hinter der Front, man weiß ja so wenig darüber, wie die Dinge eigentlich zusammenhängen, und sie nahm den Daumen entgegen und schwor ihm ewige Treue. Immerhin etwas, wie es bei Syrach, dem Geläuterten steht.

»Syrach?«, fragte ich.

»Unterbrich mich nicht«, sagte Tante Ida.

Ein halbes Jahr lang bekam sie nicht eine Zeile von ihrem Verlobten, dann jedoch, im März 1917, trafen gleich zwei Nachrichten mit der Post ein, die eine positiv, die andere negativ.

Die positive war, dass Helmut Dieter Schlinckpuff zum Fähnrich befördert worden war, die negative, dass er im Kampf gefallen war.

Worauf sich Tante Ida vom Marktplatz der Liebe zurückzog. Sie zog aus Skåne hinauf nach Närke, eröffnete in Örebro eine Schneiderei und kaufte sich schließlich ein kleines Haus in der Mossbanegatan in Kumla.

Woher sie ihr Wissen über breite Hüften und brünstige

Hühner hat, weiß der Geier. Der deutsche Fähnrich war und blieb der einzige Mann in ihrem Leben.

Und dass sein Daumen gewisse magische Kräfte besaß, das hatte ich auch so langsam begriffen.

* * *

Ich hatte fünfzig Kronen für die Sommerferien von Tante Ida bekommen, und am nächsten Tag ging ich in Kumlas erbärmlichen Plattenladen, um mir die LP von den Animals zu kaufen, die ich schon seit ein paar Wochen haben wollte. Wie üblich war Markt am Samstagvormittag. Ein Fischhändler, ein paar Blumenstände, ein paar Bauersfrauen aus Hackvad und Åbytorp mit Kartoffeln und Gemüse. Ein paar Lotterien und die Freikirchlichen, die Gott weiß was verkauften. Wahrscheinlich die Erlösung. Als ich auf meinem Heimweg den Markt überquerte, mit meiner Beute in einer Plastiktüte in der Hand, entdeckte ich jedoch etwas Neues.

In der nordöstlichen Ecke des Markts, direkt gegenüber dem Eingang zum Stadthotel, standen ein selbstgebautes Holzpodest und eine Lautsprecheranlage. Sowie eine Staffelei mit einem handgeschriebenen Plakat, das mitteilte, dass eine Dichterlesung stattfinden sollte.

DER DICHTER OLSSON
liest Gedichte
aus seiner neuen Sammlung
Es lebt ein Wolf
in der Halsgrube meiner Frau
Kumla Markt, Samstag, 12.00 Uhr
Eintritt frei. Signierstunde

Ich schaute auf meine Armbanduhr. Fünf Minuten vor zwölf. Es gab keine hoffnungsfrohe Zuhörerschaft, die schon wartete, und den Dichter sah ich auch nirgends.

Aber acht Klappstühle standen in einem vagen Halbkreis vor dem Podest. Alle acht waren noch frei.

Einen Moment lang zögerte ich. Dann ließ ich mich auf einem der beiden äußersten Plätze nieder, holte meine Plattenhülle heraus und begann, sie zu studieren, während ich wartete.

* * *

Als der Dichter Olsson die Bühne ein paar Minuten nach zwölf betrat, war die Zuhörerschaft auf vier angewachsen.

Die drei anderen waren Ester Bolego, Signhild und Klapp-Erik. Dass Ester und Signhild gekommen waren, um zuzuhören, war ja ganz normal, damit hatte ich schon gerechnet, als ich Platz genommen hatte, und dass sich Klapp-Erik einfand, war kaum weniger überraschend. Er wohnte und arbeitete im Altersheim Solbacka. Er hatte irgendein Problem mit dem Bein, so dass es immer Klapp-Klapp machte, wenn er sich auf festem Grund fortbewegte, daher der Name. Es gab wenige Veranstaltungen in der Gegend von Kumla, die Eriks wachsamem Auge entgingen, und dabei spielte es keine Rolle, worum es sich handelte: Fußballspiele, Motorradrennen, Unterhaltungsabende am See von Kumla, Bingoabende im Husaren (ein neues Volksvergnügen, das sich im vergangenen Winter wie ein Fieber ausgebreitet hatte) oder Kuckucksbeobachtungen mit der Ornithologischen Gesellschaft. Er sah alle Filme, die liefen, sowohl im Saga als auch im Folkan oder im Grand oben am Kungsvägen. Wenn es sich ergab, sah er die Filme gleich ein paar Mal, dank seiner Doppelbehinderung – er hinkte und war außerdem leicht zurückgeblieben –, hatte er zu allem freien Eintritt, ich weiß, dass es Leute gab, die ihn deshalb ein wenig beneideten.

Olsson kam in Schwarz und hatte sich das lange Haar nass gekämmt, so dass es flach am Schädel und hinter den Ohren lag. Er hatte tief liegende Augen, eine ziemlich große, aber gerade und ebenmäßige Nase, einen breiten Mund und ein paar Tage alte Bartstoppeln. Ich nahm an, dass ein Dichter ungefähr so auszusehen hatte. Er begann, indem er das Mikrofon mit energischem Fingerklopfen testete, dann räusperte er sich und fing an zu sprechen.

»Fossa jugularis, fossa jugularis, fossa jugularis!«

Es dröhnte über den Markt, und ich sah, wie die Leute erstarrten und in unsere Richtung blickten. Olsson sah zufrieden aus und machte eine kurze Pause.

»Fossa jugularis, fossa jugularis!«, wiederholte er dann mit noch lauterer Stimme. Klapp-Erik hatte sich schräg hinter mich gesetzt, und jetzt klopfte er mir auf die Schulter.

»Verdammt, was sagt er da?«

»Ich weiß es nicht«, musste ich zugeben.

»Gehst du denn nicht aufs Gymnasium?«

Ester Bolego schaute sich unruhig um, und Signhild schnappte sich meine LP. Sie starrte Eric Burdon an und versuchte, im Asphalt zu versinken. Ein Bauer aus Hardemo oder so kam heran und setzte sich auf einen der freien Stühle. Olsson zog eine Brille aus der Brusttasche seines Jacketts heraus, schlug sein dünnes, blaues Buch auf und begann, daraus vorzulesen, jetzt mit deutlich leiserer Stimme. Mir war klar, dass die einleitenden Unbegreiflichkeiten das Ziel gehabt hatten, Aufmerksamkeit zu erregen.

> Tage, Nächte, Frauen, Lager
> Schwerter, die blitzen, Kinder, die leiden
> Die Hitze des Alters heimst ein
> Durchbohrt, unverfälscht

»Oh Scheiße«, sagte Klapp-Erik, spuckte aus und zündete sich eine Zigarette in seinem langen, goldfarbenen Mundstück an.

Schenke dem Kardinal einen Taler
Gib dem Brotkind einen Pfennig
Richte nie die Schwertesspitze
Wegwerftage, Krankengerüche

Der Bauer aus Hardemo stand auf und ging zum Fischwagen. Zwei Frauen, die ich als Lehrerinnen der Stavaskolan identifizieren konnte, kamen vorbeigeschlendert und blieben in gebührendem Abstand stehen.

Oleander, Sammetnächte
Frauen, Glieder, Feuer, Tanz
Salamander, Oleander
Süße Frucht des Alters

Er verstummte und nahm die Brille ab. Es dauerte fünf Sekunden, dann begannen Ester Bolego und eine der Lehrerinnen etwas zögerlich zu applaudieren. Klapp-Erik fand sich schnell in die Situation. »Bravo!«, rief er. »Der Einser kommt, der Zweier wird gleich kommen!« Das war offenbar etwas, das er irgendwo beim Sport mal aufgeschnappt hatte. Der Dichter Olsson sah eine Sekunde lang etwas verwirrt aus, aber dann wischte er sich die Stirn mit einem weißen Taschentuch ab und blätterte in seinem Buch ein paar Seiten vor. Beide Lehrerinnen eilten zum Supermarkt hin.

Die Lesung dauerte noch weitere knappe zehn Minuten, und während dieser Zeit war kein neuer Publikumsstrom zu vermelden. Das ursprüngliche Quartett jedoch blieb. Klapp-Erik versäumte keine Gelegenheit, seine Begeisterung kund zu tun, Signhild studierte die Animalshülle so genauestens, dass sie jedes Wort auswendig zu lernen schien, und ich beschloss achtundzwanzig Mal, ihre Hand zu nehmen, ohne zum Ziel zu kommen.

Als Olsson der Meinung war, dass wir eine genügend große Dosis an Poesie zu uns genommen hatten, erklärte er, dass »Es wohnt ein Wolf in der Halsgrube meiner Frau« für günstige dreißig Kronen das Stück zu kaufen sei, wenn man zwei Stück kaufe, genüge ein Fünfziger.

Trotz dieses Angebots ergriff – soweit ich sehen konnte – keiner der Lyrikfreunde diese Gelegenheit beim Schopfe.

* * *

Aber irgendwie muss ich doch von der Lyriklesung auf dem Marktplatz inspiriert worden sein, denn an diesem Abend setzte ich mich hin – nachdem ich mir die gesamte Animals-LP gründlich angehört hatte – und schrieb mehrere Stunden lang Gedichte.

Auf Englisch vorzugsweise, es ist einfacher, wenn man nicht so genau weiß, was die Worte bedeuten. Das meiste war in Dylans und Olssons Stil, und durchgehend richtete ich meine Worte an eine fiktive junge Frau, die ich S nannte.

Als ich fertig war, legte ich das ins Reine geschriebene Ergebnis in einen großen braunen Umschlag, auf den ich »Songs for S« schrieb, und dabei hatte ich die vage Vorstellung, dass sie diesen Umschlag im Zusammenhang mit unserer Hochzeit erhalten sollte.

Irgendwann in der Zukunft, wenn ich ein mutiger Mann geworden war.

# 5

Zu dieser Zeit gab es in Kumla und Umgebung im Prinzip nur drei mögliche Sommerjobs, bei denen jeder eine Anstellung kriegen konnte.

Der erste, das war die Wiesenhaferbekämpfung auf den Feldern der Säbylunder und Mosåer Bauern – hier hatte ich einen Sommer zuvor geschuftet, war über die weitgestreckten Getreidefelder mit einem Jutesack vor dem Bauch hin und her gewankt und hatte für den fantastischen Lohn von zwei Kronen die Stunde Unkraut gezupft. Das war kein Beruf mit Zukunft, und da es uns eher selten als häufig gelang, dieses Teufelszeug mit der Wurzel herauszureißen, richteten wir vermutlich mehr Schaden an, als dass wir nützten.

Die andere Möglichkeit war Erdbeerpflücken unten in Finnerödja. Auch das war erbärmlich schlecht bezahlt, aber ziemlich beliebt, da man gezwungen war, dort in der Wildnis zu übernachten, in angenehmer Nähe zu Pflückern weiblichen Geschlechts, die in der deutlichen Mehrheit waren. Erdbeerpflücken, das war Frauenarbeit, ganz klar; um die Mittsommernacht herum wurde Miss Erdbeere gekürt, und die Gewinnerin des letzten Jahres hatte ich noch in guter Erinnerung: Sie hieß Marianne, war in Adolfsberg daheim, und ihre Telefonnummer trug ich auf einem Zettel in meiner Brieftasche herum. Falls man abends einmal ohne Braut dastand oder falls einem die Lust überkam.

Die dritte Arbeitsmöglichkeit gab es in Hasselfors Firma für Torfgewinnung in Säbylund. Im Moor, kurz gesagt. Und in diese Richtung lenkten Elonsson und ich am ersten Montag in den Sommerferien frühmorgens unsere Räder. Der Wind wehte leicht aus Norden, der Weg erschien uns lang. Eigentlich nicht länger als vier, fünf Kilometer, aber weder Elonsson noch ich waren es gewohnt, um sechs Uhr früh aufzustehen und Butterbrote zu schmieren.

Aber im Moor begann man nun einmal um sieben Uhr morgens, da gab es kein Wenn und Aber. Wir waren eine Schar von ungefähr fünfzehn Personen, die von Hasse-Tage willkommen geheißen wurden. Er war der Chef oder vielleicht der Verwalter und wohnte in einem gelben Haus auf dem Gelände. Ich weiß nicht, wie er wirklich hieß, aber er sah aus wie der Komiker Hasse Alfredson und sprach wie der Komiker Tage Danielsson. Er erklärte uns, dass wir einen gut bezahlten und verantwortungsvollen Job verrichten würden, unseren Lohn bekämen wir immer freitags. Anschließend ging er ins Büro, um Kaffee zu trinken. Um uns kümmerte sich ein so genannter Vormann – ein rothaariger Typ um die achtzehn, der Bengt hieß und aussah, als stamme er aus der Fjugesta-Gegend –, der sich umgehend ins Moor aufmachte.

Es nahm gar kein Ende. Man konnte die Erdkrümmung am Horizont sehen, und wir sollten ganz nach hinten. Überall war Torf. Gestochen und noch nicht gestochen. Der Boden schwang angenehm beim Laufen, aber irgendwie wurde es dadurch auch anstrengender. Nicht ein Baum, nicht ein Busch, nur eine Unendlichkeit von Torfstreifen und einfache, baufällige, graubraune Scheunen, in denen der Torf aufbewahrt wurde, bis man ihn zur Fabrik transportierte. Ich habe in meinem ganzen Leben nie etwas Weitgestreckteres und Öderes gesehen. »Kalahari, da kannst du einpacken«, sagte ein o-beiniger Bursche aus Hallsberg, der schon aufgab, bevor wir überhaupt angekommen waren.

Das Ziel der Arbeit war es, den Torf zu trocknen, wie wir von Bengt erfuhren. Wenn die schuhkartongroßen Stücke aus der Erde geschnitten und aufs Feld gelegt werden, sind sie tropfnass und können bis zu zehn Kilo das Stück wiegen. Während der Sommermonate sollen sie dann so viel Sonne wie möglich tanken, und zwar von allen Seiten, und so viel Wasser verlieren, dass sie nicht mehr als ein paar hundert Gramm wiegen, wenn sie in der Fabrik ankommen. Und hier kamen wir ins Bild. Es gab zwei Dinge: wenden und häufeln. Das Wenden kam zuerst und war am schwersten, und dem sollten wir uns in den ersten Wochen widmen.

Bei normalem Körperbau machte man seinen Rücken ungefähr nach einer halben Stunde kaputt, dann begriff man die Chose und kroch anschließend auf den Knien weiter. Bezahlung: fünfzig Öre pro Meter. Unser Ackerstreifen war einhundertvierzig Meter lang, also bedeutete ein geschaffter Streifen siebzig Piepen. Das war nicht schlecht. Es lief das Gerücht von Leuten, die zwei oder sogar drei Streifen am Tag geschafft hatten.

Wir brauchten fünfundzwanzig Minuten, um zu dem Gelände zu kommen, in dem wir arbeiten sollten. Fjugesta-Bengt wies uns eine Zeit lang ein, dann wurde uns jedem ein Streifen zugeteilt. Er schrieb unsere Namen in seinen Block, und dann hieß es nur noch anfangen.

Ich schnappte mir das erste saure Torfstück und hob es an. Es brach durch. Ich drückte es zusammen und legte es vorschriftsmäßig an seinen Platz. Ich packte das nächste. Das ging auch kaputt. Ich trat es unten in den Graben. Das dritte hielt. So langsam lerne ich es, dachte ich. Ich streckte den Rücken und schaute den Streifen entlang, er schien mir eher eintausendvierhundert denn einhundertvierzig Meter lang zu sein. Ich schaute auf die Uhr. Es war fünf Minuten vor acht, ich war seit zwei Stunden wach und hatte es geschafft, bis jetzt gut drei Öre zu verdienen.

Verdammte Scheiße, dachte ich, man sollte hier draußen übernachten.

* * *

Als wir um neun Uhr die erste Pause machten, war ich so müde, dass ich nicht mehr richtig sprechen konnte. Elonsson wollte einen Krankenwagen rufen, aber das Handy war ja noch nicht erfunden. Hätten wir Notraketen gehabt, hätten wir sie sicher abgeschossen. Wir waren jeder ungefähr zehn Meter in unseren Streifen vorangekommen, und dass wir alles fertig kriegen könnten, bevor die Dämmerung einsetzte, erschien uns ein Ding der Unmöglichkeit. Die Sonne war auch noch durch die weißgraue Wolkendecke gebrochen, und die Mücken waren aufgewacht. Ich hatte sechs Stiche, Elonsson hatte aufgehört zu zählen. Zwei Mädchen aus Örebro, die an dem Streifen neben mir zusammen gearbeitet hatten, hatten für heute Schluss gemacht (nach ungefähr vier Metern) und waren stattdessen schwimmen gegangen. Ich hatte Schmerzen im Rücken, im Nacken, in den Armen, den Schultern, und die Fingerspitzen waren auch schon ganz abgescheuert.

»Warum haben wir nicht wenigstens Handschuhe dabei?«, fragte ich Elonsson, nachdem ich meine erste Stulle aufgegessen hatte. »Kannst du mir das mal erklären?«

Aber Elonsson starrte nur vor sich hin, eine Zigarette im Mundwinkel.

»Bist du müde?«, fragte ich.

Er drehte den Kopf und guckte mich schwachsinnig an.

»Verdammte Scheiße«, sagte er.

Er bewegte leicht die Kiefer, als wollte er diesen Gedankengang noch weiter ausführen, aber es kamen keine weiteren Worte heraus.

»Nein«, sagte ich. »Jetzt machen wir noch ein paar Meter.«

Mir war kotzübel, aber irgendwie freute es mich, dass es

Elonsson offenbar noch schlechter ging. Es schoss mir durch den Kopf, dass derartige Empfindungen nicht besonders edelmütig waren, gleichzeitig war mir klar, dass das Moor nicht gerade der richtige Ort für diese Art gutherzigen Humanismus war. Hier herrschten rauere Sitten.

»Nun komm schon, du verdammter Schlaffsack«, sagte ich.

»Schnauze«, sagte Elonsson.

* * *

Wir schafften beide unseren 140-Meter-Streifen an diesem ersten Tag, Elonsson und ich. Das war entgegen allen Erwartungen, und als wir an diesem Nachmittag nach Hause radelten, da geschah es mit dem stolzen, befriedigenden Gefühl, dass wir ein gutes Tagewerk verrichtet hatten. Siebzig Mäuse, dachte ich. Zwei LPs plus ein bisschen Tabak. Wenn ich weiter so arbeitete, in diesem Rhythmus, dann würde ich mir mindestens zehn Platten in der Woche kaufen können. Vierzig im Monat.

Der Gedanke war Schwindel erregend.

So Schwindel erregend, dass ich nicht bemerkte, dass ich etwas zu nahe an Elonssons Hinterrad kam. Ich schrammte mit meinem Vorderrad dagegen, das Fahrrad schlingerte, und ich fuhr in den Graben.

Elonsson verlor ebenfalls das Gleichgewicht, behielt aber die Kontrolle über seinen Drahtesel und hielt an.

»Verdammt, was machst du denn für einen Scheiß?«, wollte er wissen.

Ich kontrollierte, ob ich mir auch nichts gebrochen hatte. Das Fahrrad sah auch ziemlich unbeschadet aus, und die Thermoskanne klirrte nicht, als ich sie schüttelte.

»Dachte, wir sollten eine Rauchpause einlegen«, sagte ich. »Komm, setz dich.«

Elonsson überdachte den Vorschlag.

»Ich weiß nicht, ob ich es schaffe, wieder aufzustehen, wenn ich mich jetzt setze«, meinte er.

»Ich wecke dich, wenn ich morgen früh hier vorbeifahre«, versprach ich ihm.

»All right«, seufzte Elonsson. »You hate to watch another tired man lay down his hand.«

»Was?«, fragte ich.

»Ach«, antwortete Elonsson und ließ sich neben mir niedersinken. »Irgendwas, das ich irgendwo gelesen habe. Aber vergiss nicht, Handschuhe für mich mitzubringen.«

»I glove you«, sagte ich.

Man wird von der Arbeit mit Torf kein besserer Dichter.

* * *

»Und? Wie war's?«, wollte meine mitfühlende Mutter wissen, als wir daheim in der Küche zusammen aßen. »War es …?«

»Schwer«, sagte ich. »Aber es geht.«

»Wäre es nicht einfacher, wenn du dir die Haare schneiden lässt?«

»Kaum. Man arbeitet mit den Händen, und das Haar ist notwendig, um die Mücken fern zu halten.«

»Du könntest eine Bauernmütze haben«, schlug meine Schwester vor. »So eine vom Zentralverband. Ich glaube, die würde dir stehen.«

»Geile Idee«, sagte ich. »Ich werde drüber nachdenken.«

Es war sehr ungewöhnlich, dass wir zusammen aßen. Meine Mutter arbeitete im Drei-Schichten-Dienst bei Gahns, mein Vater hatte unregelmäßige Arbeitszeiten bei der Zeitung, und Katta … ja, Katta hatte ihren Dubbelubbe, bei dem sie an Wochen- wie an Feiertagen zu pennen pflegte.

Aber an diesem Montag waren alle vier augenscheinlich abends daheim, und ich weiß, dass ich das damals als außergewöhnlich empfand. Vielleicht auch, weil ich so tüchtig gearbeitet hatte. Dass ich es mir sozusagen richtig verdient hatte, mit meiner Familie bei Tisch zu sitzen und mir Kohlrouladen mit Salzkartoffeln reinzuschaufeln, ein Gericht, das Katta dank ihres freien Nachmittags nach allen Regeln der Kunst gekocht hatte. Es war Dubbelubbes Lieblingsessen, deshalb nahm ich an, dass sie es als Gelegenheit zum Üben ansah.

»Haben die Kinder irgendwelche Pläne für die Mittsommernacht?«, wollte mein Vater gegen Ende der Mahlzeit wissen.

»Ich fahre mit Ubbe nach Dalarna«, informierte uns meine Schwester.

»Und du?«, fragte meine Mutter. »Du willst doch sicher …?«

»Ich weiß noch nicht«, erwiderte ich. »Vielleicht fahre ich nach Öland und zelte da mit Suurman und Elonsson.«

»Dieser Elonsson«, sagte meine Mutter.

»Wie wollt ihr dorthin kommen?«, fragte mein Vater.

Ich zuckte mit den Schultern.

»Vielleicht mit dem Zug. Wenn Suurman nicht das Auto von seinem Vater kriegt.«

»Hat er denn einen Führerschein?«, fragte meine Mutter.

»Nein, aber das ist uns egal«, erklärte ich.

»Was um alles in der Welt sagst du da?«, rief meine Mutter aus und ließ dabei eine halbe Kohlroulade auf ihren Schoß fallen. »Man kann doch wohl nicht einfach …?«

»Ich habe nur Spaß gemacht«, sagte ich. »Natürlich hat er den Führerschein.«

»Er sieht aus wie ein Schwein«, sagte Katta.

»Wer?«, fragte mein Vater.

»Suurman. Er hat solche Schweinchenaugen und weißes, gestreiftes Haar.«

»Was spielt denn das für eine Rolle, wie er aussieht?«, fragte ich. »Ich habe schließlich nicht vor, ihn zu heiraten.«

»Ich auch nicht«, warf meine Schwester ein und schürzte die Lippen. »Nie im Leben.«

»Gut«, sagte meine Mutter. »Ich mag es nicht ...«

»Gibt es keinen Nachtisch?«, fragte mein Vater seufzend.

Ich dachte, wie schön es doch war, dass wir nicht jeden Tag mit der ganzen Familie zusammen aßen.

* * *

Ich weiß nicht, ob meine Eltern sich liebten. Oder ob sie es jemals getan haben, über so etwas dachte man nicht nach, jedenfalls ich nicht. So lange ich denken kann, hatten sie getrennte Schlafzimmer, aber ich glaube, das war zu der Zeit gar nicht so ungewöhnlich. Zumindest nicht in unseren Kreisen.

Meine Mutter behauptete, mein Vater schnarche, und sie fassten sich nie an, aber bei anderen erwachsenen Kumla-Bewohnern hatte ich das auch nie beobachten können. Sie lebten in einer Art angenehmem Distanzverhältnis, denke ich. Eine Hermods-Ehe. Sie stritten sich nicht gerade, waren aber auch frei von jeglichem Glücksrausch und ekstatischen Gefühlen, wie es schien. Obwohl noch keiner von ihnen über fünfzig war. Wie gesagt, ich dachte nicht weiter darüber nach, aber wenn ich dieser Frage trotzdem einen Gedanken schenkte, dann ging ich davon aus, dass das Leben halt so aussah. Es ging darum, bis fünfundzwanzig, dreißig auf Teufel komm raus zu leben, dann ebbte es irgendwie ab. Je älter man wurde, umso mehr wurde man zu einer Art Grünzeug oder Möbelstück.

In meiner Frustration über Signhild kann ich nicht leugnen, dass ich mich darauf sogar ein wenig freute.

Wenn ich erst erwachsen und vernünftig bin, dachte ich hin und wieder, dann werde ich mich nicht mehr von niederen Trieben und plötzlichen Ideen lenken lassen. Ich werde zurückgelehnt in meiner Bibliothek sitzen, umgeben von meinen Büchern und meinen Platten, und werde spüren, wie die bittere Süße der Erfahrung mich wie ein kühler Panzer unter Hemd und Unterhose streichelt.

Ich meine mich auch noch daran erinnern zu können, dass ich genau dieses Bild in eine Art Dylansches Englisch zu übersetzen versuchte und dass es irgendwann mittendrin abriss.

An diesem Abend nach meinem ersten Arbeitstag war sowieso nicht viel mit Lesen und Dichten. Ich schlief früh ein. Ausgelaugt wie ein überfahrener Ochse fiel ich kurz nach neun kopfüber ins Bett – aber trotzdem war es unvermeidlich, dass ich ein paar Stunden später wieder erwachte.

* * *

Das Fenster war wie üblich gekippt, und es rauschte leise in der Kastanie.

»Du verdammte Schlampe! Weiß der Teufel, dass ich dir's noch zeigen werde ...«

Dann das Geräusch von etwas Hartem, das auf etwas nicht so Hartes traf, und das scharfe Klirren von Glas, das zerbricht.

»Hölle und Perkele auch! Was zum Teufel machst du jetzt ...?«

Kalevi Kekkonens grobe Stimme brüllte durch das Wohnviertel. Trotz meines zerschundenen Körpers war ich im Handumdrehen am Fenster. Riss es weit auf und starrte in die Sommernacht hinaus. Ein Fenster im Erdgeschoss im Lundbomschen Haus war erleuchtet, und jetzt sah ich etwas durch die kaputte Scheibe fliegen. Es schien eine Tasche zu sein, begleitet von weiteren Glassplittern.

»Bist du total verrückt geworden? Willst du das ganze Haus zu Brei schlagen?«

Jetzt war sie zu hören. Ester Bolego. Und diesmal war es keine italienische Arie.

»Himmelarschundzwirn Perkele! Hol dich doch der Teufel, du Hure!«

Er klang betrunken, und jetzt ging auch bei Signhild das Licht an. Gut, dachte ich, jetzt geht sie runter und gießt Öl auf die Wogen.

»Perkele, Perkele, Perkele!«

Ein weiterer Krach und dann Stille. Auch bei Fredriksson wurde das Licht angemacht, wie ich feststellte. Zu Burmans konnte ich nicht sehen, aber ich ging davon aus, dass beide hinterm Fenster hingen und sich die Augen aus dem Kopf glotzten. Und mit erigierten Ohren lauschten.

Frau Burman gehört zu der Sorte Frauen, die Schwielen an den Ohren kriegen, hatte mein Vater einmal gesagt, als meine Mutter nicht in der Nähe war.

Übrigens stand ich auch da und lauschte. Und wartete. Löschte das Licht, damit ich nicht gesehen werden konnte. Es verging eine Minute. Ich holte Pfeife und Tabak heraus, stopfte die Pfeife und zündete sie an. Schaute auf die Uhr. Es war Viertel vor zwölf, noch ein paar stille Minuten vergingen, und ich begann zu ahnen, dass es vorbei war. Außerdem spürte ich wieder die Schmerzen im Körper, und zu meinem Erstaunen musste ich feststellen, dass ich in sechs Stunden aufstehen und zur Arbeit gehen sollte.

Die Brote schmieren, eine halbe Stunde mit dem Rad fahren, mich eine weitere halbe Stunde übers Moor schleppen – und dann wieder diesen verfluchten Torf rumwirbeln.

Ich scheiß auf euch, Kekkonen-Bolego, dachte ich. Ich scheiß auf eure Meinungsverschiedenheiten, auf euer Geschrei und auf eure finnischen Flüche. Geht ins Bett, haltet die Schnauze und lasst uns brave Bürger in Ruhe schlafen!

Und falls du meine Hilfe brauchst, Signhild, so weißt du ja, wo du mich findest.

Ich klopfte die Pfeife an der Wand aus, zog das Fenster wieder zu dem üblichen Spalt zu und schleppte mich zurück ins Bett. Gerade als ich den Kopf aufs Kopfkissen legte, geschah etwas Merkwürdiges. Eine englische Textzeile tauchte in meinem Kopf auf.

A working class hero is something to be.

Und genauso fühlte ich mich natürlich, aber die Worte wollten mich einfach nicht loslassen. Wenn ich Songschreiber statt Torfarbeiter wäre, dachte ich, dann würde ich genau diese Worte in Musik kleiden.

Eine Viertelstunde später war ich immer noch nicht eingeschlafen. Ich machte wieder das Licht an, setzte mich an den Schreibtisch und brachte die Zeile zu Papier. Dann suchte ich einen Briefumschlag heraus, adressierte ihn an John Lennon, Apple Studios, London, UK, und klebte eine Briefmarke darauf.

Vielleicht kann der ab und zu auch ein wenig Unterstützung brauchen, dachte ich.

# 6

In dieser Nacht träumte ich von Signhild Kekkonen-Bolego.

Ich träumte, dass ich zu Brundins Chark&Livs Laden ging, wo sie seit Weihnachten an der Kasse arbeitete, und um ihre Hand anhielt.

Auf Englisch und mit Hilfe einer Gitarre und eines Songs, den ich nur für sie komponiert hatte. Meine Stimme war eine Mischung aus Stevie Winwood und Donovan, und sie zerschmolz zu einer roten Pfütze aus Liebe, als sie mich hörte. Den Leuten im Laden fielen die Kinnladen und ihre Einkaufstüten herunter, als sie ihr albernes grünes Häubchen und ihren albernen grünen Kittel von sich riss und aus ihrem Kassenhäuschen kletterte. Sie schlang die Arme um mich und küsste mich. Ich trug sie aus dem Laden hin zu meiner schwarzen Enfield, die draußen im Sonnenschein glänzte. Ich drückte sie in den Beiwagen hinein, zeigte dem Dickwanst Brundin, der weinend auf der Treppe stand, den Finger, während er ein Würstchen zwischen seinen fetten rosa Fingern drehte – man konnte kaum Würstchen und Finger voneinander unterscheiden – und Signhild anflehte, doch zurückzukommen. Ich warf die Maschine an, und wir fuhren in einer Wolke aus Staub und Kieselsteinen und kleinen, silbernen Girlanden davon, wobei ich ums Verrecken nicht sagen kann, woher Letztere kamen. Und die ganze Zeit sang ich weiter meinen Song, den Song für S, sogar als wir über das unebene Moorgelände holperten, sang ich, und ich merkte nicht, dass Signhild herauskullerte und stattdessen der rothaarige Bengt aus Fjugesta oder so hineinsprang, und als wir endlich am äußersten Torfstreifen der Welt angekommen waren, fiel mir ein, dass ich die Butterbrote und die Handschuhe zu Hause in der Küche vergessen hatte. Aber Bengt war schonungslos mit seiner Peitsche, er schlug mir den Rücken blutig, und bevor wir auch nur halbwegs bis zur ersten lächerlichen Pause gekommen waren, war ich schon in ein bodenloses braunes Schlammloch gefallen, war tatsächlich dabei, durch den Torf hindurch geradewegs auf den Mittelpunkt der Erde hinunterzusinken. Mit Schwindel erregendem Tempo, wie ich behaupten möchte.

Und immer noch sang ich meinen schrecklichen Song und versuchte, die Gitarre von dem braunschwarzen, schlammigen Wasser fernzuhalten, das mich immer dichter umschloss. Zum Schluss begegnete ich meinem pedantischen Geschichtslehrer Hedbalk, der stets den ganzen Winter über erkältet war und mit einem Streifen Zinksalbe unter der Nase herumlief, und er fragte mich, was ich in der Unterwelt zu suchen habe. »Achtzehnhundertdreizehn«, versuchte ich mein Glück. »Falsch«, sagte Hedbalk. »Die Schlacht bei Leipzig hat damit gar nichts zu tun. Aber du sollst deinen Vater, deine Mutter, deine Schwester und Urban Urbansson ehren, auf dass es dir wohlergehe auf Erden.«

»Dubbelubbe?«, rief ich aus. »Warum ums Verrecken soll ich ausgerechnet Dubbelubbe ehren?« »Weil er Signhild Kekkonen-Johansson heiraten wird«, sagte Hedbalk mit so breitem Grinsen, dass ihm die Zinksalbe in die Mundwinkel lief. »Was zum Teufel quatschen Sie da?«, schrie ich und schlug mit der mit Wasser gefüllten Gitarre nach ihm. »Signhild gehört mir, und außerdem heißt sie nicht Johansson!« »Fossa jugularis! Perkele, Perkele, Perkele!«, brüllte Hedbalk und verschwand in einer weiteren Wolke aus Staub,

Kieselsteinen und Spaghetti, nein, Konfetti müssen es gewesen sein.

* * *

Es war ein Scheißtraum, und zwei Minuten vor dem Weckerklingeln wachte ich schweißgebadet auf.

Etwas wird passieren, dachte ich. Nach diesem Sommer werde ich nicht mehr der gleiche Mensch sein.

Ich weiß nicht, woher dieser Gedanke kam, aber er setzte sich in mir fest, und ich vergaß ihn nicht mehr. Dieser dunkle Traum war wie eine Art Tor, durch das man gehen musste, wie gern man es auch vermieden hätte. *Etwas wird passieren.*

Als dürfte ich die Sachen nicht schleifen lassen, so ein Gefühl war das. Als dürfte ich die Tage, Menschen und Gelegenheiten nicht an mir vorbeiziehen lassen. Als wäre es ganz einfach viel zu kostbar.

Das Leben selbst und so.

Solche Gedanken hatten mich vorher noch nie überfallen, und irgendwie machte mich das froh. Ernsthaft froh, ich weiß, dass ich genau das dachte, als ich mir in der morgenstillen Küche die Brote schmierte. Das ganze Haus und die ganze Welt schliefen, und ich weiß auch, dass es diese neue Art zu denken war, die mir den Mut machte, mich Signhild mit ein wenig höher erhobenem Kopf zu nähern.

Nicht sofort, aber ein paar Tage später. Ungefähr zum Wochenende zu, das könnte hinkommen.

Und ich fühlte eine Art müdes Glück, als ich an diesem Morgen mit Elonsson ins Moor hinaus radelte. Den Brief an John Lennon warf ich heimlich in den Briefkasten bei Norrplan, es war der 13. Juni, noch hatten wir das Leben vor uns, die Schwalben flogen hoch, und alles war möglich.

# 7

Ich nähere mich dem 16. Juni, und mein Weg ist wie der einer Schlange auf Felsengrund.

Gewisse Dinge sind leicht zu erzählen, anderen muss man sich auf Umwegen und mit Rückblenden nähern. Dieser Sommer zwischen Berra Albertsson und dem Kirchenbrand liegt da, wo er liegt, fünfunddreißig Jahre zurück in der Zeit, ein halbes Leben, wie man meinen könnte, aber in einem Torfmoor hört die normale Zeit auf zu existieren. Hier gibt es keinen Felsengrund, kein Drehen und Wenden, denn im Moor sinkt alles gnadenlos hinab und wird unberührt und unbeschadet von der Zeit bewahrt. In tausend mal tausend Jahren schluckt der Torf Dinge, Menschen und Ereignisse, die Zeit ist ein Dieb, und das Torfmoor ist seine Schatzkammer, darüber dachten wir nach, und darüber sprachen wir, während wir an diesem zweiten Tag zu der äußersten Torffurche der Welt unter Mücken und brennender Sonne wanderten, denn bei einer von Hedbalks Geschichtsstunden hatten wir einen Fotoband mit dem dänischen Gråballemann gesehen, dieser Moorleiche, zweitausend Jahre alt, schwarz im Gesicht wie ein geräucherter Bückling, aber noch mit Haut und Haaren, perfekt konserviert in genau so einem alles aufsaugenden alten Morast. Auf Jütland, genau genommen, in der Gegend um Århus oder auch Ålborg, dafür war nur ein Rammstoß nötig gewesen. So war es nun einmal. Bum. So ist es.

»Es liegt ein Gewitter in der Luft«, sagte Elonsson.

»Blödsinn«, sagte ich. »Es kann um sieben Uhr morgens kein Gewitter in der Luft liegen.«

»Du wirst schon sehen«, sagte Elonsson.

An diesem zweiten Tag lief es ganz gut. Als wir endlich die Unlust aus unseren Körpern vertrieben hatten, ging die Arbeit vielleicht nicht gerade im Dreivierteltakt vor sich, aber zumindest doch wie ein kontinuierlicher Kampf, nach knapp sechs Stunden hatten wir unsere einhundertvierzig Meter jeweils geschafft und uns noch eine weitere Spur geteilt. Einhundertundfünf Kronen für jeden, das war wahrlich nicht schlecht.

So langsam ließen wir uns auch ein wenig mit den übrigen Sklaven ein, die wechselnder Art und Schaffensfreude waren. Meistens handelte es sich dabei natürlich um Jugendliche aus der Gegend, aber es gab auch zwei Engländer. So um die fünfundzwanzig Jahre alt, soweit das einzuschätzen war, sie beklagten sich ausgiebig über die unverschämt hohen Marihuanapreise in Örebro und überlegten ernsthaft, ob sie nicht stattdessen lieber anfangen sollten, Torf zu rauchen. Sie hießen Dick und Prick, jedenfalls nannten sie sich so, und wenn sie nicht arbeiteten oder die Graspreise diskutierten, machten sie ernsthafte Versuche, mit den beiden Örebromädchen anzubändeln, die in der gleichen Spur beschäftigt waren wie am Tag zuvor. Eine von ihnen war übrigens neu, sie hieß Ulrika und arbeitete in einem ganz entzückenden Bikini. Ihre Freundin Eva war eigentlich noch hübscher, aber sie lief beharrlich die ganze Zeit nur in Latzhosen und Hemd herum.

Auf jeden Fall hielten sie Dick und Prick auf gebührendem Abstand, zumindest in der ersten Woche.

Unter den übrigen Torfarbeitern gab es beispielsweise noch Orvar, der war in den Vierzigern und hatte fünf Sommer hintereinander im Moor gearbeitet. Er war still und geheimnisumwittert; als wir ihn fragten, was er denn im Rest vom Jahr machte, in dem keine Torfsaison war, schmunzelte er nur vor sich hin, schob den Kautabak an eine andere Stelle und erklärte, dass es genug zu tun gab.

Lars-Evert und Vivianne waren ein siebzehnjähriges Pärchen aus Mosås, das beschlossen hatte, zusammen zu arbeiten. Da Lars-Evert ungefähr doppelt so groß und stark wie seine Verlobte war, mündete die Zusammenarbeit bald darin, dass sie anfingen, sich zu streiten, er beklagte sich darüber, dass sie lahmarschig sei und sich keine Mühe gebe, und zur Mittagspause hin machte sie Schluss mit ihm und fuhr nach Hause.

Ansonsten passierte nicht viel. Wir schufteten in unseren Handschuhen und im Schweiße unseres Angesichts. Die Sonne stieg. Wir machten häufig Pausen, tranken literweise Wasser, schummelten, so gut wir konnten, rauchten und fluchten über die Mücken. Es war so heiß, dass man mit nacktem Oberkörper arbeiten musste, und die Mücken hatten die Fähigkeit, so vorsichtig auf der verschwitzten Haut zu landen, dass man es gar nicht merkte. Aber man merkte, wenn sie bissen, und zum Schluss kümmerte man sich nicht mehr darum. »Jedenfalls halten sie einen wach«, wie Elonsson stoisch feststellte.

Das prophezeite Gewitter stellte sich aber erst ein, als wir auf dem Heimweg waren, und es war richtig schön, nach einem harten Arbeitstag vollkommen durchnässt nach Hause zu kommen. Das Haus war leer, aber meine Mutter hatte auf einen Zettel geschrieben, dass Frikadellen im Kühlschrank lägen, ich schälte mich unten in der Waschküche aus den nassen Sachen, stopfte mich mit Frikadellen voll, nahm eine Dusche und ging dann in mein Zimmer. Legte die Animals auf. Fand eine gute Anfangszeile für ein Gedicht, vergaß sie dann aber wieder. Streckte mich auf dem Bett aus und schlief ein.

Working class hero, wie gesagt.

Es vergingen ein paar Tage. Im Vergleich zu seinem Auftritt auf dem Marktplatz machte der Dichter Olsson nicht viel Aufhebens um seine Person bei uns in der Fimbulgatan. Ich sah ihn nur ein einziges Mal, als er einen langen Spaziergang mit O Sole Mio unternahm. Zwei große Kisten mit seinen Sachen waren am Dienstag vom Bahnhof gebracht worden, und nach allem, was Signhild mir erzählte, als ich mich am Mittwochabend kurz mit ihr unterhielt, war der Dichter in erster Linie damit beschäftigt, in seinem Zimmer zu sitzen und zu schreiben. Ab und zu lief er auf und ab und las sich wohl selbst etwas laut vor.

Wie es schien, hatte er nichts anderes zu tun, als zu dichten, zumindest nicht in der ersten Woche, und was er überhaupt für Absichten damit verband, seine Zelte hier im Mittelpunkt der Welt in Kumla aufzuschlagen, das stand natürlich in den Sternen.

Ich hatte mich ja so halbwegs dazu entschlossen, Kontakt mit ihm aufzunehmen, aber nach allem, was Signhild mir über seine zurückgezogenen Gewohnheiten erzählte, verschob ich das in die fernere Zukunft. Dafür fehlte nicht viel, und ich hätte Signhild ins Kino eingeladen, aber ein Schweigen, das eine halbe Sekunde zu lang dauerte, und ein Blick, der in die falsche Richtung ging, ließen mich auch das aufschieben. Doch es lag in der Luft, das war ganz deutlich.

Und wir gingen zumindest zusammen zu Karlesson und kauften dort »Meine Geschichte«.

* * *

Am Donnerstag, dem Tag, bevor es geschah, kam der Bruder meiner Mutter, William, zu Besuch. Er war ein finsterer Kerl in den Fünfzigern, der irgend so eine Art von Nervenkrankheit hatte und einen Tabakladen in Lycksele führte. Jeden Sommer fuhr er mit seinem PV 544 quer durch Schweden und verbrachte zwei Wochen auf einem Campingplatz in

Skälderviken in Skåne. Dann fuhr er wieder nach Hause. Diese Ferienreise machte er schon, so lange ich denken konnte, und da Kumla nun einmal da lag, wo es lag, blieb er jedes Mal für drei Nächte bei uns. Zwei auf dem Hinweg, eine auf dem Rückweg.

Als Dank für unsere Gastfreundschaft brachte er einen halben Meter geräucherter Rentierwurst und eine Tasche aus Birkenrinde mit, auch das wiederholte sich jedes Jahr. Die Wurst aßen wir auf, mit der Tasche zündete mein Vater immer den Kamin an.

Onkel William war kein geselliger Mensch, und er machte nie viel Aufhebens davon, dass er uns besuchte. Er schlief unten im Gästebett neben dem Heizungskeller und aß mit uns zusammen, soweit gemeinsame Mahlzeiten überhaupt zu Stande kamen. Machte einen Spaziergang durch den Ort bis zum Kumlasee und stellte fest, dass das eine Perle sei. Kaufte den Expressen im Zeitungskiosk und stellte fest, dass auch der früher besser gewesen war.

Am ersten Abend saß er oft mit meiner Mutter am Küchentisch (wenn sie keine Nachtschicht hatte), teilte sich mit ihr eine kleine Flasche Lakka Moltebeerenlikör, die er auf seiner jährlichen Winterreise nach Vasa gekauft hatte, und unterhielt sich mit ihr. Ich nehme an, dass sie über die Familie und vergangene Zeiten redeten, aber um ehrlich zu sein, so interessierte es mich nicht besonders. Meine Mutter hatte einmal erzählt, dass William in seiner Jugend eine Samin geheiratet hatte, die ihn jedoch nach einem Monat verlassen hatte. Das hätte ich auch gemacht, wenn ich die Samin gewesen wäre, dieses Geständnis vertraute mein Vater mir und meiner Schwester bei irgendeiner Gelegenheit an. Es lag natürlich auf der Hand, Williams Geschichte mit dem Lebensschicksal von Tante Ida zu vergleichen, und manchmal fragte ich mich, ob nicht eine Art Fluch der unglücklichen Liebe über meiner Familie lag.

Irgendwie klappte es nie so recht.

Auf jeden Fall war es am Tag nach der Ankunft meines Onkels William, am Freitag, dem 16. Juni, dass Signhild mittags nach Hause kam und ihren Vater ermordet in seinem Bett auffand.

# 8

Onkel William steht auf unserer Auffahrt und wäscht seinen beigefarbenen Volvo PV.

Er hat sich von meinem Vater einen Eimer und einen Schwamm ausgeliehen. Hat das unübertroffene Turtle Clearwash 4B mit fünf Liter lauwarmem Wasser vermischt, und jetzt reibt er zielstrebig und mit routinierten Bewegungen Schmutz, Vogeldreck und tote Insekten ab, mit denen das schöne Sommer-Schweden sein Schätzchen während der sechshundertfünfzig Kilometer langen Reise bekleckert hat.

Das Wetter ist schön. Blauer Himmel mit dahinziehenden Wolkentupfen. Vierundzwanzig Grad im Schatten, und einer der großen Jasminbüsche bei Burmans will seine Blüten öffnen.

Ich glaube, er summt dabei, mein Onkel William. Er ist nicht der Typ, der bei allem vor sich hinsummt, aber wenn er sein Auto an einem schönen Sommertag auf dem Weg nach Skälderviken putzt, dann kann er sich das schon einmal leisten. Denn selbst im Leben von Onkel William muss es solche Momente geben.

Da hört er einen Schrei von der anderen Seite der Fimbulgatan. Aus Familie Kekkonen-Bolegos großem Holzkasten aus den Zwanzigern. William richtet sich auf und bleibt stehen, den Schwamm in der Hand. Es tropft auf den Kies. Es vergehen fünf Sekunden.

Dann kommt ein Mädchen aus der Tür gerannt. Es ist Signhild, aber das weiß Onkel William nicht, und während sie quer über die Straße direkt auf ihn zuläuft, begreift er überhaupt nichts, hört nur, was sie ruft:

»Er ist tot!«, schreit sie. »Papa ist tot! Blut, überall ist Blut, jemand hat ihn umgebracht!«

Und das Mädchen wirft sich ihm in die Arme. Das ist sicher das erste Mal, dass er etwas so Weiches und Schönes in seinen Armen hält, seit der Sache mit der Samin – und er kippt den Eimer mit Turtle Clearwash 4B um, und alles ist ein einziges Chaos und Durcheinander an diesem schönsten aller Sommertage.

»Was?«, platzt es aus ihm heraus. »Aber mein Kindchen, was um alles in der Welt sagst du da?«

Und Signhild stellt fest, dass sie gar nicht weiß, wem sie sich da in die Arme geworfen hat, sie tritt einen Schritt zurück und schluchzt laut auf.

»Mein Vater. Er liegt da drinnen, er ist tot. Bitte, rufen Sie die Polizei!«

»Oh mein Gott«, stöhnt Onkel William. »Tot? Dein Vater? Du machst wohl Scherze?«

Einen Augenblick lang ist Signhild verwirrt. Eine Sekunde lang glaubt sie zu träumen. Wer ist dieser Mann, der da auf Målnbergs Auffahrt einen fremden PV wäscht? Außerdem kann es doch gar nicht sein, dass ihr Vater tatsächlich …?

Aber dann kneift sie sich in den Arm und weiß, dass es stimmt. Alles ist Realität, schreckliche, weißglühende Realität.

»Bitte«, wiederholt sie. »Kommen Sie mit rein und rufen Sie die Polizei.«

Sie meint damit unser Haus, denn sie will auf keinen Fall zurückgehen und sehen, was sie bereits einmal gesehen hat. Nicht allein. Nicht einmal in Begleitung von Onkel William. Und als er in unserem Flur steht und am Telefon die 90 000 wählt, da fällt ihr auch ein, wer er ist, dieser unsichere Fremdling – dem es schließlich doch noch gelingt, der Polizei die unbegreifliche Botschaft zu übermitteln, dass nämlich Kalevi Oskari Kekkonen in seinem Haus in der Fimbulgatan in Kumla ermordet worden ist und dass es vielleicht ganz angebracht wäre, einen Wagen vorbeizuschicken.

So, ungefähr so, muss es sich abgespielt haben.

* * *

Als ich nachmittags gegen halb fünf nach Hause geradelt komme, habe ich vierhundertsechzig Kronen in einem Umschlag in der Gesäßtasche, und ich bin ganz erfüllt von meinem Reichtum. Ich mache bereits Pläne, am Samstag den Morgenzug nach Örebro zu nehmen, zu Bohlins Musikhandlung zu gehen und zwei neue LPs zu kaufen, vielleicht sogar drei. Mich im Laden umzuschauen, auszusuchen und zu verwerfen, anzuhören und mich dann zu entscheiden für ... Mothers of Invention vielleicht. Oder Moody Blues, das wäre der reine Luxus. Und warum nicht Pretty Things ... auf den letzten Kilometern, ungefähr ab der großen Kreuzung, ist mir noch eine verwegene Idee gekommen: Ich könnte ja Signhild fragen, ob sie mitkommen will? Mit in die Stadt? Schallplatten angucken? Eine Tasse Kaffee trinken ... Ich könnte sie in diesem Café am Bahnhofsplatz, wie immer es auch heißen mag, das gleich neben Karro, zu einem Kuchen einladen. Mein Gott, warum eigentlich nicht?

Es stehen vier Autos auf der Straße vor dem Lundbomschen Haus. Zwei schwarzweiße Polizei-Amazons und zwei normale dunkle Saabs. Außerdem sehe ich einen uniformierten Polizisten unten auf der Treppe, und zwei Männer in zerknitterten Anzügen haben sich beim Fahrradständer hingestellt, wo sie rauchen und sich über etwas unterhalten. Ich kann gerade noch zu uns einbiegen und vom Fahrrad springen, bevor der Anfall einsetzt.

Er ist nach wenigen Sekunden vorüber, und wie immer fühle ich mich hinterher etwas benommen. Nicht richtig in der Wirklichkeit. Überhaupt scheint auch sonst nichts in der Wirklichkeit behaftet zu sein, wenn ich mich so umschaue, zu Signhilds Haus gucke und dann in unsere Küche gehe und mich dort an den Tisch setze.

Meine Schwester und mein Onkel kommen herein, und Katta sieht aus, als wäre sie verprügelt worden oder hätte eine Krise oder ähnliches durchgemacht. Auf jeden Fall hat sie geweint. Sie hat schwarze Ränder von der Wimperntusche im Gesicht. Onkel William sieht aus wie immer, jedenfalls so ziemlich. Wie ein Schwarzweiß-Foto von einem Spargel mit Fliege.

»Mauritz«, sagt meine Schwester, und das ist das erste Mal seit Weihnachten, dass sie meinen Vornamen benutzt. »Mauritz, weißt du, was passiert ist?«

Ich schüttle den Kopf. Signhild ist tot, kommt mir plötzlich in den Sinn. Meine Güte, Signhild ist tot, ich werde ihr niemals sagen können, dass ich sie geliebt habe. Ich werde niemals ... Warum ...?

Der Gedanke löst fast einen neuen Anfall aus, aber da spricht Onkel William die erlösenden Worte.

»Euer Nachbar«, sagt er. »Herr Kekkonen ... er hat einen Unfall erlitten.«

»Er ist ermordet worden«, wird Katta deutlicher.

Gott sei gepriesen, denke ich.

* * *

Es war unbegreiflich – vollkommen unbegreiflich –, und ich weiß noch, dass mein erster Gedanke Olle Möller galt.

Aber es war acht Jahre her, seit Möller für den Mord an Rut Lind verurteilt worden war, und soweit ich wusste, saß er immer noch irgendwo hinter Gittern. Außerdem war ich mir ziemlich sicher, dass er unschuldig war – ich hatte sein Buch gelesen –, und außerdem kam noch hinzu, dass nie bekannt geworden war, dass er auch Männer überfiel.

Meine Gedanken gingen auch zu dem nicht aufgeklärten Berra-Albertsson-Fall, der vor ein paar Jahren in den Wäldern um den Möckelnsee geschehen war, aber schnell wurde mir klar, dass gar nicht die Rede vom gleichen Täter sein konnte. Kalevi Kekkonen war sozusagen aus eigenem Verdienst ermordet worden, das war kein üblicher Verrückter, der in Närke sein Unwesen trieb und hier und da jemanden einfach so umbrachte. Weder Möller noch sonst jemand. Es musste schon einen Grund geben, warum ausgerechnet dieser unsympathische Uhrmacher – und kein anderer unsympathischer Uhrmacher oder Autohändler oder Schuhverkäufer – dran hatte glauben müssen.

Zu diesem Schluss kam ich bereits, als ich mit einem halben Liter dünner Rhabarbercreme und einem Glas Milch auf meinem Zimmer lag und mich ausruhte. Ich weiß nicht mehr genau, warum ich mir dessen so sicher war. Die Details, die ich von Katta erfahren hatte, waren folgende:

Signhild war nach Hause gekommen, um etwas zu Mittag zu essen. Brundins hatten immer (außer samstags natürlich) zwischen zwölf und halb zwei geschlossen, und es dauerte nur sieben, acht Minuten, um zur Fimbulgatan zu radeln. Jedenfalls wenn die Bahnschranken hoch waren, und das waren sie an diesem Tag.

Sie stellte wie immer ihr Fahrrad ab. Natürlich. Alles war wie üblich, jedes verdammte kleine sinnlose Detail und jede Handbewegung war, wie sie immer war, bis zu dem Unbegreiflichen ... Sie ging ins Haus, die Tür war offen, obwohl offenbar niemand zu Hause war – nicht einmal der Dichter Olsson. Sein Motorrad stand draußen auf der Einfahrt, aber sie hörte nicht das obligatorische mürrische Kläffen von O Sole Mio, wenn jemand durch die Tür kam oder ging. Zu der Zeit schloss man in Kumla die Türen nicht ab. Vielleicht fing man damit nach diesem schicksalsschweren Freitag an, aber als Signhild durch den engen Flur zur Küche ging, war immer noch alles wie immer. Sie holte Butter aus dem Kühlschrank und Brot aus der Speisekammer. Goss sich einen Teller mit Sauermilch ein und streute eine gehörige Dosis Cornflakes darauf. Der Teller stand immer noch auf dem Tisch, als Onkel William und ein Polizist fünfundzwanzig Minuten später hereinkamen, deshalb kann ich das bis ins kleinste Detail so gut rekonstruieren.

Aber während sie sich das Brot schmierte, hörte sie eine Stimme. Eine Stimme, die aus ihr selbst heraus kam und die ihr sagte, dass da etwas nicht stimmte. Dass etwas Unerhörtes in ihrem eigenen Heim passiert war.

Geh ins Zimmer deines Vaters, sagte die Stimme. Geh hinein und sieh nach, was mit deinem Vater passiert ist.

Signhild erzählte das William, und später erzählte sie es auch mir.

Das mit der Stimme. Die ganz klar und deutlich zu ihr gesprochen hatte, wie sie erklärte, fast so, als stünde da jemand neben ihr in der Küche.

Geh sofort zu deinem Vater!

Und zu den merkwürdigen Dingen gehörte auch, dass sie nicht sagen konnte, ob da ein Mann oder eine Frau zu ihr gesprochen hatte.

Nur, dass es jemand gewesen war.

Signhild hielt inne. Ließ das Messer und das Brot los, und nachdem sie eine kurze Weile zögernd nur so dagestanden hatte, lief sie zu dem Zimmer, das das Schlafzimmer ihres Vaters war, seit sie vor sechs Jahren in dieses Haus gezogen waren.

Die Tür war zu, sie zögerte noch einen Moment, die Hand bereits auf der Klinke, während sie – wie sie mir später erzählte – ein paar Mal tief Luft holte und versuchte, sich zu wappnen.

»Warum?«, wollte ich wissen. »Warum musstest du dich wappnen? Du kannst doch gar keine Ahnung gehabt haben, was da drinnen auf dich wartet.«

»Ich weiß es nicht«, antwortete Signhild. »Ich verstehe es ja selbst nicht. Aber so war es nun einmal.«

Sie öffnete die Tür und trat ein. Oder besser gesagt, blieb auf der Türschwelle stehen, denn der Anblick, der sich ihr bot, hielt sie zurück. Nagelte sie fest.

In seinem durchgelegenen Bett unter dem Fenster lag ihr Vater, Kalevi Oskari Kekkonen, geboren und aufgewachsen in Kotka, Uhrmacher bei Didriksens im Stenevägen, einundfünfzig Jahre alt, hundertzwölf Kilo schwer, und er war toter als eine Biedermeieruhr ohne Gewicht.

Es dauerte nur Bruchteile einer Sekunde, bis seine Tochter das begriff, denn der Uhrmacher wurde noch nicht geboren, der nicht sein Leben verliert, wenn man ihm den Kopf abschlägt.

Dieser lag auf dem Nachttisch, der blutige Kopf, verkehrt herum, und aus der Kehle ragte ein zusammengerolltes Stück Papier.

Dass Signhild nicht in Ohnmacht fiel, als sie das sah, ist mir ein Rätsel.

Dass Onkel William es tat, ist die natürlichste Sache der Welt.

# 9

Dass Kalevi Oskari Kekkonen zu dem finno-ugrischen, eckschädligen Typ gehörte, war eines der pikanten Details, die mein Vater in seinem Artikel in der samstäglichen Länstidning ausließ – das er uns dagegen am Frühstückstisch präsentierte.

Die meisten Köpfe fallen nämlich um, wenn man versucht, sie auf den Schädel zu stellen, das war ein unbestreitbarer phrenologischer Punkt. Aber, wie gesagt, Kalle Kekkonens nicht.

Er muss die ganze Nacht auf gewesen sein, mein Vater. Hatte telefoniert, Interviews geführt, geschrieben und die Polizei wahrscheinlich bis weit in die Morgenstunden hinein genervt. Der Mord nahm fast zwei Doppelseiten in der Zeitung ein, außerdem gab es eine dicke Schlagzeile auf der Titelseite, und der Verkauf in Kumla erreichte, nach allem, was er später mit nur schwer zurückgehaltenem Stolz erzählte, einen so genannten All Time High.

Des einen Tod, des anderen Brot, um es ein wenig respektlos auszudrücken.

Wir waren sechs Personen, die an diesem Tag in der Küche frühstückten. Katta, mein Vater und meine Mutter, Onkel William sowie Dubbelubbe. Das war sicher eine andere Art von All Time High. Ich weiß noch, wie ich dachte, dass wir bei dem Gedanken an das Unerhörte, das sich da im Nachbarhaus ereignet hatte, irgendwie Zuflucht beieinander suchen mussten. Als würde es eine Art Schutz bedeuten, dass wir so viele waren, als könnten wir uns auf diese Art besser schützen und gegen die Kräfte der Dunkelheit rüsten, die nach allem zu urteilen in unserer unmittelbaren Nähe wüteten.

Schließlich lief ein Mörder frei herum, um eine der Überschriften meines Vaters zu benutzen.

Ansonsten wusste man nicht viel. Kalevi Kekkonen war irgendwann in der Nacht von Donnerstag auf Freitag geköpft worden. Zwischen zwei und sechs wurde vermutet, eine Zeitspanne, die hoffentlich noch schrumpfen würde, wenn der gerichtsmedizinische Bericht im Laufe des Wochenendes fertig gestellt würde. Die Mordwaffe war nicht gefunden worden, aber es musste sich um eine sehr breitschneidige – und sehr scharf geschliffene – Axt irgendeiner Art handeln. Möglicherweise um ein Schwert. Kekkonen war mit einem einzigen gut gezielten Schlag dekapitiert worden, und es gab nichts, was darauf hindeutete, dass irgendeine Form von Streit der Tat vorausgegangen war. Wahrscheinlich hatte er ganz friedlich geschlafen und war sich nie der Tatsache bewusst geworden, dass er starb.

Genau das war eine Formulierung vom Konkurrenzblatt Kurren, über die mein Vater nur höhnisch schnaubte.

»Sich bewusst zu sein, dass man tot ist! Er erwartet nicht gerade wenig von den Dahingeschiedenen, dieser Lahmarsch Assarsson!«

Anwesend – sowie laut eigener Aussage friedlich schlummernd – in dem Kekkonen-Bolegoschen Haus waren außer dem Opfer seine Frau Ester gewesen, die in einem angrenzenden Zimmer geschlafen hatte, die Tochter Signhild sowie der Untermieter Olsson, die beiden Letztgenannten jeweils in ihrem Zimmer im ersten Stock. Sowie der Hund O Sole Mio. Niemand hatte etwas Ungewöhnliches in dieser Nacht bemerkt, aber die Haustür war unverschlossen gewesen, so dass es dem unbekannten Täter keine Probleme bereitet hatte, sich Zugang zu dem betreffenden Haus zu verschaffen. Absolut keine Probleme. Der Besitzer des Hundes erklärte, dass dieser in die Jahre gekommen sei und nicht zu den leicht erregbaren Rassen gehöre.

»Das war ein Wahnsinniger«, sagte meine Schwester. »Ein Axtmonster, wie der, von dem ich in Boston gelesen habe.«

»Es gibt keine Axtmonster in Närke«, warf meine Mutter ein. »Red nicht so einen Blödsinn!«

»Er kann ja auf der Durchreise gewesen sein«, erwiderte Katta, ohne Onkel William anzusehen.

»Jedenfalls hat er es nicht selbst getan«, stellte Dubbelubbe fest und köpfte sein hartgekochtes Ei mit einem gezielten Messerschlag. »Die Polizei hat diese Möglichkeit ausgeschlossen.«

»Ach, tatsächlich?«, meinte mein Vater. »Hast du noch andere interessante Informationen aus dem Hauptquartier?«

Die Tatsache, dass Urban Urbansson bei der Polizei arbeitete, bedeutete nicht, dass er zu allen Fakten des Falls Zugang hatte, aber dennoch war er eine Person, die bei ihrer täglichen Arbeit dem Zentrum des Geschehens ziemlich nahe kam. Das heißt, der Polizeiwache in Örebro. Der lange Arm des Gesetzes und der Wächter der Sitten in Kumla, der alte Henry Stångberg, hatte nach Entdeckung des abscheulichen Verbrechens umgehend die Grenzen seiner Fähigkeiten eingesehen und volle Unterstützung von der Landespolizei angefordert. Man hatte eine Informationszentrale im Polizeirevier in der Trädgårdsgatan eingerichtet, an die sich die Allgemeinheit mit Informationen und Tipps wenden konnte, wie es so schön hieß, aber das Hauptquartier selbst befand sich natürlich in der Kriminalabteilung der Provinzhauptstadt.

Und es war natürlich unvermeidlich, dass selbst so ein

Grünschnabel wie Urban Urbansson das Eine oder Andere aufschnappte.

»Das Papier ist zur Untersuchung eingeschickt worden«, erklärte er beispielsweise, nachdem er das halbe Ei erledigt hatte. »Nach Linköping.«

»Wäre schon interessant zu wissen, was draufstand«, sagte mein Vater. »Denn es stand doch was drauf? Ein Gruß vom Mörder?«

»Iih«, sagte meine Mutter. »Na ja, kann schon sein.«

»Ein Gruß?«, wunderte meine Schwester sich. »Wieso das denn?«

Mein Vater zuckte mit den Schultern. »Warum sonst sollte er das Papier in den Kopf gestopft haben?«

»Dazu kann man im Augenblick noch nichts sagen«, bemerkte Dubbelubbe nachdenklich.

Onkel William räusperte sich vorsichtig.

»Warum stand eigentlich in der Zeitung nichts über das Papier?«

Mein Vater wischte sich ein wenig Kirschmarmelade vom Kinn.

»Weil ich eine Abmachung mit der Polizei habe«, erklärte er mit listigem Blick. »Die wollen gern einige Informationen zurückhalten, das kann sich auf lange Sicht hin auszahlen. Es sind ... ja, es sind nur wir hier am Tisch, die davon wissen.«

»Und die an einem anderen Tisch«, wandte ich ein und zeigte durchs Fenster.

»Ja, natürlich«, sagte mein Vater.

»Oh je«, sagte meine Mutter. »Nein, ich finde, jetzt reden wir aber mal über etwas Netteres. Worüber können wir uns denn unterhalten? Über ...«

Es wurde still in der Küche. Ungewöhnlich still, wenn man bedenkt, dass ein halbes Dutzend um den Tisch herum saß.

* * *

Es kam nicht dazu, dass ich an diesem Samstag in die Stadt fuhr.

Es kam auch nicht zu einem Kontakt mit Signhild, obwohl ich mich, so oft ich nur konnte, draußen im Garten herumtrieb. Es wäre natürlich allzu aufdringlich gewesen, einfach rüberzugehen und an die Tür zu klopfen, so etwas macht man nicht in einem Haus, das vom Tod heimgesucht wurde.

So langsam wurde mir klar, dass sie da drüben schlicht und einfach nicht zu Hause waren, und zwar, als einer der dunkelblauen Saabs auf der Straße anhielt und zwei der ernsthaften Männer in den zerknitterten Anzügen die Treppe hinaufgingen und einen Schlüssel aus der Tasche zogen. Später erklärte mir Signhild, dass sie das Angebot bekommen hatten, für zwei Nächte im Stadthotel zu übernachten – während die Polizei alle wichtigen Untersuchungen vornahm, die in so einem unheilvollen Fall notwendig waren –, und dass alle drei das Angebot dankend angenommen hatten. Sowohl Signhild als auch ihre Mutter wie auch der Dichter Olsson.

Am Abend ging ich zum See hinunter und spielte dort mit Elonsson, Suurman und Suurmans Cousine aus Sorsele, die bei ihm zu Besuch war, Minigolf. Wir setzten wie üblich fünfzig Öre, und in zwei Runden gewann ich fast zwanzig Kronen. Typisch, dachte ich. Wenn ich ausnahmsweise mal gut bei Kasse bin und nicht dringend Geld brauche, ja, dann kullern die Taler von ganz allein herein.

Nach dem Minigolf gingen wir zum Dreckigen Bullen und diskutierten den Mordfall. Elonsson wie auch Suurman waren emsig darauf erpicht, ein paar Informationen aus der ersten Reihe zu erhalten, wie sie sich ausdrückten, und nach gewissem anfänglichem Zögern gab ich nach und erzählte alles, was ich wusste.

Da ich nicht das eingerollte Papier erwähnte – aus einer Art dunklem Loyalitätsgefühl meinem Vater und der Polizei gegenüber –, brachte ich wahrscheinlich nicht gerade viel

Neues abgesehen von dem, was auch in den Zeitungen zu lesen war.

»Der Schachclub«, meinte Suurman. »Das sind doch alles so pfiffige Kerle. Und er war doch am Abend zuvor noch dort und hat da gespielt.«

Das stimmte. Laut neun gleich lautenden Zeugen hatte Kekkonen den Donnerstagabend in den Räumen des Kumlaer Schachclubs in der Torsgatan verbracht. Das war an und für sich nichts Ungewöhnliches, er ging immer donnerstags dorthin, nachdem er das Geschäft im Stenevägen geschlossen hatte, oft ohne zunächst in die Fimbulgatan zu gehen. So war es auch an diesem Abend gewesen, laut allem, was mein Vater bei der Polizei herausgekriegt hatte. Kalevi Kekkonen hatte in der Milchbar Das Rote Licht ein Beefsteak mit Zwiebeln gegessen und war um Viertel nach sieben im Schachclub angekommen. Es gab keinen Wettkampf, den gab es nie donnerstags, die Mitglieder trafen sich und spielten einfach so gegeneinander. Arbeiteten an ihrer Form und versuchten neue Varianten, die Serienspiele fanden meist an den Wochenenden statt, aber Kekkonen hatte bereits bei seiner Aufnahme in den Club vor fünf Jahren irgendwelche Mannschafts- und Wettkampfspiele abgelehnt.

Obwohl er wohl ganz offensichtlich ein guter Spieler war. Er hätte sich gewiss einen Platz an Tisch drei oder vier verschafft, aber wie gesagt, darauf verzichtete er. Er spielte nur zum Vergnügen, war ein paar Mal eingesprungen, als jemand krank geworden oder verreist war, aber trotz aller Ermunterungen war er bei seinem Nein geblieben.

Was nun genau in dem Kumlaer Schachclub an diesem Junidonnerstag geschehen war, darüber hatte die Polizei noch nicht alle Informationen erhalten. Falls überhaupt irgendwelche Besonderheiten vorgefallen waren. Auf jeden Fall hatte mein Vater von dem Ermittlungsleiter noch keinerlei Hinweise in dieser Richtung erhalten.

Kekkonen hatte ungefähr bis halb zwölf dort gesessen, so viel wusste man. Anschließend war er nach Hause gegangen.

Wurde jedenfalls angenommen.

»Du meinst also, er hat Bertramsson nach allen Regeln der Kunst in vier Zügen schachmatt gesetzt, und daraufhin ist Bertramsson nachts gekommen und hat sich an ihm gerächt?«, fragte Elonsson.

»Nein, nicht direkt«, musste Suurman einräumen. »Aber es gibt viel Geltungssucht unter ihnen. Und unterdrückte Spannungen.«

Suurmans Vater war Psychologe. Er arbeitete im Krankenhaus und sah im Großen und Ganzen wie Dostojewski aus. Es war nicht gesagt, dass Suurman jr. in die Fußstapfen seines Vaters treten würde, ehrlich gesagt fand ich ihn dafür etwas zu dumm, aber er benutzte gern dessen Jargon.

»Das sagst du doch nur, weil du in deine Mutter verliebt bist«, konnte er behaupten. Oder: »Wenn du heute Morgen nur ordentlich geschissen hättest, dann wäre die Mathearbeit viel besser gelaufen.«

Wir verwarfen Suurmans Schachtheorie wie auch eine Reihe anderer Theorien, während wir im Dreckigen Bullen saßen, rauchten und Kaffee tranken. Ich glaube, dass wir uns schließlich darin einig wurden, dass der Täter ein vollkommen wahnsinniger Fremder gewesen sein musste. Vielleicht auf der Durchreise, genau wie meine Schwester es morgens vorgeschlagen hatte.

Und ich glaube außerdem, dass wir in erster Linie zu dieser Lösung gekommen sind, weil das so am sichersten erschien.

* * *

Am Sonntag regnete es.

Ein dünner, milder Nieselregen, der von morgens bis abends fiel. Ich blieb in meinem Zimmer, hörte mich durch meine gesamte Plattensammlung außer Jim Reeves Live at the Opry und las Salinger. Fing außerdem mit James Joyces »Ulysses« an. Auf Englisch, ich hatte vor einem Monat ein abgegriffenes Taschenbuchexemplar mit Kaffeeflecken im antiquarischen Buchladen von Örebro gefunden, und jetzt fand ich, es wäre an der Zeit. Auf den ersten beiden Seiten schlug ich alle Worte nach, die ich nicht verstand, das dauerte eine gute halbe Stunde. Dann las ich acht Seiten, ohne das Wörterbuch zu konsultieren, und tief in meinem Inneren begriff ich, dass ich für das hier noch nicht ganz reif war.

Aber nach außen hin war ich – das war nicht zu leugnen – ein junger Mann, der einen regnerischen Sonntag damit verbrachte, in seinem Zimmer zu sitzen, Pfeife zu rauchen und Joyce zu lesen. Das war doch schon was.

Ich schrieb auch noch ein Gedicht für S, ich glaube, es war ein Sonett. Auf jeden Fall bestand es aus vierzehn Zeilen und reimte sich hier und da ein wenig. Zwischen zwei und vier hörte ich mir natürlich Sport extra an, der ÖSK spielte 0:0, das machte er zu der Zeit in zwei von drei Spielen, und immer mal wieder schaute ich zum Lundbomschen Haus hinüber. Aber bis neun Uhr abends regte sich dort gar nichts, dann ging plötzlich das Licht in Signhilds Zimmer an.

Wenn ich ein mutiger junger Mann gewesen wäre – der zu werden ich zwar auf dem Weg war, aber dieses Ziel hatte ich noch nicht wirklich erreicht –, dann wäre ich natürlich hinuntergegangen und hätte bei ihr geklingelt, aber bei näherer Überlegung und in Anbetracht der Umstände ließ ich es sein.

Am Abend (kurz bevor ich das Licht bei Signhild sah), war auch die Polizei bei uns gewesen, um uns zu befragen. Es ging dabei um ein so genanntes vervollständigendes Gespräch. Man hatte ja meinen Vater, meine Mutter und meinen Onkel William bereits am Freitag befragt, aber meine Schwester und mich hatte man noch nicht erreicht.

Nach einer Viertelstunde war es vorbei. Wir saßen jeweils

in unserem Zimmer mit unserem Kriminalbeamten, Katta und ich. Meiner hieß Berggren und hatte die Fragen auf einem schwarzen Notizblock aufgeschrieben.

War mir Donnerstagnacht irgendetwas Besonderes aufgefallen?

Kannte ich irgendwelche von Kalevi Kekkonens Freunden?

Wie hatte ich davon erfahren, was passiert war?

Kannte ich den Untermieter der Familie?

Und so weiter. Ich antwortete wahrheitsgemäß und ausweichend auf alles, was er wissen wollte, er bedankte sich und erklärte, dass er möglicherweise wiederkommen würde. Zwei Minuten später sah ich durchs Küchenfenster, wie er bei Fredrikssons vor der Tür stand und klingelte.

Nachdem Berggren mich verlassen hatte, blieb ich noch auf meinem Bett liegen und dachte über den Mord nach. Irgendwie war es mir gelungen, ihn den ganzen Tag zu verdrängen, aber jetzt, als die Dunkelheit sich heranschlich, drängte er sich durch alle Verteidigungswälle hindurch. Ich konnte ihn nicht länger fernhalten, so gern ich mir auch vorgestellt hätte, dass es ein ganz normaler Sonntag war – ich hatte nie größere Gefühle für Kalle Kekkonen gehegt, und dass er die Stirn hatte, sich auf diese perfide Art köpfen zu lassen, verbesserte ganz gewiss nicht seine Position.

Also sprach ich keine weiteren Gebete für Signhilds Vater, und es gab wohl auch nicht viele andere, die das taten, aber ich begann, mir ernsthaft vorzustellen, was tatsächlich passiert sein könnte, und dass es einen Täter geben musste, der hinter dem Ganzen stand.

Einen dunkel gekleideten Missetäter. Einen Mörder, der sich im Schutze der Nacht in ein friedliches Haus schlich und dessen Herrn mitten in dessen schutzlosem Schlaf den Kopf abschlug.

Denn derjenige, der schläft, der sündigt nicht, nicht einmal Kalevi Oskari Kekkonen.

Er bringt ihn um und stopft eine Mitteilung in dessen abgeschlagenen Kopf. Denn es handelte sich doch wohl um eine Mitteilung? Eine Botschaft, die den Schlüssel zu der schlimmen Tat darstellte, um was sonst sollte es sich handeln?

Apropos Schlüssel, einen solchen gab es nicht zu meiner Zimmertür, aber irgendwann kurz nach Mitternacht – als ich immer noch keinen Schlaf hatte finden können –, stand ich auf und verschob meinen Schreibtisch um einen Meter, so dass er direkt vor der Tür stand.

Das kann jedenfalls nicht schaden, dachte ich. It was a dark and rainy night.

## 10

Am nächsten Morgen rief Elonsson um zwanzig nach sechs an und behauptete, er hätte Magenschmerzen. Ich glaubte ihm so ungefähr dreißig Prozent, hatte aber keine Lust, mit ihm darüber zu diskutieren. Wünschte ihm nur gute Besserung, legte den Hörer auf und schmierte meine Brote fertig.

Es wehte ein wenig aus dem Norden, der Himmel war grau. Als ich endlich bei der Torffabrik ankam, war ich müder, als ich meiner Erinnerung nach jemals während der vergangenen Woche gewesen war. Offenbar hatten sich die anderen Sklaven bereits aufs Feld begeben, ich bekam Gesellschaft von einem Quartett von Neuankömmlingen, zwei Mädchen aus Marieberg und den Brüdern Bladånger aus Hällabrottet, von denen der Älteste Gustav hieß und in der Realschule in meine Parallelklasse gegangen war. Da ich mich zu diesem Zeitpunkt bereits als routinierter Arbeiter fühlte, wagte ich es, mit den Damen in aller Anspruchslosigkeit eine Konversation zu beginnen. Sie hießen Ing-Britt und Britt-Inger, wie witzig, sie gingen ins Gymnasium von Örebro und wollten drei Wochen jobben. Britt-Inger hatte etwas an sich, was mein Interesse weckte, sie plapperte nicht die ganze Zeit und kicherte nicht, und sie tauschte nicht Unmengen interner, für nicht Eingeweihte unverständlicher Witze mit ihrer Freundin aus. Sie war irgendwie freundlich und ernst zugleich, fragte, wie die Arbeit so sei, wie man sich verhalten sollte, um so gut wie möglich durchzukommen, sie wollte wissen, wo ich wohnte, ob ich Geschwister hatte und wie es in der Bryléschule in Hallsberg so war.

Ing-Britt war stiller. Etwas mürrisch, obwohl sie mit normalem Maß gemessen die Hübschere von den beiden war. Groß und schlank mit klaren Zügen und so. Britt-Inger war dunkler und kräftiger, mir fiel in diesem Zusammenhang etwas ein, was ich irgendwo mal gelesen hatte. Dass schöne Menschen einem Leid tun können. Dass sie sich selbst als Objekt betrachten, oder wie immer man das nannte.

Dass es Menschen, die sich nicht die ganze Zeit selbst im Blick haben, besser geht. Auf jeden Fall unterhielt ich mich gern mit Britt-Inger, während wir über dieses windige Moor gingen, und als wir an der hintersten Furche der Welt angekommen waren, waren wir auch beim Mord angelangt.

Sie hatten davon in der Zeitung gelesen, und als sie erfuhren, dass ich direkt neben dem Tatort wohnte, waren sie natürlich Feuer und Flamme. Sogar Ing-Britt vergaß es, sauer und zugeknöpft zu sein, und wollte wissen, ob wir dort wohnen bleiben oder lieber wegziehen wollten.

Ich erklärte ihr, dass wir keine unmittelbaren Pläne hätten, uns davonzumachen, dass wir uns aber mit kleinen Äxten und Handgranaten bewaffnet hätten, für den Fall, dass der Täter auf die Idee käme, noch einmal zuzuschlagen.

Ich weiß nicht, ob sie begriff, dass das ironisch gemeint war, aber mit einem Mal wurde mir klar, wie es eigentlich war und wie es werden würde. Unser Viertel, unsere Straße, würden für alle Zeiten mit dem Mord an Kalevi Oskari Kekkonen verknüpft sein. Wie Dylta untrennbar mit Möller und Rut Lind verbunden war. Und Wyndham Lane mit Jack the Ripper verwoben war. Ich wohnte in einem Mörderviertel, damit musste ich mich nun einmal abfinden.

Es wurde ein kurzer Arbeitstag, dieser Montag. Gegen halb elf fing es an zu regnen, und da es am Wochenende schon reichlich geschüttet hatte, erklärte uns Fjugesta-Bengt, dass der Torf zu nass sei und wir unsere Drehaktion abbrechen müssten. Niemand hatte etwas dagegen einzuwenden, nicht die Bohne. Ich aß in einem der Schuppen zusammen mit Ing-Britt, Britt-Inger und Prick mein restliches Brot. Dick hatte einen Kater und lag daheim im Zelt in Gustavsvik und kotzte, wie später berichtet wurde.

Und der Preis für Haschisch war auch nicht heruntergegangen.

* * *

Nachdem ich nach Hause gekommen war, schrieb ich nachmittags wieder ein Gedicht – Sad Song for S –, und kurz danach fuhr ich mit dem Rad zum Marktplatz und kaufte mir Sgt Pepper's Lonely Hearts Club Band, das endlich seinen Weg bis nach Kumla gefunden hatte. Hörte mir die Scheibe zwischen vier und Viertel vor sechs ganz genau an, es war fast wie ein Rausch, ich hatte wohl noch nie zuvor so viel für eine neue Platte gefühlt, und wenn ich es bisher noch nicht gewusst hatte, so wusste ich es jetzt, dass ich wirklich in einer neuen Zeit lebte. Zumindest gab es die neue Zeit. Es ging nur darum, sich auf sie einzulassen.

A girl with kaleidoscope eyes.

Are you sad because your're on your own?

I'd love to turn you on.

Gestärkt von Sergeant Pepper packte ich mich beim Schlafittchen und rief Signhild an.

Sie freute sich, mich zu hören, das war ihrer Stimme anzumerken, und als ich vorschlug, dass wir doch einen Spaziergang hinunter zum See machen könnten, stimmte sie sofort zu. Wir trafen uns drei Minuten später unten auf der Straße.

»Wie geht es dir?«, begann ich geschickt.

»Es geht«, erwiderte Signhild. »Ich habe seit Freitag so gut wie nicht geschlafen.«

»Das kann ich verstehen«, sagte ich.

»Es ist, als würde ich mich nicht trauen einzuschlafen. Oder als wollte ich nicht wieder aufwachen und feststellen müssen, was passiert ist … irgendwie so. Ich habe die ganze Zeit diesen Augenblick im Kopf. Als ich diese Stimme hörte, zu seinem Zimmer gelaufen bin, die Tür geöffnet habe und … ja.«

»Die Stimme?«, fragte ich, und sie erzählte mir dann ausführlich, wie genau sie das empfunden hatte und was geschehen war, als sie an diesem Freitag in der Küche stand, um sich Butterbrote zu schmieren.

»Das ist einfach schrecklich«, sagte ich, als sie fertig war. »Und dass er morgens schon dagelegen hat, ohne dass ihr davon wusstet.«

Signhild nickte.

»Ich habe mit einem Psychologen geredet«, erklärte sie. »Gestern und heute wieder. Ich muss diese Woche nicht zur Arbeit, er behauptet, ich hätte einen Schock erlitten, dieser Psychologe, und dass ich ein paar Tage Ruhe brauche …«

Ich wusste nicht, was ich dazu sagen sollte.

»Er heißt Kennedy, genau wie der Präsident. Obwohl er aus England stammt. Er hat seine Praxis in der Rudbecksgatan in der Stadt. Ich war heute zwei Stunden bei ihm … und außerdem habe ich mit drei verschiedenen Polizeibeamten geredet. Darunter eine Frau, ich wusste gar nicht, dass es Frauen bei der Polizei gibt. Das wird … ja, das wird mir alles zu viel. Ich habe das Gefühl, als würde ich in einem Film mitspielen.«

Ihre Stimme begann zu zittern, und das war der Moment, genau da, als wir auf dem Kungsvägen in Höhe der Tennisplätze waren, als ich meinen Arm um sie legte. Fast ohne nachzudenken tat ich das, plötzlich erschien mir das die natürlichste Sache der Welt, und sie schob ihn nicht weg.

Schweigend gingen wir so eine Weile. Bogen am Wasserturm Richtung See hin ab, die Abendsonne schien, und ich weiß noch, dass es nach Jasmin und Geißblatt duftete … nach anderen blühenden Büschen vermutlich auch, aber die anderen Sorten konnte ich nicht mit Namen benennen. Ich hätte diesen Spaziergang gern hundert Meilen oder mehr fortgesetzt. Ein paar Wochen lang. Ein Jahr oder ein ganzes Leben lang, immer nur weiter und weiter gehen mit einem beschützenden Arm auf Signhilds Schultern und Rücken … weg von diesem Kumla, weg von Kopfabschlägern und Torfmooren und plattfüßigen Närke-Bewohnern jeglichen Geschlechts. Hinaus in die Welt, nach London, San Francisco, an die Copacabana, auf den Friedhof Père-Lachaise in Paris, oder wie immer er hieß, und zu Babylons hängenden Gärten. Überall, überall würden wir gemeinsam hinfahren, alles würden wir gemeinsam erleben. A Day in the Life, nur umgekehrt sozusagen.

Aber als wir uns ins Café setzten, um einen Kaffee zu trinken, war ich gezwungen, meinen Arm herunterzunehmen, und die Geographie schrumpfte schnell auf natürliche Größe. Wir ließen uns in einer Ecke nieder, und ich sah, dass sie dunkle Ringe unter den Augen hatte, fast Säcke. Aber ganz, ganz niedliche Säcke.

»Was meinst du?«, fragte ich, ohne dass ich es eigentlich hatte fragen wollen. »Wer kann das getan haben?«

Sie rührte eine Weile den Zucker in ihrer Tasse um, bevor sie antwortete.

»Ich weiß es nicht«, sagte sie. »Aber da ist was.«

»Da ist was?«

»Ja.«

»Was meinst du damit, dass da was ist?«

Signhild seufzte und sah aus, als wollte sie gleich anfangen zu weinen.

»Ich weiß es nicht. Ich bin so müde. Kennedy hat mir Schlaftabletten gegeben, aber ich wollte keine. Doch heute Abend muss ich wohl eine nehmen.«

Ich dachte nach und holte währenddessen meine Pfeife heraus.

»Warum hast du gesagt, dass da etwas ist? Du musst es mir natürlich nicht erzählen, wenn du nicht willst, aber wenn es gut für dich ist, dann höre ich gern zu.«

Ich fand, das war ein Satz, der fünf Jahre älter klang als derjenige, der ihn ausgesprochen hatte, und ich begann, meine Pfeife mit ruhigen, routinierten Bewegungen zu stopfen, während ich ihr die Zeit ließ, die sie brauchte. Ich habe noch nie in meinem Leben ein wichtigeres Gespräch geführt, dachte ich.

»Mit meiner Mutter«, sagte Signhild schließlich. »Das meine ich damit. Da ist etwas mit ihr.«

»Mit deiner Mutter?«

»Ja.«

»Was ist denn mit deiner Mutter?«

»Sie ist ... nein, ich kann nicht sagen, was da ist. Wir haben immer miteinander über alles Mögliche reden können ... aber jetzt ist sie verstummt.«

»Verstummt?«

»Ja. Sie sagt nichts. Sie hat natürlich einen Schock erlitten, sie auch, aber manchmal bilde ich mir ein, dass es nicht nur das ist.«

Ich nickte. Versuchte, meine Pfeife anzuzünden, aber das Streichholz brach ab und erlosch. Es ist natürlich schon merkwürdig, dass man sich noch nach fünfunddreißig Jahren an ein Streichholz erinnert, das abbricht.

Merkwürdig und erfreulich, wie ich behaupten möchte. Dass gewisse kleine, bedeutungslose Details dennoch nicht vergessen werden.

Denn das bedeutet ja vielleicht, dass auch gewisse kleine, bedeutungslose Menschen nicht vergessen werden.

»Ich habe Angst«, sagte Signhild. »Ich habe Angst, dass sie damit nicht zurecht kommt. Heute lag sie zwei Stunden lang in der Badewanne. Vielleicht wird sie ... ja, vielleicht wird sie ganz einfach verrückt.«

Jetzt fing sie tatsächlich an zu weinen. Ich beugte mich über den Tisch und ergriff ihre Hände, und so blieben wir einfach sitzen. Signhild ließ die Tränen über die Wangen laufen, sie landeten auf dem Tisch, in ihrer Kaffeetasse und auf dem kleinen grünen Kuchen, den sie bestellt hatte. Ich strich ihr vorsichtig über die Hände und die Unterarme. Ab und zu schauten wir einander an, aber meistens hielt sie ihren Blick gesenkt, und ich dachte, dich werde ich nie, nie im Leben verlassen, Signhild. Es heißt nur du und ich, wir haben so vieles gemeinsam, wir kennen einander in- und auswendig, wir haben zusammen bei Torssons Kaugummi und Bonbons geklaut, wir haben einen Regenwurm geteilt, das hier ist nur der erste Abend von tausend mal tausend Abenden und Nächten ... dein Papa ist geköpft worden, aber uns wird niemand trennen können.

»Entschuldige, aber ich muss mal pinkeln«, sagte Signhild und brach den Zauber.

* * *

Während Signhild auf der Toilette war – das dauerte mindestens zehn Minuten –, dachte ich darüber nach, was sie da über ihre Mutter gesagt hatte. Ester Bolego. Dass etwas mit ihr war. Dass sie vielleicht dabei war, die Kontrolle zu verlieren.

Das wäre natürlich nicht verwunderlich gewesen. Wer zum Teufel würde nicht ein bisschen wunderlich werden, wenn man den Kopf des Ehemannes abgeschlagen auf dem Nachttisch fand? Auch wenn sie selbst nicht diejenige war, die diese Entdeckung hatte machen müssen.

Ich dachte natürlich auch an den Dichter Olsson. Was war das für eine merkwürdige Gestalt, die da aufgetaucht war und ein Zimmer bei den Kekkonen-Bolegos nur eine Woche vor der schrecklichen Tat gemietet hatte?

Und was steckte hinter all dem? Ich hatte wie schon gesagt so meine Probleme, die Theorie vom unbekannten Wahnsinnigen zu akzeptieren, aber an was glaubte ich dann? Eigentlich? Wer war es gewesen? Wer hatte es getan? Es war, als würde ich mich nicht trauen, mich der Frage wirklich zu nähern oder der Antwort auf sie, denn das würde ja bedeuten, dass … nun, ehrlich gesagt wusste ich nicht, was das bedeuten würde, aber zum Schluss musste ich nicht weiter darüber grübeln, weil Signhild endlich mit frisch gewaschenen Augen wieder aus der Toilette kam.

»Entschuldige«, sagte sie. »Ich musste das Verheulte nur etwas wegwaschen.«

»Das macht doch nichts«, versicherte ich ihr. »Willst du weiter drüber reden oder sollen wir uns über etwas anderes unterhalten? Ich habe heute eine fantastische Platte gekauft.«

Sie setzte sich. Zögerte einen Moment.

»Wir können gern weiter drüber reden«, sagte sie. »Wenn du willst. Es ist besser für mich, wenn ich es nicht in mich hineinfresse, meint Kennedy.«

»Dann gibt's da eine Sache, über die ich nachgedacht habe«, sagte ich.

»Ja?«, erwiderte Signhild. »Und über welche?«

»Über deine Eltern. Wie standen sie eigentlich zueinander? Letzte Woche habe ich einen fürchterlichen Streit gehört … ein paar Tage, bevor es passierte, glaube ich.«

Signhild ergriff erneut meine Hände. Ich spürte, wie eine Sturzwelle meinen Körper durchspülte.

»Es lief nicht besonders gut«, sagte sie. »Aber das tat es noch nie, jedenfalls nicht solange ich denken kann. Sie sind … ja, sie sind nun mal so verschieden, dass ich überhaupt nicht verstehe, wie sie sich begegnen konnten und warum sie geheiratet haben.«

»Weißt du, wie es passiert ist?«, fragte ich.

»Wie sie sich kennen gelernt haben?«

»Ja.«

Sie schaute mich an und versuchte ein Lächeln. Es sah ziemlich bleich aus.

»Ich glaube, sie haben sich einmal zufällig getroffen, und da ist sie schwanger geworden. Mit mir, meine ich. Und dann haben sie wohl die Konse …«

»Die Konsequenzen gezogen?«

»Ja. Das war in Borås … dort haben wir ja gelebt, bis ich zehn war.«

Ich nickte. Das war nichts Neues. Didriksen und Kekkonen hatten da unten schon zusammen gearbeitet, der Däne hatte dann seinen Laden dem Finnen überlassen und sich stattdessen in Kumla niedergelassen. Aus welchem Grund auch immer. Dann war Kekkonen da unten wohl übers Ohr gehauen worden oder etwas in der Art, und schließlich hatte er wieder Kontakt mit seinem alten Partner aufgenommen. Das war nichts Besonderes, dass Frau und Kinder dahin ziehen mussten, wo ihr Mann und Versorger Arbeit fand, so war es in den Fünfzigern und Sechzigern. Zumindest in Närke und in Borås.

»Aber sie hatten nicht viel gemeinsam?«, fragte ich. »Deine Mutter und dein Vater?«

Sie betrachtete eine Weile ihren Kuchen auf dem Teller, ohne ihn anzurühren.

»Sie wollte nicht länger mit ihm verheiratet sein«, sagte sie mit leiser, verbitterter Stimme. »Das hat sie mir erzählt. Sie hat ihn verabscheut, ich glaube, sie hatte Pläne, sich von ihm scheiden zu lassen, wenn … ja, wenn ich nur groß genug und von zu Hause ausgezogen war.«

»Ach«, sagte ich dumm. »Tatsächlich?«

»Deshalb wollte ich nicht aufs Gymnasium. Wenn ich ein halbes Jahr bei Brundins gearbeitet habe, kann ich mir eine eigene Wohnung leisten.«

Mir kam der Gedanke, wie ungerecht das doch war. Signhild verzichtete auf eine Ausbildung, damit ihre Mutter sich von ihrem Vater scheiden lassen konnte. Und jetzt …

»Er war nicht besonders sympathisch, dein Vater«, sagte ich. »Wenn ich das sagen darf. Es gab wohl nicht viele, die ihn mochten?«

Sie gab keine Antwort.

»Aber er war ein tüchtiger Uhrmacher. Mit Uhren hatte er es wirklich drauf.«

Sie schaute mich an, und ich begriff, dass ich mein Urteil über Kalevi Kekkonen nicht beschönigen musste.

»Ich habe ihn gehasst«, sagte sie mit anscheinend vollkommen leerem Blick. »Ich habe meinen Vater gehasst, ich dachte, das wüsstest du?«

»Nein, ich …«

»Ich hätte nicht viele Tage um ihn getrauert, wenn er nur nicht … wenn er nur nicht auf diese Art und Weise gestorben wäre.«

Sie ließ meine Hände los. Ich lehnte mich zurück und zündete die Pfeife an.

»Mama wäre das auch nicht besonders schwer gefallen. Aber das hier ist so unbegreiflich … jemand hat ihm den Kopf abgeschlagen. Mein Gott, er war schließlich mein Vater! Wie kann man nur …?«

Sie brach ab. Ihre Unterlippe zitterte, und ich sah, wie sie die Hände auf dem Schoß ballte.

»Dieser Olsson«, versuchte ich, ihre Gedanken in eine andere Richtung zu lenken. »Was ist eigentlich mit dem?«

Aber das half auch nicht viel.

»Olsson«, sagte sie. »Mit dem Olsson stimmt auch etwas nicht, ich halte es nicht mehr lange aus, kannst du das nicht begreifen?«

Dann fing sie wieder an zu weinen. Im nächsten Moment kam eine der Kellnerinnen – ich glaube, sie hieß Elvira und war die ältere Schwester von Korven – und erklärte, dass sie gleich schließen würden. Ich schaute auf die Uhr, sah, dass es schon acht war, half Signhild auf die Beine und schnappte mir auf dem Weg nach draußen einen Stapel Servietten.

Denn es sah so aus, als würden die gebraucht werden.

* * *

An diesem Abend sprachen wir nicht mehr über den Mord.

Überhaupt sagten wir nicht mehr viel. Wir wanderten schweigend durch die Stadt zur Fimbulgatan. Es duftete immer noch nach Sommer, ich hielt meinen Arm um sie, und wieder wünschte ich, dass wir den Weg über Karlskoga, über Rom oder Timbuktu nehmen könnten. Nur um unseren Weg so weit auszudehnen, dass wir ordentlich miteinander verwachsen würden.

Das war natürlich nicht möglich. Kurz nach halb neun trennten wir uns unten auf der Straße zwischen unseren Häusern. Wir umarmten uns gut eine Sekunde lang vorsichtig, dann gingen wir jeder in unser Heim.

Ich lief sofort in mein Zimmer hinauf. Kramte Sad Song for S hervor, und ohne auch nur eine Zeile zu lesen, zerriss ich das Blatt in winzig kleine Fetzen und warf sie in den Papierkorb. Es war ganz einfach zu schlecht. Kam nicht in die Nähe der Wirklichkeit.

Dann holte ich den Daumen des deutschen Fähnrichs aus der Tasche. Ich hatte ihn während meines gesamten Beisammenseins mit Signhild dabei gehabt, und als ich so dastand und ihn in der Hand hielt, schien er mir außergewöhnlich warm zu sein. Ich schickte einen Gedanken voller Dankbarkeit an meine Tante Ida.

Du weißt mehr über die Dinge als andere Menschen, dachte ich. Kommt das daher, weil du blind bist und nicht so viel in deinem Leben mitgemacht hast?

Das erschien absurd, aber wie immer es sich auch verhielt, es gab keinen Grund, die Hilfe abzulehnen, die zu bekommen war. Tatsächlich oder auf mysteriöse Weise. Ich legte den Daumen wieder auf seinen Platz in der Schreibtischschublade und holte den »Ulysses« heraus. Legte Sgt Pepper noch einmal auf.

Schob den »Ulysses« doch beiseite. Joyce mag mir verzeihen, aber mit den Gedanken einerseits bei den Beatles und andererseits bei Signhild hatte ich ein paar Probleme, mich auf ihn zu konzentrieren.

* * *

Als ich eine Stunde später in die Küche hinunterging, um mir eine Tasse Abendtee zu kochen, war mein Vater gerade aus der Zeitungsredaktion nach Hause gekommen. Ich fand, er sah aus wie eine Katze, die einen Kanarienvogel verspeist hatte.

»Guck mal hier, mein Sohn«, sagte er. »Sag mir, was du daraus liest.«

Er gab mir ein Blatt Papier. Eine Seite, die er nach allem zu urteilen von einem Notizblock abgerissen hatte. Ich schaute drauf.

*e2 – e4 schachmatt!*

stand da.

»Was ist das?«, fragte ich.

»Was das ist?«, wiederholte mein Vater theatralisch in dem Moment, in dem meine Mutter die Küche betrat. »Das ist natürlich ein Schachzug!«

»Das sehe ich auch«, sagte ich.

»Die Frage ist, was er bedeutet«, sagte mein Vater. »Das ist nämlich das, was der Mörder auf das Papier geschrieben hat, das er in den Schädel von Kekkonen gesteckt hat.«

»Mein Gott«, sagte meine Mutter. »Man sollte doch auf keinen Fall ...«

# 11

»Das ist ein absolut blödsinniger Zug«, erklärte Elonsson und schob sich noch mehr Eierbrot in die Backentaschen.

»Wieso denn das?«, fragte ich.

Wir saßen auf dem Schienenwall und legten die erste Essenspause am Tag ein. Es war halb zehn, und wir hatten gut und gern vierzig Meter hinter uns gelegt. Elonsson kaute erst einmal zu Ende.

»Hast du noch nie ein Schachbrett gesehen?«

»Sei nicht albern. Das letzte Mal habe ich drei zu zwei gegen dich gewonnen.«

»Red keinen Quatsch«, erwiderte Elonsson. »Ich habe drei von fünf Punkten für mich geholt, und dabei habe ich sogar noch eine Partie verschenkt, damit du nicht zu traurig bist.«

»Du träumst wohl«, widersprach ich. »Du hast schon Torf in deine Hypophyse gekriegt. Aber ist ja auch scheißegal, sag mir lieber, warum dieser Zug vollkommen blödsinnig ist ... nee, warte noch mal!«

Ich hatte nicht weiter darüber nachgedacht, begriff aber Elonssons Sichtweise in dem Moment, als er anfing, sie zu erklären.

»Natürlich weil es ein Bauernzug ist! e2 – e4. Der normalste aller Eröffnungszüge, der Königsbauer macht zwei Schritte vor.«

»Ich weiß«, sagte ich.

»Und es ist der schwarze König, der schachmatt gesetzt wird, was bedeutet, dass er sich mitten auf dem Brett befinden muss. b5 oder f5! Es müssen mindestens fünfzig Züge gesetzt worden sein, damit er in so eine idiotische Position kommt, und dass Weiß die ganze Zeit den Königsbauern überhaupt nicht anfasst, das erscheint vollkommen …«

»Natürlich«, unterbrach ich ihn. »Ich habe nur nicht dran gedacht. Du brauchst es mir nicht weiter zu erklären.«

»Na gut«, sagte Elonsson, sah zufrieden aus und verdrückte seine letzte Scheibe Brot.

Ich fischte ein paar Torfkrümel aus dem Kaffeebecher und überlegte.

»Dein Vater hat nicht erwähnt, wie widersinnig das ist«, fügte Elonsson nach einer Weile hinzu. »Ich finde, das hätte er tun sollen.« Er wedelte mit der Länstidningen, die er von zu Hause mitgebracht hatte.

»Er ist kein Schachspieler«, stellte ich fest. »Außerdem würde es ja wohl nicht vernünftiger werden, wenn es sich um einen anderen Zug gehandelt hätte, oder? Warum hat der Mörder überhaupt eine Mitteilung geschrieben und sie in Kekkonens Kopf gesteckt, erklär mir das lieber!«

Ich spürte, dass ich wütend war. Auf mich selbst, weil ich nicht bemerkt hatte, dass *e2 – e4 schachmatt!* tatsächlich ein vollkommen unwahrscheinlicher Zug war, und auf meinen Vater. Auch wenn er selbst kein Schach spielte, so hätte er doch jemanden fragen können, der ein bisschen was davon verstand. Das konnte man doch wohl erwarten.

Elonsson runzelte die Stirn und zündete seine neue Maispfeife an, die er für zweifünfundneunzig im Tabakladen gekauft hatte.

»Weiß der Teufel«, sagte er. »Das wirkt total geisteskrank, aber wir können wohl sowieso davon ausgehen, dass es eine geisteskranke Person ist, mit der wir es hier zu tun haben, oder? Ich meine, keiner, der normal ist, schlägt Leuten den Kopf ab, nicht wahr?«

Plötzlich fand ich, Elonsson klänge wie ein Bulle oder wie ein Buch. So ein Kriminaler, der seinen Schlipsknoten lockert und sich die Fingernägel mit dem Brieföffner reinigt, während er dasitzt und einen Fall mit seinem jüngeren und nicht so scharfsinnigen Helfer diskutiert. In einem Polizeibüro oder an einer Bar irgendwo auf der Welt. Ich fand, die Rolle stand ihm nicht besonders gut.

»Nein«, sagte ich. »Ich nehme an, dass du ausnahmsweise mal Recht hast. Es gibt keinen Grund, in so einer Situation eine Mitteilung zu hinterlassen. Kekkonen war ja nicht gerade in der Verfassung, sie lesen zu können. Oder?«

»Vielleicht hat er ihm den Zettel gezeigt, bevor er ihm den Kopf abgeschlagen hat«, schlug Elonsson nach ein paar nachdenklichen Pfeifenzügen vor. »Und dann hat er ihn einfach zurückgelassen, um ... ja, warum, weiß ich auch nicht.«

»Glaubst du das?«, fragte ich. »Glaubst du wirklich, dass er ihn erst aufgeweckt hat ... und dass Kekkonen die Zeile gelesen hat und sich dann köpfen ließ? Das klingt ja nun wirklich wie der reine Wahnsinn.«

»Das ist mir schon klar«, sagte Elonsson. »Ich spiele nur ein bisschen mit verschiedenen Ideen. Auf jeden Fall ist das irgendwie verdammt merkwürdig mit dieser Mitteilung. Ich möchte wissen, warum die Polizei das jetzt der Presse mitgeteilt hat ... sie müssen es doch ein paar Tage zurückgehalten haben?«

Ich nickte und trank den letzten Tropfen Kaffee.

»Wahrscheinlich brauchen sie Hilfe«, sagte ich. »Sie selbst haben nicht rausgekriegt, was es bedeutet, aber vielleicht gibt es jemanden, der die Zeitung liest und weiß, was es bedeutet.«

»Na, wir jedenfalls nicht«, sagte Elonsson.

»Nein«, sagte ich. »Wir nicht.«

An diesem Tag ging uns die Arbeit leicht von der Hand. Der Himmel war bewölkt, und die Mücken hielten sich fern, ich drehte zweihundertfünfzig Meter Torf, verdiente einhundertfünfundzwanzig Kronen und dachte fast die ganze Zeit ununterbrochen an Signhild.

Ich dachte an ihre Hände, die meine im Café am Kumlasjö ergriffen hatten. An ihr Gesicht und ihre Augen, als die Tränen herauskullerten und sie trotzdem nichts machte, um sie zu verbergen. Daran, wie sie mich anschaute und was für ein Gefühl es auf der Innenseite meines Arms gewesen war, als ihr Körper sich dort anschmiegte, während wir durch die Stadt gingen.

Daran, wie es gewesen war, sie zu umarmen, als wir uns auf der Straße verabschiedeten.

Ich liebe sie, dachte ich. Ich liebe Signhild Kekkonen-Bolego. Wenn es möglich wäre, würde ich schon morgen mit ihr in ein hübsches Häuschen am Rande von London ziehen.

Oder nach Liverpool oder Los Angeles.

Meine Gedanken an sie waren außerdem vollkommen rein. Ich hatte noch nie mit einem Mädchen geschlafen – war nicht einmal in die Nähe einer derartigen Gelegenheit gekommen. Das war natürlich in den letzten zwei, drei Jahren ein immer wiederkehrender Traum gewesen, aber nicht in diesem Fall. Bei Signhild genügte die Nähe. Es genügte, mit ihr zusammen zu sein. Sie auf diese vorsichtige Art und Weise zu berühren, wie wir es gestern getan hatten. Ihre Hände zu halten, dicht nebeneinander zu gehen. Zu reden und zu trösten.

Ich hätte an diesem Tag sechshundert Meter Torf wenden können, aber um halb vier brüllte Elonsson über den Hügel, dass es ja nun verdammt noch mal wohl reichte.

* * *

Seit ich den dunklen Amazon auf dem Finkvägen hatte stehen sehen, hatte ich kaum einen Gedanken an ihn verschwendet, aber auf dem Heimweg vom Moor an diesem Tag tat ich es.

Das Bild von Ester Bolegos Gesicht hinter der nassen Autoscheibe tauchte in meinem Schädel ohne jede Vorwarnung auf, und ich fragte mich, wieso dem so war. Ich sah auch mich selbst. Wie ich mein verdammtes Fahrrad im Regen durch Sannahed schob, während der Donner grollte und die Blitze um mich zuckten – das gleiche Fahrrad übrigens, auf dem ich jetzt saß und heimwärts strampelte. Ich erinnerte mich daran, wie ich einfach an dem Auto vorbeiging, ohne stehen zu bleiben, es wäre ja beispielsweise nichts Außergewöhnliches gewesen, darum zu bitten, mitgenommen zu werden – und dass ich, nachdem ich an ihr vorbeigekommen war, überlegt hatte, ob sie mich wiedererkannt hatte oder nicht.

Wenn ich jetzt an die Situation zurückdachte, kam ich zu dem Schluss, dass sie es nicht getan hatte. Es war nur die Frage von einem ganz kurzen Moment gewesen, und ich muss in dem herunterprasselnden Regen einfach zu jämmerlich ausgesehen haben. Sogar schlimmer als sonst.

Und trotzdem: Warum hatte sie dort gesessen?

Da ist etwas mit meiner Mutter, hatte Signhild gesagt.

Und was?, dachte ich. Was ist mit Ester Bolego?

Das Bild von ihrem Gesicht hinter der Windschutzscheibe verfolgte mich den ganzen Heimweg.

* * *

Ich nahm ein Bad, aß mit meiner Mutter und Katta zusammen Fleisch und Kartoffeln mit Gewürzgurken und rief anschließend Signhild an.

Ester Bolego war am Telefon, und sie klang ziemlich gefasst, wie ich fand. Nein, Signhild war nicht zu Hause, erklärte sie mir. Sie war nachmittags mit dem Bus nach Örebro gefahren und hatte nicht gesagt, wann sie zurück sein wollte.

Kennedy, dachte ich. Dieser Psychologe.

Ich bedankte mich und legte auf. Verbrachte eine Weile in meinem Zimmer, während ich Ausschau am Fenster hielt und eine Platte nach der anderen abspielte. Aber nichts passte so recht zu meinem Gemütszustand, nicht einmal Sgt Pepper, und schließlich gab ich auf. Nahm Pfeife und Tabak und ging nach draußen.

Es war ein recht schöner Abend, und ich hatte vor, einen langen Spaziergang durch den Wald bis in die Nähe der großen Kreuzung zu unternehmen, so dass Signhild bestimmt zu Hause sein würde, wenn ich zurückkam. In einer Stunde ungefähr.

Gesagt, getan, und ganz hinten beim Wasserturm traf ich O Sole Mio. Er kam den Weg entlanggetrottet, die Nase auf der Erde, ging an mir vorbei, ohne Notiz von mir zu nehmen, und kurz danach kam auch der Dichter Olsson. Er trug einen breitkrempigen schwarzen Hut auf dem Kopf und rauchte eine lange, schmale Zigarre.

»Ah«, sagte er mit einer Art traurig-enthusiastischem Tonfall. »Mein junger Nachbar. Unterwegs, um die Unruhe des Tages wegzuspazieren?«

Ich blieb stehen. Wusste nicht, was ich sagen sollte. Obwohl er zu diesem Zeitpunkt bereits seit mehr als zwei Wochen im Nachbarhaus wohnte und obwohl ich nach seinem Auftritt auf dem Marktplatz beschlossen hatte, seine nähere Bekanntschaft zu machen, hatte ich ihn bis jetzt noch nie unter vier Augen getroffen.

»Ja«, sagte ich. »Ich gehe und denke ein wenig nach.«

»Ausgezeichnet«, sagte der Dichter Olsson. »Junge, nachdenkliche Männer tragen die Welt auf ihren Schultern.«

Er lächelte und zog an seiner Zigarre. Sein Gesicht lag im Schatten der Hutkrempe, aber dennoch fielen mir erneut seine außergewöhnlich hellen Augen auf. Blassgrün, und irgendwie hatte ich das Gefühl, als würden sie geradewegs durch mich hindurchsehen, während wir auf dem schmalen Waldweg standen.

»Wie lange sind Sie schon Dichter?«, fragte ich und fühlte mich dumm dabei. »Ich schreibe selbst ein bisschen.«

Er schien zu überlegen. Fuhr sich nachdenklich mit der Hand über Kinn und Wangen, wo er die Bartstoppeln von ein paar Tagen hatte. Dann schob er zwei Finger in den Mund und pfiff. Ich drehte mich um und sah O Sole Mio zurückgetrottet kommen, immer noch mit der Nase auf dem Boden.

Ich betrachtete den Hund, der zu Füßen seines Herrchens niedersank.

»Was für eine Rasse ist das?«, fragte ich.

»Eine Promenadenmischung«, sagte Dichter Olsson. »Ein Drittel französischer Dackel, zwei Drittel finnische Pirogge.«

»Ich verstehe«, sagte ich.

»Man wird nicht Dichter«, fuhr er fort. »Entweder man ist es, oder man ist es nicht.«

»Ja? Aber warum … warum sind Sie nach Kumla gezogen?«

»Warum nicht? Was willst du eigentlich wirklich wissen, junger Mann?«

Ich zögerte einen Augenblick.

»Es passiert so viel«, sagte ich. »Sie ziehen ein, und Kekkonen wird ermordet. Wenn ich Schriftsteller wäre, würde ich in Paris oder in Ronda leben oder … Ich lese übrigens Joyce.«

Ich zog das Buch aus der Tasche. Ich weiß nicht, was mich dazu brachte, so verwegen zu sein, vielleicht hatte ich das Gefühl, dass der Dichter Olsson nicht ganz gescheit war und dass es deshalb keine größere Rolle spielte, was man ihm erzählte. Oder aber es war umgekehrt. Er trug eine Art extra tiefer Weisheit in sich und einen Schlüssel zum Dasein, der es mit sich brachte, dass man genau das sagen konnte, was man gerade dachte. Ohne Umschweife.

Entweder oder also. Er warf die Zigarre zu Boden, obwohl noch fast zehn Zentimeter übrig waren, und trat die Glut aus. O Sole Mio hob den Kopf und glotzte sie etwas schläfrig an.

»Die Liebe«, sagte der Dichter Olsson.

»Die Liebe?«, wiederholte ich und steckte Joyce wieder ein.

»Die verlorene Liebe. Worte haben keine Geographie, vergiss das nicht. Wenn du sie nicht in Kumla findest, dann wirst du sie auch nicht auf dem Montmartre und nicht in Ulan Bator finden.«

Ich überlegte. Stellte fest, dass ich nicht so recht verstanden hatte, wovon er da redete.

»Aber warum ausgerechnet dieses Kaff hier?«, fragte ich beharrlich nach. »Woher kommen Sie denn?«

Er betrachtete mich mit einem leicht wehmütigen Ausdruck in den hellen Augen.

»Auch Löwen brauchen ab und zu ihre Ruhe, mein junger Freund. Die Beduinen kehren zu ihrer Oase zurück. Aber wie es aussieht, werde ich wohl bald wieder aufbrechen.«

»Ja?«

Und mir kam – zum ersten Mal – der Gedanke, dass es einen Zusammenhang zwischen dem Dichter Olsson und der Familie Kekkonen-Bolego geben musste. Da gab es mehr als nur diese Arbeitskollegin von Ester Bolego, oder was Signhild da erzählt hatte. Etwas, das es schon gegeben hatte, bevor er bei ihnen eingezogen war.

»Das war ein scheußlicher Mord«, sagte ich.

Er hob eine Augenbraue und senkte sie wieder.

»Ja, das stimmt«, bestätigte er. »Scheußlichkeit gehört zu unserem Erbteil. Du trägst auch einen Teil davon in dir, wenn ich mich nicht irre. Aber vielleicht können wir uns ein andermal treffen, um uns darüber zu unterhalten. Mein Schreibtisch ruft. Die Tinte ist erwacht.«

Ich nickte und fühlte mich vollkommen verwirrt.

»Die Gedichte, die Sie auf dem Markt gelesen haben, haben mir gefallen«, sagte ich.

»Ach«, sagte der Dichter Olsson. »Worte in den Wind gesprochen.«

Und dann gingen wir jeweils in unsere Richtung weiter.

* * *

Mir erschien das als eines der sonderbarsten Gespräche, die ich je geführt hatte, aber in erster Linie hatte es mich ermuntert. Dass es möglich war, so zu denken.

Die Unruhe des Tages wegzuwandern.

Die Beduinen kehren zu ihrer Oase zurück.

Die Tinte ist erwacht.

Die Worte hingen noch in mir, und plötzlich geschah etwas. Ich spürte, wie sich alles um mich herum zusammenzog. Es erinnerte mich an die ersten Anzeichen vor einem Anfall, aber gleichzeitig war da etwas anderes.

Etwas Helleres und Konzentrierteres, eine Reise, die nach oben statt nach unten führte, ich kann es nur schwer beschreiben. Dinge, die normalerweise weit voneinander entfernt lagen, schlossen sich zusammen und wurden von mir aufgesogen – der Weg, auf dem ich ging, die Bäume und das Blaubeergestrüpp. Meine Schritte in dem stillen Sommerabend, die Worte, James Joyce in meiner Tasche, John Lennons Sonnenbrille, meine Eltern, mein eigenes Gewissen und die Gedanken, die durch die Geschichte hindurchfielen, wenn man auf der Bettkante saß und den Daumen des deutschen Fähnrichs in der Hand hielt … der Erste Weltkrieg, Tante Idas blinder Blick und die Berührung von Signhilds Fingerspitzen an meinem nackten Unterarm. Alles, buchstäblich alles.

Und ich begriff, wie wichtig diese Dichte war. Wie notwendig es war, dass man selbst mitten in seinem Leben stand, dass nur man selbst alles in dieser magischen Art und Weise einkreisen und mit Worten benennen konnte.

Es können in diesem stillen Wald an diesem milden Juniabend nicht viele Laute um mich herum gewesen sein, wahrscheinlich nur ein leises Rascheln von irgendwelchen kleinen Tieren, der eine oder andere Vogel, vielleicht das sanfte Rauschen der Baumkronen und die Geräusche meiner Schritte wie gesagt – aber auch diese Eindrücke verschmolzen ineinander und wurden zu einem mächtigen Schwirren, und ich spürte, dass ich anhalten und mich hinlegen musste. Ich trat zur Seite, nur ein paar Meter weit, und legte mich auf den Rücken in das Blaubeerkraut. Schloss die Augen, lauschte auf meine Umgebung, auf meinen Atem und meinen Puls, und dachte, dass ich diesen Augenblick für alle Zeit in Erinnerung behalten würde – wenn ich jetzt nicht stürbe.

Dass ich ihn nicht erklären könnte, aber auch nicht vergessen.

* * *

Offenbar schlief ich ein, denn ich erinnere mich, dass ich aufwachte.

In meinen Kopf kamen jetzt ganz andere Gedanken. Diese intensive Nähe, die ich gespürt hatte, war durch mich hindurchgesunken und hatte sich in meinem Unterbewusstsein zur Ruhe gelegt. Ich begriff, dass sie auch von dort gekommen war und dass sie dorthin gehörte. Jetzt war das Äußere wieder heil und rein.

Aber die Fragen, die geschrieben standen, schienen immer noch nach einer Antwort zu rufen.

Dieser bizarre Schachzug: *e2 – e4 schachmatt!*?

Der abgeschlagene Kopf von Signhilds Vater?

Das Gesicht ihrer Mutter hinter der Autoscheibe draußen in Sannahed?

Der Mann an ihrer Seite. Es hatte doch wohl ein Mann dort gesessen?

Langsam stand ich auf und bürstete mir die Kleidung ab. Zündete meine Pfeife an und machte mich auf den Rückweg durch den Wald.

## 12

Epilepsie, *Morbus sacer, Morbus caducus,* eine Krankheit, die in ihrer typischen, bereits seit dem Altertum bekannten Form mit Anfällen von Bewusstlosigkeit und krampfhaften Zuckungen auftritt. Man unterscheidet zwischen der genuinen Epilepsie und der sekundären. Die Erstere ist fast identisch mit dem, was man in der Umgangssprache mit Fallsucht bezeichnet. Sie äußert sich in plötzlichen tonischen Krampfanfällen, die nach kurzer Zeit den ganzen Körper erfassen und mit vollkommener Bewusstlosigkeit einher gehen. Zuweilen hat der Kranke eine Vorahnung vor einem Anfall, eine sog. *Aura.*

So begann der eineinhalbspaltige Artikel über Epilepsie in Band 7 des Nordischen Familienhandbuches, dritte Auflage, Drüsenfieber bis Fasten. Als wir nach der Untersuchung bei Doktor Brundisius nach Hause kamen, zwei Wochen vor meinem zwölften Geburtstag, wartete ich, bis ich allein im Haus war, dann ging ich zum Bücherregal im Arbeitszimmer meines Vaters und schlug es nach.

Lange hat man der Vererbung eine wesentliche Rolle bei der Entstehung zugeschrieben, insbeson-

> dere Alkoholismus bei den Eltern. Chronischer Missbrauch von Absinth hatte dagegen in mehreren Ländern zweifellos eine Bedeutung,

stand etwas weiter unten.

Ich weiß nicht, ob es wirklich Epilepsie war, was ich hatte. Mit den Jahren verschwand sie ja, und es gab irgendwie nie einen Grund, der Sache wirklich auf den Grund zu gehen.

Aber ich erinnere mich, dass ich an dem Abend, als ich nach meiner Begegnung mit dem Dichter Olsson draußen im Wald nach Hause kam, so meine Zweifel bekam. Ich hatte nicht das Gefühl, dass meine Erlebnisse, zumindest nicht dieses Erlebnis, etwas mit dem Begriff Krankheit zu tun hatte. Und wenn dem so war, so war es unter keinen Umständen etwas, worum man sich Sorgen machen musste. Vielleicht ahnte ich außerdem die Nähe dieser delikaten göttlichen Gleichgewichtsregel, die Tante Ida mir einzuprägen versucht hatte – und die vereinfacht den Satz enthielt, dass alles seinen Preis hat.

Die Äußerungen meines Vaters über die heilige Krankheit und Tutanchamun lagen natürlich auf der gleichen Ebene.

Außerdem blieb nicht mehr viel Zeit für Introspektion und Selbstmitleid an diesem Abend. Meine Schwester war nämlich bei Karlesson gewesen und hatte das Aftonblad gekauft, und zum ersten Mal in der Geschichte der Menschheit stand Kumla dort auf der Titelseite.

Es war natürlich schon eine Notiz über den Mord erschienen, als er noch ganz frisch war, vor einer Woche, aber da handelte es sich nur um fünfzehn Zeilen im Inneren der Zeitung. Jetzt waren ein Fotograf und ein Reporter unterwegs gewesen, sie hatten Fotos vom Lundbomschen Haus und von Didriksens Laden gemacht, die Witwe des Opfers, Frau Fredriksson und Kommissar Vindhage interviewt.

Ester Bolego war nach allem zu urteilen nicht besonders geneigt gewesen, mit der Boulevardpresse zu reden, dagegen hatte die Nachbarin offenherzig und unverblümt erzählt, was es bedeutete, in einem Schreckensviertel zu wohnen.

Dass es fürchterlich war, aber dass man ja nichts daran ändern konnte.

Dass sie und ihr Mann sich immer noch trauten, das Haus zu verlassen, aber dass sie nunmehr hinter verschlossenen Türen und geschlossenen Fenstern schliefen. Was sollte nur aus dieser Welt werden?, fragte Frau Fredriksson, 56, sich rhetorisch in dem Text unter dem etwas unscharfen Foto.

Ermittlungsleiter Vindhage war etwas zurückhaltender in seinen Kommentaren. Er erklärte, dass die Polizei sehr breit gefächert arbeite, was hieß, dass man keine Hauptspur verfolgte, sondern für alle Möglichkeiten offen war. Dass man keinen Verdächtigen habe, aber dass es eine Vielzahl interessanter Spuren gebe, über deren Art und Beschaffenheit er sich jedoch aus ermittlungstechnischen Gründen nicht äußern dürfe.

Sowie, dass man bisher noch keine tragfähigen Tipps hinsichtlich der sonderbaren Mitteilung erhalten habe, die der Mörder im Kopf des Opfers hinterlassen hatte.

»Blödsinn«, meinte mein Vater und warf das Aftonblad mit einer verächtlichen Miene von sich. Ich konnte nicht sagen, ob er damit Kommissar Vindhage oder den Reporter meinte, der Jonsson-Algernon mit Bindestrich hieß. Wahrscheinlich alle beide. Mein Vater hatte zu diesem Zeitpunkt seit sieben Tagen am Stück über den Mord geschrieben und ging vermutlich davon aus, dass es nicht ein Lebewesen in der ganzen Vintergatan gäbe, das mehr darüber wusste als er.

Außer dem Mörder natürlich.

Dubbelubbe, der gerade eintraf, um Katta zum neuesten James-Bond-Film im Saga abzuholen, wischte sich den Kaffee aus dem dünnen Bärtchen, das er sich letzte Woche zugelegt hatte, und erklärte, dass die Ermittlungen auf Hochtouren liefen, man konnte gar nicht umhin, das zu bemerken, wenn man in der Polizeizentrale arbeitete.

»Tatsächlich?«, sagte mein Vater. »Dann fehlt vielleicht gar nicht mehr so viel, bis sie dich auch dazu rufen, Urban?«

»Hm«, meinte Dubbelube nur und streckte sich. »Ich bin bereit. Man möchte ja gern sein Scherflein beitragen.«

Anschließend schaute er auf seine Armbanduhr und bat Katta, sich fertig zu machen, damit sie nicht zu spät zum Film kämen.

* * *

Die folgenden Tage verliefen merkwürdig ereignislos, vielleicht empfand ich das auch nur so, da ich so darauf erpicht war, Signhild wiederzusehen. Was mich betraf, so gab es keine längere Mittsommerreise – Suurmans Psychopapa war in den Wäldern von Snavlunda mit einem Elch zusammengestoßen und hatte den Wagen ramponiert –, aber ich kam zumindest bis nach Stjärnsund. Was jedenfalls besser erschien als gar nichts.

Elonsson und ich, wir fuhren mit dem Bus am Vormittag des Mittsommerabends dorthin, wir stellten unser peinliches Zelt auf einer Kuhweide unten am See auf, und wir verbrachten den ganzen Nachmittag damit, im Gras zu liegen und uns zu sonnen, in einer schlammigen Bucht zu baden, drei Bier zu trinken und Scheiße zu reden. Abends trieben wir uns ein paar Stunden auf dem Festplatz herum, nachdem wir uns wie üblich hinter den Pissoirs hineingeschlichen hatten. Am besten erinnere ich mich noch daran, dass der Sänger in einem blaugelben Anzug auftrat, und das war mit das Schlimmste, was ich je gesehen hatte. Und gehört. Die Rockkünstler Raketerna aus Hjortkvarn waren nicht gerade viele Grade schärfer, und Elonsson und ich krochen irgendwann so um Mitternacht in unser Zelt, das nehme ich zumindest an.

Der Regen setzte um fünf Uhr morgens ein, und zwei Stunden später hielten wir es nicht mehr aus. Wir packten unsere durchnässten Sachen ein, gingen zur Straße und versuchten zu trampen.

Von Askersund bis Kumla sind es ungefähr vierzig Kilometer.

Wir brauchten fünf Stunden, um nach Hause zu kommen, ich sehnte mich die ganze Zeit nach Signhild, und ich habe Elonsson wohl noch nie so verabscheut wie während dieses Vormittags.

* * *

Es dauerte bis Sonntag, bis ich wieder Kontakt mit ihr bekam. Ich hatte gerade beschlossen, dass ich zu jung für Joyce war, und ihn wieder ins Bücherregal gestellt, bis ich reif genug dafür wäre. Mich selbst hatte ich mit Pfeife und MacBaren ans Fenster gestellt, und da entdeckte ich einen großen blauen Opel Kapitän, der draußen auf der Straße hielt. Ein dicker Kerl in hellem Leinenanzug kletterte heraus. Ich hatte ihn früher schon mal gesehen, es war ein entfernter Cousin von Kalevi Kekkonen, in Kilsmo beheimatet, gleichzeitig Eierhändler und Pelztierzüchter. Auf dem Rücksitz waren Ester und Signhild zu erkennen, sie klaubten Taschen und Tüten aus dem Heck, und mir wurde klar, dass sie Mittsommer bei diesem korpulenten Verwandten gefeiert hatten. Vielleicht in Brefvens Werk, wo Bertil Boo, der singende Bauer, seit Menschengedenken auftrat. Ich dachte kurz an Eric Burdon und Van Morrison und daran, wie unterschiedlich es doch um unsere musikalischen Heimatorte bestellt sein konnte.

»Signhild!«

Ich rief ihren Namen aus vollem Herzen, bevor mein feiger Verstand mich bremsen konnte. Sie drehte den Kopf und schaute zu meinem Fenster hoch. Da sie eine Tasche in der einen Hand und eine große Plastiktüte in der anderen hatte, war sie nicht in der Lage, mir zuzuwinken, was das Natürlichste gewesen wäre (auch wenn ich aus der Tiefe des gleichen Herzens, das den Ruf ausgestoßen hatte, natürlich wünschte, sie hätte »Mauritz!« geantwortet, ihr Gepäck fallen lassen, sich direkt durch die Hecke gezwängt und mir in die Arme geworfen – vorausgesetzt, ich wäre aus dem ersten Stock ins Blumenbeet gesprungen, ein Sprung, den ich auf das kleinste Zeichen zu machen bereit war), und die Situation wurde ein wenig peinlich.

Sowohl der Eierhändler als auch Ester Bolego standen da und schauten zu mir hoch.

»Äh, bis bald«, fügte ich nach einigen Sekunden des Schweigens hinzu. Signhild schien mit sich selbst zu Rate zu gehen.

»Kannst du nicht rüberkommen?«, rief sie schließlich. »In einer Stunde oder so.«

»Kann ich machen«, antwortete ich.

* * *

»Hallo! Hattest du eine schöne Mittsommernacht?«

In Signhilds Zimmer gab es außer ihr selbst und ihrem Bett einen kleinen niedrigen braunen Tisch und zwei rote Fledermaussessel. Sie saß in dem einen und blätterte in einer alten Zeitschrift. Ich setzte mich in den anderen und schaute etwas träge die Bilder an, die mit Nadeln an den Wänden befestigt waren. Paul McCartney. Cliff Richard. Paul Anka. The Hollies. Ich dachte widerstrebend, dass sie keinen besonders entwickelten Musikgeschmack hatte. Aber vielleicht konnte man ihr den noch beibringen.

»Nein«, sagte sie. »Nicht besonders. Aber es war schön, ein paar Tage von hier wegzukommen. Und wie war es bei dir?«

Ich erzählte, dass ich in einem Zelt auf einer Kuhweide vor

Askersund gelegen war und vollkommen durchnässt wurde, nachdem ich Thore Skogman gehört hatte.

»Aha«, sagte Signhild neutral.

Dann wurde es still. Sie blätterte weiter in ihrer Zeitschrift. Ich starrte eine Weile Cliff Richard an. Ein Auto fuhr draußen auf der Straße vorbei.

»Ich habe kurz mit Olsson gesprochen«, sagte ich. »Mit dem Dichter.«

»Aha«, sagte Signhild wieder.

»Wir haben uns zufällig getroffen. Es war interessant ... er ist ziemlich speziell, oder?«

Signhild legte die Zeitung auf den Tisch.

»Was meinst du damit?«

»Was ich meine? Ich meine natürlich, was ich sage ... dass er nicht gerade wie alle anderen ist.«

Signhild antwortete nicht. Es schien, als wäre ich gezwungen, ihr jedes Wort aus der Nase zu ziehen. Eins nach dem anderen. So können Frauen sein, dachte ich. Das war wie eine vollkommen neue Erfahrung und gleichzeitig sonderbarerweise wie eine uralte. Dass ich erst vor fünf Tagen ihre Hände in meinen gehalten hatte, erschien mir unbegreiflich.

Dass sie geweint hatte, sich mir anvertraut und mich umarmt hatte.

»Ich mag ihn nicht«, sagte sie nach einer halben Minute.

»Olsson?«

»Ja.«

»Warum nicht? Ich weiß, er ist irgendwie anders, aber ...?«

»Er ist unangenehm«, schnitt sie mir das Wort ab. »Können wir nicht von etwas anderem reden?«

»Aber gern«, sagte ich. »Worüber willst du denn reden?«

Sie hatte mir bis jetzt noch nicht in die Augen gesehen, aber jetzt tat sie es. Hob den Blick für ein paar Sekunden und schaute mich an, und ich begriff sofort, dass sie sich heute nicht gerade besser fühlte, verglichen mit dem letzten Mal.

»Entschuldige«, sagte ich. »Dir geht es nicht besonders, oder? Soll ich lieber gehen?«

Ich lehnte mich in dem wackligen Sessel ein wenig vor, um zu zeigen, dass ich es ernst meinte, und ich sah, dass sie zögerte. Sie biss sich auf die Lippen, ihr Blick flackerte ein wenig.

»Nein«, sagte sie. »Bleib hier. Und du brauchst dich nicht zu entschuldigen. Ich bin diejenige, die merkwürdig ist.«

Ich ließ mich mit einem Seufzer zurücksinken. Mein Gott, dachte ich. Hilf mir jetzt mit Worten, dann werde ich der Heidenmission eine Krone schenken.

Aber Unser Herr brauchte nicht anzurücken, denn Signhild räusperte sich und ergriff selbst die Initiative.

»Ich habe viel nachgedacht«, begann sie. »Ich laufe herum und grüble und grüble, und manchmal habe ich das Gefühl, mein Kopf würde gleich platzen. Es ist einfach schrecklich.«

Ich wollte gerade fragen, worüber sie denn grübelte, hielt mich aber noch zurück. Es wäre ja merkwürdig, wenn es ihr gut gehen würde, wie ich mir eingestehen musste. Streng genommen. Wenn sie nicht grübelnd herumlaufen würde.

»Kennedy hat gesagt, dass ich darüber reden soll ... oder meine Gedanken aufschreiben. Ich habe versucht zu schreiben, aber irgendwie kriege ich es nicht auf die Reihe. Ich bin nicht so gut im Aufschreiben. Und wenn man drüber reden soll, dann braucht man ja jemanden, dem man vertraut.«

Eine Sekunde lang fühlte ich mich fast gekränkt. Hier saß sie zusammen mit einem jungen Mann, der für sie durchs Feuer gehen würde, und da deutete sie an, dass es keine Leute in ihrer Umgebung gäbe, denen sie sich anvertrauen könnte.

Aber die Sekunde verging, und ich wählte den Satz, der letztes Mal so gut funktioniert hatte.

»Wenn du erzählen willst, ich höre gern zu.«

Wieder schaute sie mich an. Sah aus, als wäre sie ein Opfer

sich widersprechender Wünsche, wie es bei Riverton und Lang stand. Es vergingen einige Sekunden.

»Da ist so viel«, sagte sie dann. »Aber vor allem geht es natürlich um meine Mutter. Ich glaube, dass ... ja, so langsam glaube ich, dass sie etwas damit zu tun hat.«

»Was?«, sagte ich. »Was sagst du da?«

Sie ballte die Fäuste und drückte sie sich geradewegs in den Bauch. Als wollte sie Magenkrämpfe bekämpfen, kam mir der Gedanke. Dann holte sie tief Atem.

»Ich sage«, erklärte sie, langsam und fast ein wenig feierlich. »Ich sage, dass ich meine Mutter verdächtige, in den Mord an meinem Vater verwickelt zu sein.«

Sie breitete die Arme aus, schloss die Augen und ließ sich in den Sessel zurückfallen. Die Luft entwich aus ihr, ihre Schultern fielen zehn Zentimeter nach unten. Plötzlich schaukelte das Zimmer, und ich musste trocken schlucken. Nicht jetzt, dachte ich verzweifelt. Bitte, lieber Gott, jetzt keinen Anfall, ich habe wirklich keine Zeit dafür! Es kam mir auch in den Sinn, dass es innerhalb kurzer Zeit bereits das zweite Mal war, dass ich eine höhere Macht anrief, an die ich eigentlich gar nicht glaubte.

Es ging vorüber. Ich sah sie an, wie sie da mit geschlossenen Augen saß, eine Strähne des rotbraunen Haars im Mundwinkel, und ich erinnerte mich daran, dass sie schon beim ersten Mal, als ich sie sah, an ihrem Haar gelutscht hatte. Vor sechs Jahren. Damals war sie zehn gewesen, jetzt war sie sechzehn. Sweet Little Sixteen, dachte ich automatisch.

Was behauptet sie da?, dachte ich anschließend.

Ist sie verrückt geworden oder kann es wirklich sein, dass ...?

Ich lehnte mich über den Tisch.

»Erklär mir das«, bat ich. »Kannst du das näher erklären? Ich verspreche dir, kein Wort weiterzutragen.«

Sie öffnete die Augen. Zwinkerte ein paar Mal, und ich

konnte sehen, dass sie nicht weit von den Tränen entfernt war.

»Ich glaube, es gibt einen anderen. Dass meine Mutter eine andere Beziehung hat, meine ich. Dass sie ... dass sie meinem Vater untreu gewesen ist.«

»Ja?«, erwiderte ich dumm.

»Bevor das passiert ist, habe ich nie daran gedacht ... vor dem Mord, meine ich ... aber jetzt, wenn ich jetzt darüber nachdenke, glaube ich, dass es so gewesen sein muss. Den ganzen Frühling über gab es jede Menge Merkwürdigkeiten. Sie ist weg gewesen, sie hat telefoniert und sofort damit aufgehört, wenn ich reingekommen bin, und ... ja, sie hat sich ganz einfach merkwürdig verhalten.«

»Aber das muss doch nicht bedeuten, dass sie in den Mord verwickelt ist?«, protestierte ich.

Sie zuckte mit den Schultern.

»Was ziehst du denn für Schlüsse daraus? Jemand muss es doch getan haben. Und es muss einen Grund dafür gegeben haben.«

Ich starrte sie an.

»Du kannst ... du kannst das nicht ernsthaft meinen«, sagte ich. »Glaubst du, es war deine Mutter, die mit der Axt ... ja, du weißt schon?«

Signhild antwortete nicht. Saß ganz still auf ihrem Sessel und schaute nur zum Fenster hinaus, und ich weiß nicht, wie viel Zeit verging. Ob es sich um Sekunden handelte oder ob wirklich fünf oder sogar zehn Minuten vergingen. In meinem Kopf sausten zwei Gedanken durch die Trostlosigkeit, beide ungreifbar und fruchtlos – Mitteilungen ohne jeden Sinn und Verstand, wie ich fand.

Ich liebe sie, lautete die erste.

Ihre Mutter hat ihrem Vater den Kopf abgeschlagen, die andere.

* * *

»Weißt du, ob die Polizei einen Verdacht hat?«

Das war viel später. Aber im gleichen Zimmer am gleichen Abend.

Mit den gleichen bleichen Akteuren. Wir saßen inzwischen auf ihrem Bett, ich hatte meinen Arm wieder um sie gelegt, den rechten, genau wie beim letzten Mal. Mit meiner linken Hand hatte ich in der letzten Viertelstunde mal meine mit ihren Fingern verflochten, mal ihr übers Haar und über die Arme gestrichen.

Sie hatte geweint, aber wir hatten uns nicht richtig geküsst oder umarmt. Das spielte keine Rolle. Ich wusste, dass es jetzt sie und ich hieß, es war die gleiche Magie wie vor fünf Tagen, so etwas konnte einmal geschehen, ohne dass es etwas bedeutete, aber nicht zweimal.

Nie im Leben zweimal.

Und wir waren so still gewesen, dass wir O Sole Mio auf der anderen Seite der Wand schnarchen hören konnten.

Sie dachte lange nach, bevor sie antwortete.

»Nein«, sagte sie dann. »Ich glaube nicht, dass sie einen Verdacht haben. Sie haben natürlich mehrere Male mit Mama geredet, aber das hätten sie wohl unter allen Um … Umständen gemacht, oder?«

»Sicher«, stimmte ich zu. »Aber ich glaube trotzdem, dass du dich irrst. Es ist schwer, so einen Gedanken wieder loszuwerden, wenn er erst einmal im Kopf aufgetaucht ist. Hast du mit dem Psychologen drüber geredet?«

Signhild schüttelte den Kopf.

»Das habe ich natürlich nicht. Aber ich will ihn nicht mehr besuchen, ich will ja nicht, dass er erfährt, warum es mir so schlecht geht … ich meine, das mit meinem Vater ist ja schon schlimm genug, aber wenn es wirklich so ist, dass …«

Sie brach mitten im Satz ab.

»Das ist es nicht«, wiederholte ich mit falscher Gewissheit. »Und selbst wenn sie einen anderen getroffen haben sollte, so muss das doch nicht bedeuten, dass sie deinen Vater umgebracht hat. Das ist eine Zwangsidee, die du da hast.«

»Vielen Dank«, sagte Signhild, und ich konnte nur schwer sagen, wie sie das eigentlich meinte.

»Signhild«, sagte ich ernsthaft. »Ich habe dich schrecklich gern. Sag mir, was ich machen soll, um dir zu helfen, und ich verspreche dir, ich tue es. Du kannst für alle Zeiten auf mich bauen.«

Bereits als ich es sagte, war mir klar, dass der Ausdruck »für alle Zeiten« eine Kompensation dafür war, dass ich mich nicht zu sagen traute, dass ich sie liebte. Dass ich stattdessen sagte »schrecklich gern haben«.

Ich hoffte, dass auch sie das begriff. Sie saß wieder eine Weile schweigend da.

»Wenn man herausfinden könnte ...«, sagte sie dann mit der vorsichtigsten Stimme, die ich je bei ihr gehört hatte. »Wenn man wenigstens herausfinden könnte, wer der Mann eigentlich ist ... ich bin mir ganz sicher, dass es ihn gibt.«

Ich nickte entschlossen. Wog im Kopf ab, inwieweit ich ihr von dem dunklen Amazon in Sannahed erzählen sollte, und beschloss dann, es lieber für mich zu behalten. Zumindest bis auf weiteres, überlegte ich. Zumindest bis sie ein wenig gefestigter war.

»Ich werde es versuchen«, versprach ich. »Du hast das doch nicht deiner Mutter gesagt? Dass du so eine Ahnung hast?«

»Nein. Ich traue mich nicht. Und wenn es trotz allem nun nicht so ist? Dann würde ich sie ja verdächtigen auf Grund von ... wie heißt das? Auf Grund von falschen Indizien?«

»Ja, so heißt es«, bestätigte ich. »Nein, es ist wohl am klügsten, erst einmal den Mund zu halten. Du hast es doch auch sonst niemandem erzählt?«

Sie schüttelte energisch den Kopf.

»Spinnst du? Natürlich habe ich das nicht.«

Anschließend befreite sie sich aus meinem Arm und schaute auf die Uhr.

»O je, ist es schon so spät? Und ich muss morgen früh raus und arbeiten.«

»Danke, gleichfalls«, stellte ich fest und stand auf. »Ist wohl das Beste, wenn ich jetzt verschwinde. Aber ich verspreche dir, dir bei der Sache zu helfen, vergiss das nicht.«

Sie lächelte tapfer, und wir umarmten uns. Von Angesicht zu Angesicht, und mindestens zehn Mal so lange wie beim letzten Mal.

* * *

Als ich nach Hause kam, hörte ich mir die englische Hitliste von Radio Luxemburg an. Das machte ich immer sonntagabends zwischen elf und zwölf. Auf Mittelwelle. Und wie immer schob sich dauernd ein deutscher Sender dazwischen und spielte Straußmärsche, aber zumindest gelang es mir, alle zwanzig Titel in mein Notizbuch einzutragen. *A Whiter Shade of Pale* lag schon in der dritten Woche auf dem ersten Platz, und mein Favorit, *Groovin'* von The Young Rascals, war vom vierzehnten auf den elften Platz gestiegen.

Aber es waren nicht die meistverkauften Platten in England, über die ich anschließend im Bett noch grübelte. Es gab da so einiges zu bedenken. Ich glaube, ich schlief dann irgendwann zwischen drei und vier ein.

# 13

Als ich am Montagmorgen unten in der Küche meine Brote fertig machte, war ich so müde, dass ich gelbe Flecken sah. Ich war immer wieder drauf und dran, Elonsson anzurufen und ihm mitzuteilen, dass ich krank war – Mandelentzündung oder Hexenschuss oder einfach nur eine simple Erkältung –, aber meine gute Erziehung und mein starker Charakter siegten zum Schluss doch.

So richtig wach wurde ich dann auch erst nach der ersten Tasse Kaffee in der Halb-zehn-Uhr-Pause und begann, darüber nachzudenken, was am gestrigen Abend eigentlich geschehen war.

Was Signhild da behauptet hatte.

Und was ich versprochen hatte.

Dass ich mir die Rolle einer Art halb freiwilligen Privatdetektivs angezogen hatte, machte mir eigentlich nicht besonders viele Sorgen. Wenn Signhild darum bat, würde ich voller Freude Astronaut oder Affenpfleger im Zirkus Scala werden – aber es war die Art des Auftrags an sich, die in mir an diesem leicht sonnigen, zweiundzwanzig Grad warmen Vormittag draußen im Torfmoor von Säbylund immer größere Bedenken weckte.

Denn die Sache war zweifellos ein wenig heikel. Das Ziel meiner Anstrengungen musste sein, Ester Bolego von dem Verdacht reinzuwaschen, den niemand außer ihrer Tochter gegen sie hegte. Sollte es sich aber herausstellen – ein schrecklicher Gedanke –, dass Signhild Recht mit ihren finsteren Ahnungen hatte, dass ihre Mutter tatsächlich in irgendeiner Weise in den Mord an ihrem Vater verwickelt war, dann würde meine Position meiner Geliebten gegenüber ja wohl ziemlich ins Wanken kommen?

Oder etwa nicht? Waren meine Überlegungen falsch? Sollte eine junge Frau in dieser Situation noch mehr Liebe, Trost und Zuspruch bedürfen?

Ich stellte fest, dass ich die Sache nicht entscheiden konnte. Sie lag außerhalb meines Erfahrungshorizonts, so einfach war das. Vermutlich außerhalb des Horizonts der meisten anderen auch. Vielleicht würde Signhild einer Art Trauerwahn verfallen und nie wieder sie selbst werden, über so etwas hatte man ja schon gelesen. Eine bleiche, frühzeitig gealterte Jungfrau, die ihre düsteren Tage im Hospital Herbstsonne im Inneren von Ångermanland verbrachte. Verdammte Scheiße, dachte ich, so darf es mit meiner Signhild niemals enden. Ich muss ihre Kraftquelle und ihre rechte Hand sein, muss wirklich zusehen, dass …

»Was hockst du da eigentlich und grübelst vor dich hin?«, wollte Elonsson wissen. »Über eine Zeltreise in die schöne Gegend von Askersund?«

»Halt die Schnauze«, sagte ich. »Komm, jetzt drehen wir wieder den Torf um.«

»Wird gemacht«, sagte Elonsson.

* * *

Und da ist ja auch noch die Sache an sich, dachte ich, als ich wieder in der Furche auf die Knie gesunken war und anfing, den Torf zu wenden.

Ganz abgesehen von meiner Beziehung zu meiner Auftraggeberin sozusagen.

Die Wahrheit an sich.

Wie zum Teufel war es um sie bestellt?

Wer war es, der Kalle Kekkonen in dieser Nacht den Kopf abgeschlagen hatte?

Und warum?

Ich hatte während meiner schweren Jugend so manchen Krimi gelesen, die Götter sind meine Zeugen. Vor allem englische und amerikanische: Chesterton, Quentin und Ellery Queen. Und John Dickson Carr natürlich nicht zu vergessen, er war sozusagen der Meister ... und während ich herumkrabbelte und arbeitete, dass der Torf aufwirbelte, versuchte ich, mir die Tipps und Faustregeln ins Gedächtnis zu rufen, an die ich mich noch erinnern konnte.

Cui bono?

Cherchez la femme!

Nun ja, cherchez l'homme! war in diesem Fall wohl eher angesagt.

Methode, Gelegenheit, Motiv!

Diese Troika bildete natürlich den Grundstein, das Fundament aller kriminellen Ermittlungsarbeit an sich, und ich begann, sie augenblicklich auf den Fall Kekkonen anzuwenden.

Die Methode war ziemlich eindeutig. Kopfabschlagen – oder Dekapitieren, wie Hedbalk es lieber nannte, als wir im Herbstsemester die Französische Revolution durchnahmen. Axt oder Beil oder irgendein Schwert. Das Mordinstrument war nicht aufgefunden worden.

Welche Eigenschaften waren notwendig, um so einen fatalen Schlag zu landen?, fragte ich mich. Konnte er auch von einer Frau oder einem Kind ausgeübt werden?

Ich kam zu dem Schluss, dass wahrscheinlich keine besonders großen Körperkräfte notwendig waren, auch wenn Kekkonen ein ziemlich ansehnlicher Kerl war. Vorausgesetzt, die Mordwaffe war scharf geschliffen, und es gab nichts, was darauf hindeutete, dass dem nicht so gewesen war.

Die Gelegenheit?

Nun ja, wie schon früher festgestellt, konnte sich wohl im Großen und Ganzen jeder Erstbeste – der sich nicht erwiesenermaßen in der betreffenden Nacht in Katmandu oder Dals Långed oder an einem anderen abgelegenen Ort befunden hatte – ins Lundbomsche Haus hineingeschlichen und im Schutze der Dunkelheit die abscheuliche Tat ausgeführt haben. Der Zeitpunkt war, soweit ich mich erinnerte, so ungefähr auf zwischen drei und vier Uhr morgens festgesetzt worden. Die Wolfsstunde also, in der alle außer den Bäckern und den Bösewichten ihren wohlverdienten Schlaf schlafen – und folglich war auch bis jetzt, elf Tage nach dem Mord, nicht der Schatten eines Zeugen bei der Polizei aufgetaucht.

Zumindest, wenn man den Berichten meines Vaters in der Länstidningen Glauben schenken wollte.

Motiv?

Hier hatten wir natürlich des Pudels Kern. *Warum* musste Kalevi Oskari Kekkonen sterben? *Wer* gewann etwas dadurch, dass er nicht länger am Leben war? Cui bono, wie gesagt?

Seine Ehefrau?

Das ließ sich nicht leugnen. Wenn es stimmte, was Signhild über das Zusammenleben ihrer Eltern erzählt hatte – und wenn das stimmte, was sie über den vermutlichen Liebhaber gesagt hatte –, ja, dann war nicht zu leugnen, dass Ester Bolego ein Motiv hatte. Zumindest ausreichend, dem Ehegatten den Tod zu *wünschen.*

Aber hatte sie diese schreckliche Tat auch *ausführen* können?, fragte ich mich und erschlug eine unbegabte Mücke, die sich dazu entschieden hatte, auf meinem Unterarm statt auf meinem Rücken zu landen. Hatte sie ihn so sehr verabscheut, dass sie vorsätzlich in sein Zimmer geschlichen war und ihm den Kopf abgeschlagen hatte?

Das erschien doch etwas heftig, vorsichtig ausgedrückt. Arsen im Bier oder Strychnin im Pilzauflauf war unter weiblichen Mördern eher gebräuchlich, das wusste ich aus der Literatur.

Aber, fragte ich mich mit hartnäckiger Klarsicht, was weiß man über das Innerste des Menschen und über seine finstersten Triebkräfte? Man durfte die Möglichkeit nicht so einfach außer Acht lassen.

Andere Alternativen?

Hatte das Opfer irgendwelche Feinde?

Ich überlegte. Sicherlich gab es eine ganze Menge, die ihn nicht besonders schätzten, aber im Großen und Ganzen nicht sehr beliebt zu sein genügte ja wohl nicht, um dekapitiert zu werden? In dem Fall müssten ja Krethi und Plethi ihren Kopf in Nullkommanichts verloren haben.

Gab es schlimmere Dinge? Gründe, die ich nicht kannte?

Natürlich. Um ehrlich zu sein: Ich wusste nicht die Bohne, welche Menschen und dunklen Fakten in Kalevi Oskari Kekkonens Fahrwasser dümpelten. Nichts über vergangene Enttäuschungen und Kränkungen und lichtscheue Begebenheiten – die in einer bestimmten Situation wie Luftblasen im Wasser aufsteigen konnten, ihren Weg und in der kompromisslosesten aller Taten ihre Auflösung finden konnten: in einem Mord. Ich hatte schon häufiger derartige Geschichten gelesen, und ich nahm an, wenn es sich so in einem Roman von Jonathan Stagge im Chicago der Vierziger Jahre hatte abspielen können, so konnte es sich wohl auch ein Vierteljahrhundert später in der Fimbulgatan in Kumla so zutragen. Menschen sind nun einmal nur Menschen.

Einer der Vorteile davon, in einem Moor herumzukriechen und Torf zu wenden, besteht darin, dass die Arbeit nicht besonders viel Hirnschmalz erfordert. Da passte es ganz ausgezeichnet, wenn die kleinen grauen Zellen mit etwas beschäftigt waren, und ich spürte zweifellos einen gewissen Stolz, dass es mir bis jetzt geglückt war, einer gewissen logischen Stringenz zu folgen. Fragen und Antworten. Prämissen und

Schlussfolgerungen. Kein Gefasel, alles klar wie Kloßbrühe, wie Ture Sventon gesagt hätte.

Das Problem lag wohl eigentlich nur darin, dass die Summe von allem, aus all meinen messerscharfen Deduktionen, so verdammt klein ausfiel. Null und nichts, genau gesagt. Ich wusste nicht die Bohne über den Mord an Kalevi Kekkonen. Nichts darüber, welche Kräfte dahinter standen, und nichts über den Täter, der irgendwo in der Peripherie lauerte – ebenso unbekannt und imaginär wie der Vater von Kaspar Hauser, um eine weitere Fußnote aus Hedbalks Weltgeschichte zu entleihen.

Verdammte Scheiße, dachte ich verbissen. Ich muss eine Methode finden, um aus diesem Brackwasser herauszukommen.

Das war ein Gedanke eines Philip Marlowe würdig, und mit der Liebe zu Signhild als Brandbeschleuniger und Feuerholz wusste ich genau, dass ich nicht so schnell aufgeben würde.

Scheiße auch.

* * *

Als ich an diesem Tag nach Hause kam, holte ich einen Notizblock heraus und stellte eine Art Übersicht auf. Umstände, die möglicherweise einen Zusammenhang mit dem Mord haben könnten – oder zumindest ein wenig Licht darauf fallen ließen und von denen ich der Meinung war, dass sie der Mühe wert waren, sie einmal näher anzusehen.

*Esters Liebhaber?* schrieb ich ganz oben hin.

Dann: *Der dunkle Amazon in Sannahed?*

Anschließend schrieb ich in schneller Folge: *Die Polizei? Dubbelubbe! Lies die Zeitung, du Dummkopf! Der Schachzug? Schachclub?* und: *Dichter Olsson!*

Dann fiel mir nichts mehr ein, aber ich fügte trotzdem noch hinzu:

*Signhild Kekkonen-Bolego*

Es war lustig, sie mit ganzen Nachnamen so ausgeschrieben zu sehen, und ich blieb eine Weile nur sitzen und dachte an sie. Ich wusste, dass sie immer nur den Namen ihrer Mutter benutzte, dass sie aber tatsächlich auch Kekkonen hieß, das hatte sie mir einmal erzählt. Der Grund, warum ich sie in die Aufstellung denkbarer Angriffspunkte aufgenommen hatte, war natürlich, dass ich aus rein professionellen Gründen mit ihr reden wollte ... Ich war zumindest nicht so eingebildet, um nicht zu sehen, dass man seine Motive nicht verfälschen darf, wenn man mit heiler Haut in der hart machenden, sich aber auch verdammt hart gebenden Privatdetektivbranche überleben will. Das geht ganz einfach nicht.

Ich starrte auf meine Notizen. An welchem Punkt konnte ich weiterkommen?, fragte ich mich, und bald hatte ich einen Entschluss getroffen.

Für meinen ersten Zug zumindest. Ich nahm Block und Stift, Pfeife und Tabak mit und begab mich in Kumlas Bibliothek, um durchzusehen, was die Presse über den Fall Kekkonen so geschrieben hatte – und ich weiß, dass ich mich, während ich die Mossbanegatan entlang ging, an den klassischsten Fall aller Fälle in der Literatur erinnerte: an »Der Mord in der Rue Morgue« von Poe, wo Monsieur C. Auguste Dupin das Rätsel allein dadurch löst, dass er liest, was die Zeitungen darüber schreiben.

Das war ein Gedanke, der mir ungemein zusagte.

* * *

Es dauerte eine gute Stunde, sich durch alles durchzuarbeiten, was Dagens Nyheter, Svenska Dagbladet, Expressen, Aftonbladet und die Länstidningen über den Mord an Kalevi Kekkonen geschrieben hatten, und als ich fertig war, war ich nicht einen Zentimeter klüger geworden, nur deutlich müder.

Das Meiste hatte ich früher schon gelesen; das einzig Neue für mich war, dass die Polizei offensichtlich viel Mühe auf die so genannte Schachspur verwandt hatte. Man hatte alle Mitglieder des Kumlaer Schachclubs verhört und untersucht, was an dem Abend vor dem Mord im Clublokal in der Torsgatan vor sich gegangen war. Aber nichts davon hatte die Ermittlungen weiter gebracht, soweit ich es verstand. Im Svenska Dagbladet stieß ich auf eine neue Sichtweise, da schrieb ein Reporter namens Stenson, dass es sich wahrscheinlich um eine so genannte interne Abrechnung handelte.

Ich wusste nicht so recht, was er mit dem Begriff »interne Abrechnung« meinte, nahm aber erst einmal an, dass es etwas war, womit man sich in der königlichen Hauptstadt und ähnlichen Metropolen so beschäftigte, wenn man nichts Besseres zu tun hatte.

Etwas niedergeschlagen gab ich die Zeitungen Frau Gustavsson hinter dem Tresen wieder zurück, und in der Tür hinaus stieß ich dann mit Sigge van Hempel zusammen.

»Öh – du hast nicht zufällig einen Fünfer für 'n Bier?«, fragte er mich und kratzte sich unter der Achsel.

Ich schaute auf die Uhr.

»Wir haben halb acht«, sagte ich. »Wo willst du denn um diese Uhrzeit ein Bier herkriegen? Wir leben schließlich in Kumla.«

»Ich habe so meine Beziehungen«, erklärte Sigge und trat zur Seite, um mich auf den Fußweg hinaus zu lassen.

»Sorry«, sagte ich. »Hab keinen roten Heller.«

Sigge van Hempel war die Kopie von Ringo Starr. Äußerlich zumindest, ich glaube, er hatte dafür auch im vergangenen Sommer im Brunnspark einen Preis gewonnen. Innerlich war er etwas ganz anderes. Möge Gott wissen, was. Er war ein paar Jahre älter als ich, wohnte in einer eigenen Bude in Prästgårdsskogen und war auf dem besten Wege, Alkoholiker zu werden.

Wenn er es nicht schon war. Wahrscheinlich war er auch passionierter Haschischraucher, obwohl es noch nicht richtig modern war, derartige Stimulanzien zu konsumieren, zumindest nicht in unserer Gegend. Er mied jede anständige Arbeit, mied genau genommen alles, was mit geordneten Verhältnissen zu tun hatte. Er war nach einem sagenumwobenen Streit mit einer Biologielehrerin der Freien Kirchengemeinde während eines Wandertags von der Realschule abgegangen – und sollte ein paar Jahre nach dem Mord an Kalevi Kekkonen eine kurze, flüchtige Berühmtheit als Prediger des Jüngsten Tages in einer Sekte erlangen, die den Namen »Das Wahre Leben« trug. Wenn er irgendeine Funktion in einem Ort wie Kumla einnehmen konnte, dann als warnendes Beispiel.

»Guck dir nur diesen Hempel an«, pflegte meine Mutter immer zu sagen. »Du willst doch nicht so werden wie dieser. Man kann doch ...«

Das heißt wie *er,* dachte ich dann immer, ohne eine Miene zu verziehen.

Nein, Sigge van Hempel war eine haltlose Gestalt, daran herrschte gar kein Zweifel, aber er hatte eine Eigenschaft, die ihn aus der Menge heraushob. Eine einzige, abgesehen von seiner Ähnlichkeit mit Ringo: Er war ein Teufel im Schachspiel.

Wie gut er genau war, das wusste ich nicht, das wusste niemand, aber das Gerücht besagte, dass er so selbstverständlich am ersten Tisch vom KSS sitzen würde, wie ein Boxer einen fahren lässt, wenn er nur wollte.

Das Problem war sein Lebenswandel. Seine ständige Betrunkenheit und gut dokumentierte Unzuverlässigkeit. Es kam vor, dass er an dem einen oder anderen Wettkampf teilnahm, bei dem berüchtigten Neujahrswettkampf gegen Hallsberg hatte er mitgemacht und 4:0 innerhalb von zwei Stunden erreicht, obwohl er sechs Bier zu sich genommen und überdies noch Phantomas während des laufenden Spiels gelesen hatte.

Laut anderer Gerüchte hatte er gegen Keres Remis gespielt und wäre schwedischer Juniorenmeister geworden, wenn er nicht am letzten Tag der Ausscheidung in Skövde dem Wettkampf fern geblieben wäre – der Grund soll eine minderjährige Blondine aus der Gegend sowie eine unbekannte Anzahl an Bieren gewesen sein, die sie sich bei einem Einbruch in einen Kiosk besorgt hatten.

All das fuhr mir durch den Kopf, während wir draußen vor der Bibliothek standen, und plötzlich wurde mir klar, dass es eine Art Seelenverwandtschaft zwischen Kalle Kekkonen und Sigge van Hempel geben musste. Trotz des Altersunterschieds. Und dass es vielleicht gar keine so schlechte Idee wäre, ein paar Worte mit ihm zu wechseln.

Mit Sigge wohlgemerkt, mit dem anderen Schachgenie war es nicht länger möglich, irgendwelche Worte zu wechseln.

Ich stopfte meine Pfeife und überlegte, wie ich es am besten anfangen sollte.

»Hast du von dem Kekkonen-Mord gehört?«

Mir fiel nichts Besseres ein, und es gab auch keinen Grund, lange um den heißen Brei herumzureden.

»Kekkonen?«, sagte Sigge. »Natürlich.«

»Er ist ermordet worden«, präzisierte ich. »Und der Mörder hat einen Zettel mit einem Schachzug drauf zurückgelassen.«

»Wirklich?«, fragte Sigge. »Davon habe ich nichts gehört. Wie wär's dann mit ein paar Kröten? Du kannst doch wenigstens zwei locker machen, oder?«

»Nee, tut mir Leid«, sagte ich. »Das war übrigens ein ganz merkwürdiger Zug.«

»Ach ja?«, sagte Sigge. »Na ja, ich habe keine Ahnung. Verdammte Scheiße, das Leben ist eines der schwersten, wenn es keine Bierchen gäbe … merkwürdig, hast du gesagt?«

Er rülpste und schwankte ein wenig. Ich überlegte kurz, ob es eigentlich viel Sinn hatte, hier zu stehen und mit ihm zu reden, dachte aber, dass es zumindest nichts schaden könnte.

»Ja«, sagte ich. »e2 – e4 schachmatt!«

»Was?«, fragte Sigge van Hempel.

»e2 – e4 schachmatt!«, wiederholte ich. »Du warst nicht zufällig am vorletzten Donnerstag im Club und hast da gespielt?«

»Im Club? Scheiße, nein«, sagte Sigge und klang fast empört. »Diese beschissenen Freimaurer wollen mich nicht da haben, und außerdem kennen die nicht einmal den Unterschied zwischen einer Rochade und einem Pferdearsch. Du hast neben dieser Pfeife nicht zufällig noch 'ne Ziggi?«

Ich schüttelte den Kopf.

»Dann hast du Kekkonen gar nicht gekannt?«

Sigge dachte eine Weile nach.

»Ich kenne niemanden«, stellte er fest. »Aber ich habe ein paar Mal gegen ihn gespielt. Er war übrigens einer der Besten. Hat zwei von vier Malen sogar ein Remis gegen mich geschafft, wenn ich mich recht erinnere. Im Blitzschach.«

»Und wer hat die beiden anderen gewonnen?«

Er antwortete nicht. Das war eine Selbstverständlichkeit. Ich überlegte wieder, ob ich nicht lieber aufgeben sollte. Überlegte außerdem, ob ich nicht quer über die Straße gehen und mir bei Herman eine Wurst holen sollte. Ich hatte immerhin nur ein läppisches Käsebrot gegessen, seit ich vom Moor nach Hause gekommen war.

Aber bei dem Gedanken, dass ich meinem zufälligen Kumpel nicht eine einzige Krone hatte spendieren wollen, war das doch etwas zu peinlich. Ich beschloss also, die Signale meines Magens lieber zu ignorieren.

»e2 – e4 schachmatt!«, rief Sigge van Hempel plötzlich aus. »Ha!«

»Was heißt das?«, fragte ich.

»Dieser Zug«, sagte Sigge und fing wieder an, sich in der Achselhöhle zu kratzen. »Jetzt fällt er mir wieder ein.«

»Dir fällt er ein?«

»Genau. Sage ich doch.«

»Was soll das heißen, dass er dir wieder einfällt?«

»Verdammte Scheiße, wenn ich nur ein Bier hätte«, stöhnte Sigge.

»Hör auf«, sagte ich. »Du hast doch wohl nicht vor, dich ins Stadthotel zu setzen? Es gibt an einem Montagabend um Viertel vor acht kein Bier in Kumla.«

»Ja, leider, ist das nicht schrecklich?«, stimmte Sigge mir zu. »Und dann hat man nicht mal Kohle für ein paar Zigaretten.«

Ich überlegte noch einmal.

»All right«, sagte ich dann. »Wir gehen zum Zeitungskiosk und kaufen eine kleine Packung John Silver. Und du kriegst zwei Zigaretten, wenn du mir erzählst, was es mit e2 – e4 auf sich hat, okay?«

»Verflucht, bist du geizig«, schimpfte Sigge van Hempel.

* * *

Die Zigaretten bekam er zuerst, so dumm war er nun auch nicht. Wir setzten uns auf die Bahnhofstreppe und zündeten uns jeder eine an.

»Das war in einem Buch«, erklärte er.

»In einem Buch?«

»Ja, natürlich. Weißt du, das habe ich vor einer Weile gelesen, es fällt mir nicht mehr ein, wie es heißt, aber es war jedenfalls eins von denen, die mein Alter mir hinterlassen hat.«

Ich nickte. Sigge van Hempels Vater war Buchhändler gewesen, das war allgemein bekannt. Er war irgendwann in den Fünfzigern aus Deutschland nach Schweden gekommen und hatte sich in Örebro niedergelassen. Hempel&son in der Drottninggatan. &son war nicht Sigge, sondern ein sehr viel älterer Bruder, Dieter, der jedoch bei einem Verkehrsunfall auf dem Arbogavägen 1961 ums Leben kam. In der gleichen Woche, in der die Berliner Mauer eine Tatsache war, genauer gesagt, und diese beiden Ereignisse – die Geburt der Mauer und der Tod des ältesten Sohns – waren der Anfang vom Ende für Adrian van Hempel. Der Buchladen machte im folgenden Jahr Konkurs, Mutter, Vater und der vierzehnjährige Sigmund zogen nach Kumla, und die Familie ging unter. Um eine traurige und nicht besonders lange Geschichte kurz zu machen.

Und offensichtlich hatte Sigmund alias Sigge sich des Buchlagers angenommen, zumindest dessen, was nicht veräußert werden konnte.

»Was steht in dem Buch?«, fragte ich. »Über diesen Schachzug, meine ich?«

»Es ist natürlich absolut unmöglich, auf diese Art und Weise ein Schachmatt hinzukriegen«, stellte Sigge fest und sog energisch an seiner Zigarette. »Es sei denn, man ist ein richtiger Könner und plant das schon von Anfang an. Und das ist es, was in dem Buch passiert.«

»Ja?«, sagte ich.

»Zwei Gegner, die um eine Frau spielen ... Ich habe so eine Ahnung, dass da auch noch was mit einem Vertrag mit dem Teufel war. In Prag oder Wien oder irgendwo ... während des Ersten Weltkriegs oder kurz danach. Und dieser Könner sollte das Frauenzimmer gewinnen, wenn er den anderen durch e2 – e4 schachmatt setzte.«

»Ja – und?«, fragte ich.

Sigge van Hempel zuckte mit den Schultern.

»Ich erinnere mich nicht mehr so genau. Doch, ich glaube, es ist ihm gelungen. Man kann ja die Partie so planen, wenn man es drauf anlegt. Lässt den Königsbauern da stehen, wo er steht, und wenn man die Vorherrschaft hat, treibt man den König aufs Brett, no problem, aber verflucht verzwickt ...

aber vielleicht, mit dem Teufel und einer Frau als Jackpot, da könnte es ... hoho, jaja, es ist doch einfach zu beschissen, dass man hier kein Bier kriegen kann.«

»Wie heißt das Buch?«, fragte ich.

Sigge zündete sich die zweite Zigarette an der Glut der ersten an.

»Komme ich nicht drauf, wie schon gesagt. Ich nehme an, dass es eins der deutschen ist. Obwohl, wenn du noch ein paar Lullen spendierst, dann können wir eben bei mir zu Hause vorbeigucken und nachsehen.«

Ich schaute auf die Uhr und überlegte.

»In Ordnung«, sagte ich. »Ich habe nicht viel Zeit, aber eine halbe Stunde ist drin.«

Und so begaben wir uns auf den Weg nach Prästgårdsskogen.

# 14

Sigges so genannte Bude lag im Erdgeschoss eines der Mietshäuser am Rosensteinsväg, und sie bestand aus einem Zimmer und einer Kochnische. Abgesehen von einem Bett, einem Stuhl, einem Schachbrett und einem tragbaren Plattenspieler bestand das Inventar hauptsächlich aus zwei Ingredienzien: Büchern und leeren Bierdosen.

Es schien ungefähr gleich viel von jeder Sorte zu geben – ein paar Tausend, aber bei den Büchern herrschte ein wenig mehr Ordnung. Sie waren auf dem Boden gestapelt, dicht an dicht in ungefähr anderthalb Meter hohen Stapeln, an allen Wänden, ausgenommen die Schlafecke. Bierdosen gab es überall – in Tüten auf dem Boden natürlich, aber auch auf der Fensterbank, auf der Hutablage, auf dem Herd, in der Spüle und auf dem herausziehbaren Schneidebrett. Und im Schrank, bei dem das untere Scharnier der Tür kaputt war, weshalb er dreiviertel offen stand.

Alles in allem roch es auch nicht besonders gut, irgendwie nach einer Mischung aus Müllhalde und verbranntem Fleisch, und ich beschloss, nicht allzu lange zu bleiben.

»Schön«, sagte ich. »Du hast es nett hier.«

»Ich weiß«, sagte Sigge. »Setz dich.«

Ich hob vier leere Dosen hoch und setzte mich auf den Stuhl.

»Das Buch«, erinnerte ich ihn.

»Ach, Scheiße, ja natürlich«, sagte Sigge. »Gib mir nur erst noch was zu rauchen.«

Ich zündete eine weitere John Silver an und reichte sie ihm. Nahm dann selbst eine, der Tabakrauch erschien bei dem Gedanken an die Umgebung wie frische Luft.

»Jetzt wollen wir mal sehen, sagte die Blinde Sarah«, sagte Sigge und kratzte sich im Nacken. »Das ist bestimmt eins von den deutschen, wie ich schon gesagt habe. Müsste hier irgendwo sein.«

Er machte sich an den Stapeln zu schaffen, die unter dem Fenster vor der Heizung lagen und nicht ganz so hoch waren wie die übrigen. Ich überlegte kurz, ob das wohl eine übliche Situation für einen Privatdetektiv war, so eine, in die man immer mal wieder im Laufe der Arbeit geriet, und kam zu dem Schluss, dass dem wohl nicht so war. Überhaupt war es in mittelschwedischen Orten von Kumlas Kaliber ziemlich dünn gesät mit dieser Art investigativer Tätigkeit, aber ich wollte lieber nichts beschwören. Und was tut man nicht, um dem Ruf der Pflicht und der Stimme des Herzens zu folgen?

So dachte ich stoisch und betrachtete die schiefen Jalousien und etwas, das aussah wie ein Spiegelei, zwischen den Glasscheiben im Fenster.

»Dann kannst du Deutsch?«

»Aber natürlich«, sagte Sigge auf Deutsch, ohne den Blick von den Büchern zu heben. »Sprechen, lesen und schreiben. Wenn ich aus diesem gottverlassenen Loch einmal verwiesen werde, dann werde ich zu meinen Wurzeln in Tübingen zurückkehren. Da muss man wenigstens abends nicht ohne Bier auskommen.«

Er sprach jetzt deutlicher, und mir war klar, dass er dabei war, nüchtern zu werden.

»Was hält dich dann hier noch?«, fragte ich.

»Weiß der Teufel«, antwortete Sigge mit gerunzelter Stirn. »Die Alte sitzt in Mellringe, na, sie wohl. Hier! Hier haben wir es ja, wenn ich nicht vollkommen plemplem bin ... Klimke, ja, das stimmt!«

Er richtete sich auf und blätterte ein paar Mal in dem kleinen stockfleckigen Buch mit weichem Umschlag hin und her, das er in den Händen hielt.

»Stimmt genau«, wiederholte er und sagte dann auf Deutsch: »›Der Teufelspakt‹ von Werner Klimke.« Und fügte auf Schwedisch hinzu: »Kann nichts Besonderes sein, weil ich mich nicht mal an den Schluss erinnern kann.«

»Ist er bekannt?«, fragte ich. »Der Autor, meine ich. Ich glaube, ich habe noch nie etwas von ihm gehört.«

»Vermutlich kein großer Name«, sagte Sigge und schlug das Vorsatzblatt auf. »Es ist 1954 gedruckt worden, und es gibt keine Auflistung anderer Bücher, die er geschrieben hat. Nein, er ist bestimmt im Großen und Ganzen eine Null. Mein Alter glaubte, er könnte deutsche Bücher in Örebro verkloppen, aber das hat natürlich nicht geklappt. Aber ich glaube, er hat auch nicht besonders viel Geld investiert, als er die gekauft hat ... nur die Restauflage von einem Münchner Verlag, er hatte einen Lieferwagen, mit dem ist er einmal im Jahr runtergefahren und hat alles geholt.«

»Ach so«, sagte ich. »Aber dieser Schachzug ist jedenfalls hier in diesem Buch?«

»Ja, natürlich«, sagte Sigge und klopfte sich mit zwei Fingern gegen die Stirn. »Sicher wie das Amen in der Kirche. Ich vergesse nie einen Zug, weißt du. Aber an die Geschichte kann ich mich nicht mehr richtig erinnern. Außer dem, was ich schon gesagt habe ... zwei Männer, die um die Gunst einer Frau spielen oder so was in der Richtung. Banal wie Kuhscheiße, wenn du mich fragst.«

Ich überlegte.

»Hast du was dagegen, wenn ich mir das Buch mal ausleihe?«

Sigge van Hempel sog die Lippen ein und blinzelte mich

an. Mir war klar, dass das ein Ausdruck für intensives Nachdenken sein musste. Es dauerte eine Weile.

»Einen Fünfer, und das Scheißbuch ist deins«, sagte er.

»Drei«, sagte ich.

»Vier«, sagte Sigge, und dabei blieb es.

* * *

Zu diesem Zeitpunkt hatte ich seit fünf Jahren Deutsch in der Schule – drei Jahre in der Realschule von Kumla und zwei in Hallsberg –, aber erst als ich an diesem Abend mit Werner Klimkes »Der Teufelspakt« in der Parkatasche von Sigge van Hempel nach Hause kam, wurde mir wirklich klar, wie es um meine Kenntnisse stand.

Schlecht.

Abgrundschlecht. Wie im Fall Joyce ging ich streng ans Werk und schlug alle Worte nach, die ich nicht verstand, mit dem Ergebnis, dass ich sechzehn Zeilen in einer Stunde schaffte. Da gab ich auf. Das Buch hatte zweihundertsechsundfünfzig Seiten, und man lebt trotz allem nur einmal. Ich spielte mit dem Gedanken, es von Sigge lesen und mir dann ein Resümee geben zu lassen, verwarf die Idee aber in Anbetracht dessen, was mich das wahrscheinlich kosten würde. Stattdessen blätterte ich im Buch auf der Suche nach e2 – e4 und fand es auch ziemlich schnell an ein paar Stellen. Ich sah ein, dass ich eigentlich keinen Grund hatte, Sigges Aussagen hinsichtlich des Inhalts zu misstrauen, und dass es wohl sinnvollere Dinge gab, mit denen ich mich beschäftigen konnte, als Deutsch zu pauken. Es war ja auch nicht vollkommen ausgeschlossen, dass es den Klimke auch auf Schwedisch gab, warum also so viel Kraft in ein Projekt stecken, das mich den Rest meiner Jugend kosten würde?

Ich klappte das Buch zu, wog es in der Hand und überlegte. War das eigentlich ein Anhaltspunkt?, fragte ich mich. Dieser abgegriffene, mitgenommene kleine Roman? Nach dem Grad der Abnutzung zu urteilen, waren es zumindest so einige gewesen, die ihn gelesen hatten. Nicht einmal Sigge van Hempel konnte ein Buch ganz allein so verhunzen.

Oder war es ein Zufall? Gab es überhaupt irgendeine Form von Botschaft hinter diesem e2 – e4 schachmatt!? Und hatte dann so eine Botschaft überhaupt etwas mit »Der Teufelspakt« zu tun?

Weit hergeholt, dachte ich. Außerordentlich weit hergeholt. C. Auguste Dupin würde niemals darauf eingehen.

Ein Schlusssatz, der für die gesamte Mordgeschichte galt, wie mir in den Sinn kam. Sie war irgendwie einfach zu unglaublich. Zu unwahrscheinlich. Der einzige Grund, warum man nicht einfach mit den Schultern zucken konnte, bestand darin, dass es sie trotz allem gab.

Wirklich. Letztendlich *hatte* tatsächlich jemand Kalevi Oskari Kekkonen den Kopf abgeschlagen, das war ebenso unwiderlegbar wie die Tatsache, dass die Uhr zu diesem Zeitpunkt bereits Viertel nach elf zeigte und dass gewisse Leute am nächsten Morgen um sechs Uhr aufstehen mussten, um den Torfproviant fertig zu machen.

Ich legte den Klimke auf die Schreibtischecke, löschte das Licht und dachte, dass es besser gewesen wäre, wenn ich niemals auf Sigge van Hempel gestoßen wäre.

* * *

Am nächsten Tag zog ein sibirisches Hochdruckgebiet über Skandinavien, und draußen im Moor stieg die Temperatur auf achtundzwanzig Grad. Das heißt, im Schatten, und so etwas gab es dort nicht. In der Sonne waren es sicher fünfzig. Wir arbeiteten in Badehosen, Knieschutz, Handschuhen und mit einer dicken Schicht Nivea auf dem Rücken. Die Mücken jubelten über die Hitze und stachen wie verrückt. Prick kriegte einen Sonnenstich und fuhr mit Fjugesta-Bengt auf einem der Transporttrecker zur Fabrik, um von dort weiter ins Krankenhaus gebracht zu werden. Wir anderen tranken zwei Liter Wasser die Stunde, Elonsson unterhielt sich intensiv mit den Marieberg-Mädchen, und um ein Uhr beschlossen wir alle vier, mit dem Rad zum Holmasjö zu fahren und dort zu baden, statt weiter unter der glühenden Sonne auszuharren und zu Moorleichen zu verkohlen.

Ich hatte eigentlich keine Lust, aber Elonsson war hartnäckig – es war ganz offensichtlich, dass er Feuer und Flamme für Ing-Britt war, und die Hitze hatte wahrscheinlich sein Urteilsvermögen ausgetrocknet –, also gab ich nach.

Bis zur Badestelle am Holmasjö brauchten wir eine halbe Stunde. Ing-Britt und Britt-Inger radelten in ihren Bikinis, und ich musste zugeben, dass ich Elonssons Eifer immer besser verstand, je weiter wir kamen.

Auch wenn die Flamme meiner Leidenschaft ja bereits ihren Hafen und Schutz bei Signhild gefunden hatte, so waren zwei fast nackte, braun gebrannte und verschwitzte Mädchenkörper nicht zu verachten. Sechzehn und siebzehn Jahre alt, Ing-Britt hatte einen kleinen Leberfleck auf dem Rücken, direkt über dem Rand der Bikinihose, und es war nicht so einfach, die Augen auf dem Weg zu halten, wenn man dicht hinter ihr fuhr und an ihrem Reifen klebte, wie es in Radsportkreisen heißt.

Ganz und gar nicht einfach.

Wir stellten unsere Räder hinter dem Kiosk ab, wo schon mindestens hundert Drahtesel standen. Kauften uns ein Eis und suchten uns ein relativ abgeschiedenes Plätzchen, genau da, wo das Gras in Brennnesseln und anschließend in schütteren Birkenwald überging. Ing-Britt und Britt-Inger grüßten ein paar andere Mädchen und einen dicken Jungen mit gelber Sonnenbrille, ich glaube, er war Bassist in einer der Bands von Örebro, wohingegen weder Elonsson noch ich irgendwelche Bekannten entdeckten. Der Holmasjö war auch keine logische Badegelegenheit für die Leute aus Kumla, und mir gefiel es recht gut, dass wir hier ein wenig inkognito sein konnten. Irgendwie hatte ich das Gefühl, dass dieses Kapitel nicht in das Buch über Signhild gehörte, das ich ja gerade schrieb.

Wir badeten ein paar Mal, rauchten, tranken Cola und quatschten ein bisschen über alle möglichen Nichtigkeiten: Jeansmarken (Lee oder Levi's oder Wrangler, das war die Frage), Donovan, die Möglichkeit, einen Job bei der Trabrennbahn von Marieberg zu kriegen, Svenne Hedlunds ach so süße Mundzüge, die ganz offensichtlich etwas vollkommen Einzigartiges an sich hatten, und was wohl am kommenden Wochenende im Brunnspark los sein könnte. In erster Linie führten die Damen das Gespräch. Elonsson und ich, wir übernahmen automatisch eine eher etwas männlich zurückhaltende Rolle bei der Konversation. Was mich betraf, so war ich ein wenig durch Ing-Britts Brüste gehemmt, ich hätte ihr so gern vorgeschlagen, doch oben ohne zu sonnen, wie es hier und da um uns herum geschah – aber obwohl ich wirklich mit aller Telepathie arbeitete, deren ich mächtig war, kamen weder sie noch Britt-Inger zur Sache und nahmen die Oberteile einfach nicht ab.

Den ganzen Nachmittag nicht, es war wie verhext.

Als ich dann in der Schlange stand, um zum zweiten Mal ein Eis zu kaufen, entdeckte ich den Dichter Olsson. Zwischen all den Fahrrädern und Mopeds um den Kiosk herum stand auch das eine oder andere Auto, und auf der Kühlerhaube eines schwarzen Amazon saß er – in Badehose, Sandalen und einem weißen, kurzärmligen Hemd – und unterhielt sich mit einem riesigen Typen in Boots und Lederweste. Der sah überhaupt wie ein Rocker aus, mit fettigem Haar und einem rotlila Hemd, das bis zum Nabel aufgeknöpft war.

Der Dichter entdeckte mich nicht – zumindest machte er keine diesbezüglichen Zeichen –, aber während ich dastand und ihn beobachtete und darauf wartete, dass ich an die Reihe kam, beschloss ich, was mein nächstes Beobachtungsobjekt in meiner Rolle als Privatschnüffler sein würde.

Da ist auch etwas mit Olsson, hatte Signhild das nicht gesagt?

* * *

An diesem Tag hatte mein Vater Geburtstag, und abends aßen wir draußen in der Laube Heringe und frische Kartoffeln. Hinterher Rhabarberauflauf mit Vanillesoße. Es war kein Festessen, wir legten in unserer Familie keinen besonders großen Wert auf Geburtstagfeiern. Katta und ich, mein Vater und meine Mutter. Und der Redakteur Nilsson, der auch bei der Länstidningen arbeitete, Junggeselle und verwandt mit Nisse Nilsson war. Aber nur weit entfernt. Dubbelubbe hatte irgend so einen Abenddienst, hatte sich aber an Kattas Geschenk beteiligt – einer grünen Lodenweste mit roten Elchen drauf, die sie während einer gemeinsamen Reise in die schöne Gegend von Silja gekauft hatten.

Von mir bekam mein Vater eine Sammlung von Plaudereien von dem berühmten Cello, das kriegte er jedes Jahr, und von meiner Mutter eine Kombizange, die er sich auch gewünscht hatte. Doch am meisten schätzte er wohl doch Nilssons Geschenk, eine Flasche Grönstedts Monopol, an der sie sich noch lange bedienten, als wir anderen schon aufgebrochen waren.

Jedenfalls war es ein ungewöhnlich heißer Abend, das konnte ich feststellen, als ich gegen neun Uhr quer über die Straße ging und bei Signhild klingelte.

* * *

Es war so ein Abend, von denen es in unserem Teil der Welt wohl fünf im Jahr gibt, wenn man Glück hat – und der einen erahnen ließ, wie das wahre Leben in Monterey, Marseille und Acapulco aussah. Ich nahm Signhild sofort bei der

Hand, und sie machte keinerlei Anstalten, sie zurückzuziehen. Weder bei dem Eröffnungsgeplänkel noch später während des Spaziergangs.

Anfangs sagten wir nicht viel. Wir gingen die Mossbanegatan und die Kvarngatan entlang bis zum Viaskogen, und ich dachte, dass noch nie, noch niemals, mein Leben so intensiv gewesen war wie jetzt. Der Jasmin blühte immer noch, das Geißblatt blühte immer noch, von einem Gartenfest war *House of the Rising Sun* zu hören, und Signhild trug einen kurzen Rock und hatte frisch gewaschenes Haar.

Als wir über die Eisenbahnschienen gekommen waren und den Wald erreicht hatten, blieb ich stehen und küsste sie. Ich hatte zuvor erst einmal ein Mädchen geküsst, das war eine meiner Klassenkameradinnen während des Luciaauftritts im letzten Dezember gewesen. Sie hieß Elma, kam aus Röfors und war vorher gerade zum Kotzen draußen gewesen.

Mit Signhild war es etwas vollkommen anderes. Auch wenn wir etwas unbeholfen waren und unsere Zähne aufeinander schlugen, lernten wir doch schnell. Ich weiß, dass ich ein paar Jahre später las, dass ein Kuss sein soll wie das Verspeisen einer sonnengereiften Kirsche, nur mit den Lippen, und dass ich dachte, dass es so, genau so gewesen war, als ich Signhild das erste Mal küsste.

Und dass die Zunge und die Lippen derartige Signale in das Geäst der Wollust im Körper schicken konnten, davon hatte ich keine Ahnung gehabt.

Wir standen in der Sommernacht auf einem halb zugewachsenen Waldpfad im Viaskogen und waren dabei, die Liebe zu erfinden.

Das dauerte natürlich eine Weile. Als Signhild das erste Mal auf die Uhr schaute, war es schon nach zwölf, und wir machten uns langsam auf, wieder durch das schlafende Wohnviertel zurückzugehen.

»Ich bin so dankbar«, sagte Signhild. »Alles andere ist im

Augenblick so schrecklich, und dann haben wir ... das hier. Du und ich.«

»Mm«, sagte ich. »Dafür können wir wohl dankbar sein. Aber ich versuche auch, Klarheit in die anderen Dinge zu bringen.«

»Ich glaube, es ist besser, wenn du das sein lässt«, sagte Signhild. »Ich habe darüber nachgedacht, nachdem du vorgestern nach Hause gegangen bist.«

»Was meinst du damit?«

»Nur, dass es vielleicht am besten ist, wenn man nicht zu viel weiß.«

Ich überlegte.

»Aber die Polizei wird doch früher oder später alles aufrollen, oder?«, sagte ich. »Du glaubst doch wohl nicht, dass das einfach so ... ja, einfach so im Sande verläuft?«

»Nein, das geht natürlich nicht.« Sie seufzte. »Ist schon klar, dass es früher oder später herauskommen wird. Was auch immer. Obwohl ich mir manchmal wünsche, dass es gern noch ein bisschen dauern könnte.«

»Aber vorgestern hast du doch gesagt, dass du alles wissen willst«, erinnerte ich sie.

Sie drückte meine Hand und ließ sie dann wieder los. »Ich weiß. Oder besser gesagt, ich weiß nicht ... ob meine Mutter tatsächlich ein Verhältnis mit einem anderen hatte, und wenn ... wenn sie irgendwie in den Tod meines Vaters verwickelt ist, dann, ja dann muss das natürlich geklärt werden. Aber ich will dem Ganzen irgendwie nicht so nahe sein. Wenn ich zum Beispiel von zu Hause ausziehen könnte, dann wäre es einfacher ... ich weiß nicht, ob du verstehst, was ich meine?«

»Natürlich, ja«, versicherte ich ihr. »Aber es wäre doch das Allerbeste, wenn sie von jedem Verdacht reingewaschen werden würde, oder?«

»Ja, sicher.«

»Ich habe überlegt, was ich da machen kann. Habe sogar schon angefangen, aber wenn du nicht ...«

»Das ist schon in Ordnung«, unterbrach sie mich. »Ich vertraue dir, aber ich will auf keinen Fall, dass du ...«

Sie beendete ihren Satz nicht. Wir waren wieder auf Höhe des Gartenfests, das offenbar immer noch stattfand, und jetzt war es *Rag Doll,* das durch die Fliederhecke drang. Ich ergriff wieder ihre Hand.

»Ich weiß«, sagte ich. »Du brauchst nichts zu sagen. Ich bin kein Dummkopf, auch wenn meine Haare lang und meine Jeans ausgefranst sind.«

Sie musste lachen. Ich stellte fest, dass das wohl die Spitze des Glücks war: etwas sagen zu können, das Signhild zum Lachen brachte.

Aber gleich darauf wurde sie wieder ernst.

»Ich werde für eine Weile wegfahren«, sagte sie.

»Wegfahren? Wohin denn?«

»Nach Tygelsjö.«

»Nach Tygelsjö. Und wo bitte schön liegt Tygelsjö? Das klingt ja wie ...«

»In Skåne«, erklärte sie, bevor ich auf Medelpad getippt hatte. »Meine Mutter hat eine Cousine dort. Ich kann da wohnen, es liegt fast direkt am Meer.«

»Wie schön«, brachte ich heraus.

Wir gingen schweigend weiter.

»Ich werde am Samstag fahren«, sagte Signhild. »Ich kriege drei Wochen Urlaub bei Brundins. Und Kennedy kann mich noch länger krankschreiben, wenn ich will.«

»Am Samstag?«, wiederholte ich.

»Ja.«

Ich hatte einen Kloß im Hals, der jetzt anschwoll.

»Was machst du den restlichen Sommer?«, fragte sie. »Du wirst doch nicht die ganze Zeit im Moor arbeiten?«

Ich zuckte mit den Schultern.

»Nein. Da gibt's nur noch für zwei, drei Wochen Arbeit. Elonsson und ich, wir haben überlegt, irgendwo zusammen zu zelten. Vielleicht an der Westküste.«

»Aha«, sagte Signhild. »Ja, das klingt doch gut.«

Genau in dem Moment konnte ich mir nichts Schlechteres vorstellen, als in einem Zelt zusammen mit Elonsson zu liegen. In Lysekil oder Marstrand oder Hunnebostrand – während Signhild sich gleichzeitig in Skåne befand –, aber aus irgendeinem Grund fiel es mir schwer, das zuzugeben.

»Wir haben uns noch nicht entschieden«, erklärte ich stattdessen. »Wäre schon cool, stattdessen nach London zu fahren. Von Göteborg kostet es nur neunzig Piepen.«

»Das ist aber billig«, sagte Signhild, und mir schien, das klang ein wenig niedergeschlagen.

Warum können wir nicht zurück in den Viaskogen gehen und noch ein bisschen weiter küssen?, dachte ich plötzlich. Warum können wir nicht hier und jetzt genau die gleiche Sache noch einmal machen?

Aber ich wusste, dass es unmöglich war. So grausam kann das Leben nämlich sein, dass man ein Bonbon nur einmal lutschen kann, dann ist es nicht mehr da. Dann muss man mit Taschenlampe und verdammter Zielsicherheit nach dem nächsten suchen. So war es nun einmal.

So ist es.

»Samstag?«, sagte ich noch einmal. »Du hast doch gesagt, dass du Samstag fährst, oder?«

»Ja, ich denke schon«, sagte Signhild, und danach fiel es uns den ganzen Weg bis nach Hause in die Fimbulgatan schwer, noch Worte zu finden.

## 15

Alles geht vorüber – außer Mücken und Liebeskummer.

Das war eine von Tante Idas Wahrheiten über das Leben, und am Freitag fiel sie mir ein, als genau zwei Wochen seit dem Mord an Kalevi Kekkonen vergangen waren. Die Zeitungen schrieben nichts mehr darüber, nicht einmal mein Vater, und die Leute hatten aufgehört, sich laut darüber zu unterhalten. Zumindest summte die Luft nicht mehr vor lauter Vermutungen und Spekulationen, das war irgendwie gleich zu merken, wenn man rausging und einmal tief Luft holte.

Obwohl natürlich die polizeilichen Ermittlungen volle Kanne weiterliefen, das durfte man ja wohl voraussetzen, ernsthafte Männer mit schwarzen Halbmonden unter den Augen, die zu später Nachtstunde im Polizeirevier von Örebro saßen, konferierten und das Puzzle legten.

Das Puzzle legten und Schlussfolgerungen zogen. Theorien verwarfen und falsche Spuren entlarvten. Und in erster Linie: sich mit unerschütterlicher Entschlossenheit und Präzision ins Herz der Finsternis bohrten.

In des Pudels Kern.

Hoffentlich. Wie ich schon erwähnte, fiel es mir bereits von Anfang an schwer, dieses hundertprozentige Vertrauen in die Fähigkeiten der Kriminalpolizei zu entwickeln, das man als guter Mitbürger wohl hegen sollte. Ob das nun an

Dubbelubbes sich immer wiederholenden Plattitüden oder an etwas anderem lag: Ich weiß es nicht. Mein Leben verlief diesen merkwürdigen Sommer über mit offenem Visier, und um vor lauter Sehnsucht nach Signhild nicht verrückt zu werden – die sich ja noch nicht einmal in das gottverlassene Skåne aufgemacht hatte, mir aber nach der überwältigenden Nähe im Viaskog bereits jetzt schrecklich weit entfernt zu sein schien –, zog ich mir noch einmal die zweifelhafte Tracht des Privatdetektivs über. Mein armer Kopf war so voll von Herz und Schmerz, dass ich einfach eine Richtung brauchte, etwas Konkretes, womit ich mich beschäftigen konnte. Man musste sein Leiden wie den Daumen des deutschen Fähnrichs behandeln: unter Glas legen und dann ab in die Schublade. Signhild würde schon zur rechten Zeit zurückkommen, und irgendwo in meinem Unterbewusstsein begann ich bereits zu überlegen, ob nicht die Strände in Skåne ebenso viel zu bieten hatten wie die der Westküste.

* * *

Der Dichter Olsson.

Nachdem ich die Schachspur so weit verfolgt hatte, wie ich konnte, ließ ich sie erst einmal für eine Weile ruhen. Ich hatte die vage Idee, nachzuforschen, inwieweit nicht eines der Mitglieder des Schachclubs von Kumla ein Exemplar von »Der Teufelspakt« sein Eigen nannte, aber wie ich so eine delikate Operation anfangen sollte, darüber hatte ich mir noch keine weiteren Gedanken gemacht.

Außerdem hegte ich die vage Vorstellung, dass es vermutlich am besten wäre, Ermittlungsleiter Vindhage an dem, was ich über Sigge van Hempel erfahren hatte, teil haben zu lassen – aber da ich mir nicht so recht darüber im Klaren war, ob ich überhaupt auf Seiten der Polizei stand oder nur auf der von Ester Bolego und Signhild, verschob ich auch das in die Zukunft.

In dieser Art und Weise wand ich mich. Wie die Schlange auf dem Felsen.

Aber nun also der Dichter Olsson.

Ich ging systematisch an die Sache heran, indem ich seinen Namen ganz oben auf eine neue Seite meines Notizblocks schrieb.

Dann kam ich nicht weiter. Kaute auf dem Stift herum und schaute aus dem Fenster zu Signhild hinüber. Es war Freitagabend. Sie hatte vor einer halben Stunde angerufen und erzählt, dass sie einen Zug nehmen würde, der am Samstagvormittag um elf Uhr fünfzehn vom Bahnhof Kumla abfuhr. Und dass sie es schön fände, wenn ich sie zum Zug bringen könnte.

Aber jetzt war ihr Fenster dunkel. Ich starrte auf das weiße Papier. Fragen?, dachte ich. Maßnahmen?

Ich begann mit den Fragen.

*Wer ist der Dichter Olsson?*

*Woher kommt er?*

*Warum wohnt er bei den Kekkonen-Bolegos?*

*Kannte er schon früher jemanden aus der Familie?*

*Wenn ja, wen?*

Und dann formulierte ich meinen Verdacht.

*Kann der Dichter Olsson Ester Bolegos Geliebter sein?*

Und die Frage, die daraus folgte:

*War er derjenige, der Kalle Kekkonen geköpft hat?*

Ich schaute wieder aus dem Fenster. Das Lundbomsche Haus sah verlassen aus, nicht nur Signhilds Fenster war dunkel. Langsam begann ich einzusehen, wie wenig ich eigentlich von ihnen wusste. Von Kalevi Kekkonen. Von Ester. Sogar von Signhild. Sie wohnten seit sechs Jahren auf der anderen Straßenseite, aber von ihrer Vergangenheit und eventuellen Leichen im Keller wusste ich nicht die Bohne.

Obwohl – wenn ich darüber nachdachte, wie viel ich zu sagen hätte, wenn es um die Burmans oder die Fredrikssons ginge, dann wurde mir klar, wie es wirklich darum stand. Man sieht nur das Äußere. Menschen konnten ihr ganz normales Leben in stinknormalen Straßen in mittelschwedischen Städten leben und dabei die finstersten Geheimnisse verbergen – und natürlich konnten diese unter den Teppich gekehrten und halbeingemotteten Dinge jeden Augenblick ans Tageslicht dringen. Wie eine Heringskonserve, die nicht länger dem Druck stand hielt.

Und was dann geschehen würde, das war schwer zu sagen. Dann konnte beispielsweise ein Mensch sich nicht anders zu helfen wissen, als einem anderen den Kopf abzuschlagen.

That's life. Ich legte Them wieder auf den Plattenteller und rauchte zum Fenster hinaus.

Das Einfachste – wenn es um die letzten beiden Fragen ging – wäre natürlich gewesen, Signhild zu fragen. Bei ihr nachzubohren, ob sie glaubte, dass möglicherweise gerade der Dichter Olsson der verborgene unbekannte Mann war, von dem sie behauptete, er hätte ein Verhältnis mit ihrer Mutter.

Aber das widerstrebte mir. Es war ja nicht einmal sicher, dass irgendein heimlicher Liebhaber existierte, und wenn ich jetzt ganz plump ihren Untermieter als Kandidaten für diese Rolle präsentierte, so hatte ich das Gefühl, als würde ich sie irgendwie beleidigen. Sowohl Ester wie auch Signhild. Vielleicht auch noch den Dichter Olsson.

Das war sicher eine irrationale Denkweise, aber ein Privatdetektiv muss ein wenig seiner Intuition vertrauen, dachte ich. Seinem Spürsinn und seinem Fingerspitzengefühl. Ich ging zurück zum Schreibtisch und begann, über die Maßnahmen nachzudenken. Nach zehn Minuten war ich soweit gekommen, dass es eigentlich nur vier durchführbare Vorgehensweisen gab.

Mehr oder weniger durchführbar. Ich schrieb sie unter den Fragen auf.

*1) Mit E. B. reden*
*2) Mit D. O. reden*
*3) E. B. beschatten*
*4) D. O. beschatten*

Nachdem ich schon einmal mit diesem systematischen Blödsinn angefangen hatte, fasste ich sogleich einen Entschluss.

Ich würde den Dichter Olsson beschatten.

Zufrieden mit diesem Beschluss tauschte ich Them gegen Dave Clark Five aus, kroch ins Bett und nahm mir »Der Ekel« von einem Franzosen namens Jean-Paul Sartre vor, dessen Name mir von einer Art Tribunal früher im Jahr noch in Erinnerung war.

* * *

Am Samstag war ich schon vor acht Uhr auf, obwohl ich in der Nacht nicht besonders viel geschlafen hatte. Die Gedanken an Signhild, an ihre weichen Lippen und ihre Zunge hatten mich durch die empfindsame Oberfläche des Schlafs gejagt, und ich hatte einen ganz merkwürdigen Traum geträumt, bei dem ich ein Pudelweibchen war, das zusehen musste, von O Sole Mio gedeckt zu werden, bevor die Sonne aufging.

Oder genauer gesagt, bevor der Hahn dreimal krähte.

Ich frühstückte und rief Signhild an. Fragte sie, wann ich zu ihr rüberkommen sollte, sie meinte, es würde reichen, wenn ich um halb elf bei ihr wäre, und ich verbrachte eine schwere Stunde mit meinem Franzosen und seinem Ekel, bevor ich zu ihr hinüberging.

Sie hatte eine rot-schwarz-karierte Reisetasche aus Stoff und einen kleinen Rucksack. Ich stellte die Tasche auf den Gepäckträger meines Fahrrads und schob es. Das war idiotisch: So waren wir gezwungen, jeder auf einer Seite von dem Klappergestell zu gehen, und ich konnte sie während des ganzen Wegs bis zum Bahnhof nicht berühren.

Das war frustrierend. Die Sonne schien, die Vögel zwitscherten, es war so eine Art bescheuerter Hochsommer am Laufen, und ich fühlte mich wie ein zum Tode Verurteilter. Sie kaufte ein wenig Proviant und eine Zeitschrift am Kiosk, während ich das Fahrrad abstellte, wir schleppten uns durch den urinstinkenden Tunnel, hinauf zum Bahnsteig. Da saßen drei alte Greise und Klapp-Erik, die offensichtlich alle nach Hallsberg wollten, um sich dort zu vergnügen. Wir gingen ans Ende des Bahnsteigs und stellten dort Tasche und Rucksack ab. Ich schaute auf die Uhr.

Uns blieben noch sieben Minuten. Ich fasste sie bei den Schultern und schaute sie an. Sie war zehn Zentimeter kleiner als ich, und als sie ihre grünen Augen zu mir hob, ergriff mich fast die Panik. Sie darf mich nicht verlassen, dachte ich. Niemals. Diese Augen dürfen sich nicht von mir abwenden. Sonst sterbe ich. Jetzt sterbe ich.

Sie lächelte unsicher. Dann legte sie ihre Hände auf beide Seiten meines Halses, und so begannen wir, uns zu küssen.

Und dann kam der Zug, und sie fuhr davon.

* * *

Ich blieb noch fünf Minuten auf dem Bahnsteig stehen. Die Sonne schien, die Vögel zwitscherten. Mein Gehirn schickte ab und zu ein lustloses Signal zu den Beinen, sie sollten sich doch langsam mal in Bewegung setzen, aber nichts geschah.

Erst als ein Güterzug einen Meter von mir entfernt vorbeidonnerte, kam ich vom Fleck. Langsam und unsicher wie ein vom Schlag getroffener Neunzigjähriger begab ich mich wieder in den Tunnel hinunter. Bog nach rechts ab und kam auf den Marktplatz. Dort spielte ich eine Weile mit dem Gedanken, in Svärds Eisenwarenhandel zu gehen und mir einen Anker zu kaufen, dann weiter hinunter zum See zu gehen und mich zu ertränken, aber ich überlegte es mir noch. Es ist bestimmt genauso beschissen, tot zu sein, dachte ich.

Der Handel auf dem Markt war recht lebhaft, aber an diesem Samstag schien es keine Dichterlesung zu geben. Ich ging weiter zum Musikalienladen von Kumla. Ging hinein und schaute mich eine Weile in dem mageren Sortiment um, kaufte schließlich eine LP von Sonny Boy Williamson and the Yardbirds.

Das Leben geht weiter, dachte ich, als ich wieder in den Sonnenschein hinaustrat. Außerdem hast du einen Auftrag, du Weichei. Reiß dich zusammen!

Aber als ich mein Fahrrad hinter dem Zeitungskiosk holen wollte und feststellen musste, dass es gestohlen worden war, kümmerte mich das nicht mehr, als wenn jemand in Askersund gegen den Wind gerülpst hätte.

Wie Vretstorps-Karlsson und seine Familie zu sagen pflegten.

* * *

Es war eine Sache, im Dunkeln zu liegen und Überwachungspläne zu schmieden, eine andere war es, sie im hellen Tageslicht auszuführen.

Als der Dichter gegen sechs Uhr mit O Sole Mio herauskam und ich mit meiner diskreten Verfolgung begann, kamen wir nicht weiter als bis zu Vedkapar-Larssons, bevor er sich umdrehte und mich entdeckte. Er wartete auf mich.

»Salve, mein junger Ritter«, sagte er. »Woher und wohin des Weges?«

Ich erklärte ihm, dass ich auf dem Weg zu Karlesson sei, um Tabak zu kaufen, und er nickte interessiert.

»Dann können wir zusammen gehen. Das ist ein schöner Abend, nicht wahr?«

Ich stimmte ihm zu, dass an dem Wetter wirklich nichts auszusetzen war.

»Warum so finster?«, fragte er. »Liegt der Grund darin, dass Jung-Signhild in die südlichen Provinzen gezogen ist?«

Ich spürte, wie ich rot wurde, und musste zugeben, dass ich der jämmerlichste Privatdetektiv der Welt war. Es war meine Absicht gewesen, das eine oder andere über Olsson herauszukriegen, und jetzt hatte er mich stattdessen bis aufs Hemd ausgezogen. So fühlte ich mich zumindest. Bevor ich antworten konnte, legte er brüderlich seinen Arm um meine Schultern.

»Verzweifle nicht. Du Amors tapferer Zinnsoldat«, sagte er. »Denn durch die Felsen glüht die Kühnheit des Herzens ... Über das Erröten und andere Zustände, aus meiner ersten Sammlung, hm, wollen wir die Beine ein wenig bewegen, ja?«

Wir gingen los, O Sole Mio wie ein müder Staubsauger immer zwei Schritte vor uns.

»Werden Sie hier wohnen bleiben?«, fragte ich, um das Gespräch in irgendeiner Weise zu meinen Gunsten zu drehen.

»Bis auf weiteres«, sagte der Dichter Olsson. »Bis morgen oder bis zum Frühling. Wer weiß? Wie läuft es mit der Schriftstellerei?«

»Es geht«, sagte ich dumm. »Habe in letzter Zeit nicht viel geschrieben. Und selbst?«

»Einmal Wein, einmal Essig«, stellte er fest und zündete sich eine seiner dünnen Zigarren an. »Wie das Leben. Wie das Atmen. Man darf nur keine Angst haben, das ist das Wichtigste.«

Ich verstand nicht ganz, was das Letzte wohl zu bedeuten hatte, und schweigend gingen wir an Hammarbergs Koppel vorbei.

»Können Sie Deutsch?«

Ich fragte ganz spontan, ohne vorher nachzudenken, und er schaute mich verwundert an.

»Ich hab noch einen Koffer in Berlin«, sagte er dann auf Deutsch. »Mein lieber Freund, ich habe acht Jahre dort gelebt. Warum fragst du?«

»Ich weiß nicht«, antwortete ich wahrheitsgemäß. »Manchmal kommt mir einfach so etwas in den Kopf.«

»Das kommt vor«, bestätigte der Dichter Olsson, und dann waren wir bei Karlesson angelangt.

* * *

Das Bedürfnis, etwas zu tun, um nicht an Signhild denken zu müssen, war groß, und nur wenige Stunden später war Plan B fertig. Ich zögerte auch nicht damit, ihn in die Tat umzusetzen, und zwar folgendermaßen:

Hinter dem Lundbomschen Haus gab es seit Urzeiten eine Fichtenhecke, die die Grenze zu Gustavssons Gärtnerei bildete – und mitten in dieser Fichtenhecke stand ein versteckter Schuppen. Wahrscheinlich hatte er als Geräteschuppen für Gustavsson gedient – und diente möglicherweise immer noch dazu. Für Harken und Eimer, Schaufeln und Wasserkannen und was man sich sonst noch so denken kann, für alles, was in einer Gärtnerei halt gebraucht wird. Aber ich weiß es nicht, ich will nichts beschwören, es kann auch einfach ein altes Plumpsklo gewesen sein.

Auf jeden Fall handelte es sich um eine winzige Bruchbude, eineinhalb Meter im Quadrat und ein paar Meter hoch, mit einem morschen, nur leicht abfallenden Holzdach, das mit Dachpappe beklebt war. Die Fichtenhecke hatte es im Laufe der Jahre richtig überwuchert, sowohl von den Seiten als auch von oben, und ich glaube, nicht einmal ein Privatdetektiv mit nur halb so großer Intelligenz wie ich (wenn denn so etwas überhaupt denkbar war) wäre umhin gekommen, diese Möglichkeit in Betracht zu ziehen.

Während meiner jüngeren Mannesjahre – von fünf bis dreizehn ungefähr – hatte das Schuppendach verschiedenen Zwecken gedient: als Versteck, wenn man Verstecken oder Ticken spielte, als verborgener Platz, wenn man heimlich in Pin-Up oder Top-Hat blättern wollte, die man unten im Pokerskogen hinter dem Marktplatz gefunden hatte, oder einfach als Rückzugsmöglichkeit, als ein Platz, an dem man im Großen und Ganzen seine Ruhe hatte – und wenn ich mich an diesem heißen Samstagabend jetzt hier bäuchlings ausstreckte, so konnte ich sofort feststellen, dass die Dachpappe sich noch genau so anfühlte, wie ich sie in Erinnerung hatte, sowie dass die Fichten nicht so hoch gewachsen waren, dass man nicht immer noch direkt zur Familie Kekkonen-Bolego hineinschauen konnte.

Es war gut zehn Uhr geworden. Der Abstand betrug nicht mehr als zehn, zwölf Meter. Vereinzelt summten ein paar Mücken, ich zündete meine Pfeife an und legte mich zurecht. Ideal, dachte ich. Wenn es etwas über Ester Bolego und den Dichter Olsson herauszufinden gibt, dann werde ich es aus dieser Position heraus erfahren. Ich bin ein verdammt gewiefter Späher.

Beide Fenster waren hell erleuchtet, sowohl das Wohnzimmer als auch die Küche, aber bisher konnte ich keinen von beiden entdecken. Weder sie noch ihn. Abwarten, dachte ich. Die Stunde der Wahrheit naht …

Auf irgend so eine halbbewusste Art sah ich natürlich ein, dass ich in diesen pompösen Gedanken badete, weil ich mir selbst Mut und Selbstvertrauen einreden musste. Man darf keine Angst haben, das ist das Wichtigste, hatte Olsson gesagt, und damit hatte er wahrscheinlich nur allzu Recht.

Der Dichter Olsson? Konnte er wirklich ein Mörder sein?

Es war schwer, sich das vorzustellen, aber andererseits hatte ich während meiner relativ kurzen Zeit auf Erden nur sehr wenig Umgang mit Verbrechern dieser Art gehabt, also wollte ich lieber nichts beschwören.

Warum sollte er Kalle Kekkonen nicht den Kopf abgeschlagen haben?, dachte ich. Es kann doch auf dieser verrückten Welt durchaus passieren, dass ein Dichter einen Uhrmacher um die Ecke bringt.

Jedenfalls, wenn er gute Gründe dafür hat.

Jedenfalls, wenn der Dichter der Geliebte der Ehefrau ist.

Und wenn nun der Uhrmacher ihnen irgendwie auf die Schliche gekommen war?

Während ich da auf der Teerpappe lag und durch die Fichtenzweige spähte, erschien mir diese Lösung immer wahrscheinlicher. Je mehr ich das Für und Wider abwog, umso glaubhafter wirkte sie.

Außerdem konnte er Deutsch, der Dichter, eigentlich war es unfassbar, dass die Polizei sich nicht bereits in einem sehr viel früheren Stadium für ihn interessiert hatte …

Meine Überlegungen wurden unterbrochen, als sie im Zimmer auftauchten. Direkt vor meinen Augen; zuerst Ester und dann, gleich nach ihr, der Dichter. Ich spürte, wie mein Herz in der Brust einen Galoppsprung machte, und fast hätte ich die Pfeife zwischen dem Gestrüpp verloren.

Sie gingen zu dem Tisch, der vor dem Fenster stand.

Sie zog einen Stuhl heraus und setzte sich, er nahm einen anderen und setzte sich ihr gegenüber. Mein Gott, dachte ich, das ist ja fast wie im Theater. Wenn sie noch das Fenster öffnen, kann ich hören, was sie sagen!

Aber sie öffneten nicht das Fenster. Es gab einige Mücken, vielleicht deshalb. Jedenfalls saßen sie da, einander gegenüber, jeder hatte ein Stielglas mit einer braungelben Flüssigkeit vor sich stehen, und sie beugten sich über den Tisch, so dass nur wenige Zentimeter zwischen ihren Köpfen waren. Ich dachte, dass es nun wirklich nicht aussah, als würde ein Untermieter mit seiner Vermieterin plaudern. Ganz und gar nicht.

Der Dichter Olsson zündete sich eine Zigarre und Ester Bolego eine Zigarette an. Sie tranken einen Schluck aus ihren Gläsern, nippten nur, während gleichzeitig ihre Blicke aneinander klebten. Dann unterhielten sie sich und rauchten, Ester gestikulierte ab und zu mit den Händen, so wie sie es immer tat, der Dichter saß insgesamt eher ruhig da. Einmal zog er die Brieftasche aus der Gesäßtasche, holte etwas aus ihr hervor und zeigte es ihr. Ich glaube, es war ein Foto, sie lächelte, als sie es anschaute.

Und als sie es zurückgegeben und er es wieder in die Brieftasche geschoben hatte, nippten sie von Neuem an ihren Gläsern, und dann streckte sie ihre Hände über den Tisch ihm entgegen.

Er ergriff sie, ohne zu zögern – ich konnte nicht umhin, die Geste mit meiner zu vergleichen, als ich Signhilds Hände an dem bewussten Abend unten im Café am Kumlasjö gehalten hatte –, und dann blieben sie so mindestens eine halbe Minute vollkommen regungslos sitzen.

Direkt vis à vis, Auge in Auge, es konnte nicht offensichtlicher sein.

Plötzlich merkte ich, dass es mir peinlich war. Fenstergucker standen auch zu der Zeit nicht besonders hoch im Kurs. Ich rutschte vom Dach und ging nach Hause.

* * *

In dieser Nacht schlief ich erst spät ein.

Ich rauchte sicher acht, zehn Pfeifen MacBaren, so dass meine Zunge sich anfühlte, als hätte jemand ein Reibeisen darüber gezogen. Das war der Nachteil des MacBaren im Vergleich mit dem alten Gilbert: Die Süße des Tabaks perforierte geradezu die Zunge, wenn man ein wenig zu viel rauchte. Und das tat man ja nun einmal ab und zu.

Aber das war nur eine Bagatelle. In Anbetracht dessen, was ich durch das Fenster des Lundbomschen Hauses beobachtet hatte, war fast alles andere eine Bagatelle. Auch wenn ich Ester Bolego und den Dichter Olsson nicht gerade *in flagranti* erwischt hatte – wie es in so manchem Detektivroman hieß –, so war es doch deutlich genug gewesen. Signhilds Befürchtungen hatten sich bestätigt und waren verstärkt worden, und ich saß hier mit einem Wissen, das so heiß war, dass ich spürte, wie ich mich daran verbrannte. Wie ein frisch gekochtes Ei, das man hin und her werfen muss, damit es nicht zu Boden fällt. Ich weiß, dass ausgerechnet dieses merkwürdige Bild vor meinem geistigen Auge erschien und dass ich fand, das wäre in diesem Zusammenhang doch etwas albern.

Aber das Schwierigste war dabei nicht, sich vorzustellen, wie der Dichter Olsson (oder Ester Bolego selbst, das war ja auch nicht ausgeschlossen) sich in besagter Nacht bei Kekkonen eingeschlichen und ihm den Kopf mit einem wohlgezielten Schlag abgetrennt hatte – sondern sich auszurechnen, wie das wohl meine Beziehung zu Signhild beeinflussen würde. Was immer auf der Welt und in der Umgebung geschieht, so ist man sich doch immer selbst der Nächste, ich weiß noch, dass ich genau das damals dachte.

Ich überlegte und wog die Argumente ab, besah alle Für und Wider von allen Seiten, aber wie ich es auch drehte und wendete, die Tatsache blieb bestehen. Zumindest sah ich es als Tatsache an. Signhilds Mutter hatte – auf eigene Faust oder durch einen Anwalt – versucht, ihren Ehemann los zu werden, und dieses Wissen trug ich mit mir herum. Einzig und allein nur ich.

Signhild hatte ihren Vater verabscheut, das hatte sie mir erzählt. Sie hatte mir außerdem gesagt, dass für sie der Verdacht, ihre Mutter könnte mit dem Mord etwas zu tun haben, viel schlimmer war als die Tatsache, dass ihr Vater ermordet worden war.

Und jetzt stand ich im Begriff zu beweisen, dass es Gründe für diesen Verdacht gab. Verdammt viele Gründe.

Höchstwahrscheinlich Gründe genug, um Ester Bolego nach Hinseberg zu schicken.

Wie würde Signhild darauf reagieren? Sie hatte mich – mehr oder weniger ausdrücklich – darum gebeten, so viel wie möglich herauszukriegen, aber würde sie mir wirklich dafür dankbar sein, dass ich diese schmutzige Wahrheit ans Licht gebracht hatte? Wäre sie in der Lage, es zu schätzen zu wissen, dass ich ihre Mutter ins Gefängnis gebracht hatte?

Gute Fragen. Überhaupt sehr, sehr berechtigte Fragen.

Ich las »Der Ekel« und hörte Dylan, fand aber keine Antwort.

Ich schrieb einen drei Seiten langen Brief an Signhild und zerriss ihn wieder.

Ich trank vier Tassen Tee und hörte mir Mothers of Invention an. Ich konsultierte den Daumen des deutschen Fähnrichs.

Um Viertel vor vier, als die letzten Reste der Nachtfinsternis von der Morgendämmerung zerbröselt wurden, fasste ich einen Entschluss.

Ich würde Kontakt mit Kommissar Vindhage aufnehmen, sobald ich aufgewacht war. Aber es sollte anonym vor sich gehen.

Wenn ich der Polizei die Lösung des Mordrätsels aus der Fimbulgatan in Kumla sozusagen auf dem Silbertablett servierte, so war es doch wohl nicht zu viel verlangt, dabei unerkannt zu bleiben?

Der blasse Glorienschein der Diskretion. That damned elusive Pimpernel.

Ich erinnere mich, dass es auf den Kastanienbaum regnete, als ich endlich einschlief.

# 16

Meine Eltern fuhren am Sonntag fort. In diesem Sommer verbrachten wir keinen richtigen Urlaub zusammen – das hatten wir übrigens schon seit mehreren Jahren nicht mehr getan –, aber jetzt wollten sie Onkel Nylle am Laxsjön für ein paar Tage besuchen. Da Katta mit ihrem Polizeianwärter irgendwohin verschwunden war, blieb ich allein zu Hause, und schon nach wenigen Minuten wählte ich die Nummer der Polizeizentrale.

Ich erklärte in vorsichtigen, gut durchdachten Worten, was ich wollte, und die Dame in der Telefonzentrale erklärte mir, dass Kommissar Vindhage erst am Montagvormittag wieder anzutreffen sei. Ich wiederholte, dass meine Mitteilungen von entscheidender Bedeutung für eine laufende Mordermittlung seien, und sie wiederholte – ohne ein einziges Wort oder den Tonfall zu verändern –, dass Kommissar Vindhage erst wieder am Montagvormittag anzutreffen sei.

Ich zog daraus den Schluss, dass sie geistig etwas minderbemittelt war, und legte den Hörer auf. Nahm Kaffee, Tabak, Papier und Stift mit und ging hinaus, setzte mich in die Laube, um einen Brief zu schreiben.

*Hochverehrter Kommissar Vindhage,*

begann ich,

*da mir durch den reinen Zufall und allgemeine Umstände gewisse, für einen bestimmten Mordfall entscheidende, sensationelle Tatsachen – soweit ich es beurteilen kann – zu Ohren gekommen sind, sehe ich es als meine Pflicht als guter Mitbürger an, sie Ihnen hiermit kundzutun. Aber ich möchte bereits zu Beginn darauf hinweisen, dass ich, aus Gründen, auf die ich lieber nicht näher eingehen möchte, erwarte, inkognito zu bleiben.*

Ich merkte, dass es mir Spaß machte, in so einem kryptischen Stil zu schreiben. Der Grund für diese Verstellung war natürlich, dass Vindhage nicht auf die Idee kommen sollte, dass ein junger Mensch hinter diesen Zeilen stand. Ich erinnere mich noch, dass ich besonders zufrieden mit einem späteren Abschnitt war:

*Alldieweil meine Observationen für sich gesehen als sehr kurz gegriffen erscheinen mögen, sollte dennoch insgesamt gesehen ihr Gewicht und ihre Bedeutung ein Beweismaterial konstituieren, das niemand, der Herr aller seiner Sinne ist, übersehen könnte.*

Keinem Menschen auf der Welt, dachte ich, würde der Gedanke kommen, dass eine so elegante Formulierung aus dem langhaarigen Kopf eines unreifen Sechzehnjährigen stammen könnte.

Es kostete mich eine gute Stunde, den Brief zu schreiben. Ich unterschrieb mit August Strindberg, schob ihn in den Umschlag und klebte diesen zu. Dann machte ich einen Spaziergang zum Zeitschriftenkiosk, kaufte eine Briefmarke und warf den Brief in den Briefkasten vor der Post ein.

In dem Augenblick, als das kleine Metallblech mit einem

matten Scheppern wieder über den Spalt fiel, fühlte ich mich wie ein Verräter.

Irgendwie war ich auf eine derartige Reaktion vorbereitet gewesen, aber dass sie mich so sehr überrollen würde, das hatte ich nicht erwartet. Ich blieb eine Weile dort stehen und starrte auf den gelben, alltäglichen Kasten, und es schien, als würde er die Unzugänglichkeit selbst symbolisieren. Die verfluchte Unzugänglichkeit aller Dinge. Mein Brief war zwischen eine unbekannte Zahl anderer Briefe gerutscht, und der Deckel war nicht nur über diese postalische Botschaft gefallen, sondern auch über mich selbst und Signhild.

Über unsere Liebe und unser Leben – und über meine Möglichkeiten, jemals die Chance zu bekommen, den Faden dort wieder anzuknüpfen, wo wir unsere ungewöhnliche Verbindung abrupt abgebrochen hatten ...

Ich stellte fest, dass ich dastand und bereits nach neuen Formulierungen suchte, und dass eine korpulente Dame mit einem dicken Dackel im Schlepptau den Anspruch erhob, die Klappe von Neuem zu öffnen. Ich warf ihr einen finsteren Blick zu und drehte mich auf dem Absatz um. Beschloss, nach Hause zu gehen und mich in Sartre zu versenken. Es konnte nicht schaden, über einen anderen armen Teufel zu lesen, wenn man selbst in der Scheiße steckte, das war eine andere Regel, die ich zu der Zeit lernte.

* * *

Der Sonntagabend verging.

Der Montag verging, und der Dienstag verging. Der Hochdruck hielt sich. Das Leben im Torf ging seinen Gang. Prick und Dick hatten aufgehört, neue Sklaven waren hinzugekommen – unter anderem ein schokoladenbrauner Junge aus Kamerun, der am Waldrand zeltete und vierzehn bis sechzehn Stunden am Tag arbeitete – sowie die Brüder Lingon aus Åbytorp, zwei rothaarige, sommersprossige und extrem sonnenempfindliche Zwillinge, die schon nach einem Vormittag ernsthafte Hautschäden bekamen und nie wieder zurückkehrten.

Elonsson und ich lagen an der Spitze, was den Stundenlohn betraf, was insbesondere darauf beruhte, dass wir gelernt hatten, nicht ab absurdum genau zu sein. Es gab Millionen von Kubikmetern Torf in diesem verdammten Moor, was spielte es da für eine Rolle, wenn man nicht immer die feuchteste Seite zur Sonne drehte? Damit der Fjugesta-Hitler nicht merkte, wie schnell und schlampig wir arbeiteten, achteten wir darauf, am Tag nicht zu lange zu bleiben sowie unsere Ergebnisse immer erst im Nachhinein, und dann in Bausch und Bogen, mitzuteilen.

Hundertvierzig Meter auf dieser Mistfurche da hinten! Zwanzig Meter extra für Sauertorf, doch, doch, wir hatten da von gestern eine Abmachung. Ja, und dann noch siebzig Meter jeder heute!

Hitler schrieb und machte gute Miene. Er war zu faul und zu sonderbar, um es nachzuprüfen.

Das Fahrradfahren zum und vom Moor in der glühenden Hitze war in diesen Tagen besonders hart. Mein Fahrrad war ja gestohlen worden, und ich fuhr auf Mutters so genanntem Gum-Racer, das war so alt wie das Backsteinpflaster in der Stadt, hatte Handgriffe aus Holz, ein Nummernschild und eine Sattelform, die dazu führte, dass man mit gekrümmtem Rücken wie ein Komma sitzen musste und schon nach hundert Metern Scheuerwunden am Arsch bekam.

Aber man gelangte voran. Elonsson hatte einen Teil seines Lohns genutzt, um sich ein Transistorradio zu kaufen, natürlich wurde darin tagsüber meistens nur Mist gespielt – aber *All You Need Is Love*, das in der vergangenen Woche für vierhundert Millionen Fernsehzuschauer von den Abbey Road Studios ausgekoppelt worden war, wurde sogar im guten alten schwedischen Dampfradio zehn Mal am Tag gespielt.

Und wenn es nicht irgendwelche uralten Sommergeschichten zwischen eins und drei gab, dann kam es vor, dass auch in diesem Zeitraum der eine oder andere erträgliche Song zu hören war.

Und länger als bis drei hielten wir uns sowieso nicht mit dem Torf auf. Meistens packten wir so gegen zwei Uhr zusammen und hörten noch eine Stunde zu, während wir über die Ebene nach Hause strampelten. Wenn wir am Marktplatz angekommen waren, waren auch meistens die Batterien leer.

Mit Britt-Inger und Ing-Britt aus Marieberg unterhielten wir freundschaftliche Beziehungen, aber nicht mehr. Elonsson schien eingesehen zu haben, dass er schlechte Karten bei Ing-Britt hatte, und es war kaum zu übersehen, wie eingebildet und mit sich selbst beschäftigt sie eigentlich war. Trotz aller nackter Haut. So sah die Bilanz nun einmal aus.

Daheim war es vollkommen windstill. Meine Eltern dehnten ihren Besuch beim Laxsjö-Nylle auf Grund des guten Wetters noch aus. Sie würden am Freitag oder Samstag wieder zurück sein, wie meine Mutter mir mitgeteilt hatte. Wenn ich denn solange allein zurecht kam.

Ich rief zurück und erklärte, dass ich schon davon ausginge, das zu schaffen. Und dass es nicht notwendig sei, dass meine Schwester käme, einkaufte und mir Essen machte. Katta hatte diese Woche über auch Urlaub und verbrachte ihn, wie schon gesagt, in Dubbelubbes zweifelhafter Gesellschaft in Örebro.

Oder wo immer sie sich nun aufhalten mochten, das war mir ziemlich egal.

Was mir dagegen ganz und gar nicht egal war, das waren die Dinge, die auf der anderen Straßenseite passierten.

Oder *nicht* passierten, genauer gesagt. Ich hatte meinen Brief fein säuberlich am Sonntag vor sechzehn Uhr in den Kasten geworfen, was ja wohl bedeuten musste, dass er am

Montagvormittag auf Kommissar Vindhages Schreibtisch landete. Das versprachen zumindest unzweideutige Worte auf dem gelben Kasten, und ich hatte keinen Grund, dem Postwesen zu misstrauen. Ganz im Gegenteil, zu der Zeit gab es so etwas wie einen Nationalstolz dahingehend. Man konnte von Briefen lesen, die ihren Bestimmungsort erreicht hatten, obwohl der Absender nur Pelle Olsson oder Oma oder dieses süße Mädchen in dem gelben Haus in Fellingsbro auf den Umschlag geschrieben hatte. Rain, sleet or snow, mail goes through, wie es in dem Lied hieß.

Und auch wenn der Ermittlungsleiter nun überhäuft wurde mit makabren, schwer zu beurteilenden Aufgaben, so überlegte ich, dass er dennoch meine Enthüllungen allerspätestens – grob gerechnet – erhalten haben musste, bevor er an diesem Montagabend nach Hause ging. Ein wichtiger Teil der Arbeit der Kriminalpolizei bestand doch gerade darin, Informationen und Tipps zu sammeln und zu beurteilen, und dass er anschließend weiter dasitzen und der Dinge harren würde, die da noch kommen könnten – aus irgendeinem mir unerklärlichen Grund –, das erschien doch, zumindest für einen normal begabten, allgemein praktizierenden Privatdetektiv, ziemlich unwahrscheinlich.

Dennoch kamen und gingen sie, als wenn nichts geschehen wäre, Ester Bolego und der Dichter Olsson. Am Montagabend mähte der Dichter Gras und machte einen Spaziergang mit O Sole Mio. Ester Bolego hängte Wäsche auf, und sie saßen eine halbe Stunde lang zusammen draußen auf den Gartenmöbeln und tranken Kaffee.

Von irgendwelchen Männern in zerknitterten Anzügen, die in einem dunklen Zivilfahrzeug auf der Straße mit quietschenden Reifen hielten und dann mit schweren Schritten zum Haus gingen und klingelten, sah ich keine Spur.

Nicht den Schatten einer Spur.

* * *

Auch am Dienstag nicht.

Ein Brief kann sich wohl um einen Tag verspäten, dachte ich. Aber um zwei? Wohl kaum. Der Abstand zwischen Kumla und Örebro betrug siebzehn Kilometer, ein Lemur im Rollstuhl würde es schaffen, eine Postsache innerhalb von zwei Tagen auszuliefern. Es gab natürlich noch die – theoretische – Möglichkeit, dass Vindhage und seine tapferen Mannen tagsüber ihren Einsatz machten, während der anonyme Schreiber sein täglich Brot draußen in Säbylunds Torfmoor verdiente, aber warum hatte man sie dann nicht festgenommen?

Verhaftet oder eingesperrt, oder wie der korrekte Terminus nun hieß? Als ich am Dienstag gegen drei Uhr nach Hause gestrampelt kam, saßen Ester Bolego wie auch der Dichter Olsson – in aller Ruhe und äußerst zufrieden, wie es schien – draußen im Garten und tranken etwas, das fast so aussah wie ein Bier. Sie unterhielten sich unbeschwert, und ein neu erworbener gelbroter Sonnenschirm war als Schutz vor der unermüdlichen Sonne aufgespannt.

Natürlich war das merkwürdig. Der Dichter hob eine Hand und grüßte mich sogar. Etwas noch weniger Eingesperrtes hatte ich meines Wissens nie gesehen.

Am Mittwoch verschlief ich. Wachte davon auf, dass Elonsson um Viertel vor sieben in mein Zimmer kam und mich fragte, ob ich nicht zum Picknick in ein ganz tolles Torfmoor kommen wollte, das er kannte.

»Nur wenn ich vorher Frühstück ans Bett kriege«, schlug ich vor, aber Elonsson zeigte keinerlei Anzeichen, mir in so einem einfachen Wunsch entgegenzukommen, also stand ich auf.

Eine halbe Stunde später kamen wir los, und es schien an diesem Tag besonders schwer zu sein, sich zu diesem äußersten Punkt der Welt zu begeben – aber als wir fast angekommen waren, wurde aus irgendeinem unerklärlichen Anlass

*Hey Joe* in Schwedens Dampfradio gespielt. Zwischen dem Kaiserwalzer und einem Mädchenchor um zwanzig nach acht in der Früh. Elonsson und ich waren uns darin einig, dass das mit das Merkwürdigste war, was wir jemals erlebt hatten.

Dann beugten wir die Knie unter der Sonne und begannen zu arbeiten.

* * *

Auch an diesem Tag wurde es Abend, und gerade als ich von einem abendlichen Bad und einer Partie Golf am Kumlasjö nach Hause kam, klingelte das Telefon.

Genau in dem Moment, als ich die Tür hinter mir zuzog. Vielleicht hatte es ja schon früher am Abend mal geläutet. Aber das weiß ich nicht, ich habe nie nachgefragt.

»Kommissar Vindhage«, stellte er sich vor. »Spreche ich mit Mauritz Målnberg?«

Ich ließ meine Plastiktüte mit den Badesachen auf den Korbstuhl neben der Garderobe fallen und gab zu, dass ich es war.

»In der Fimbulgatan in Kumla?«

»Das stimmt«, sagte ich.

»Tatsächlich?«, fragte der Kommissar Vindhage. »Und stimmt es auch, dass du mir einen Brief mit gewissen Angaben hinsichtlich des Mords an Kalevi Kekkonen geschrieben hast?«

Ich verstummte. Die Zunge klebte mir am Gaumen. Tausend Gedanken huschten mir durch den Kopf, aber keiner blieb.

»Äh …«, sagte ich.

»Unterschrieben mit August Strindberg?«

Ich fasste einen Entschluss und bekam die Zunge los.

»Ja«, sagte ich. »Das bin ich. Warum?«

Ich hörte, wie ein anderes Telefon in dem Zimmer zu klingeln begann, in dem er sich aufhielt.

»Vielleicht sollten wir uns einmal unterhalten. Das sind ja ziemlich ernste Anschuldigungen, die du da in deinem Brief erhebst.«

Ich schluckte. Mit wenig Erfolg. Mein Mund war immer noch trocken wie ein alter Weihnachtskeks.

Wie kann das angehen?, dachte ich. Wie um alles in der Welt hat er herausgekriegt, dass ich das geschrieben habe?

Ich konnte ihn natürlich nicht direkt fragen, das hätte gegen den Ehrenkodex verstoßen, der zwischen Polizei und Privatdetektiven herrscht. Ein jeder muss seine Methoden und seine Quellen schützen.

»Uns unterhalten?«, wiederholte ich. »Ja, ich weiß nicht …«

»Morgen hier auf der Wache. Passt das?«

»Ja …«

»Um elf Uhr vormittags, ist das in Ordnung? Du kannst dich unten bei der Rezeption melden, dann zeigt man dir den Weg zu mir hoch.«

Er lässt mir nicht viele Auswege, fand ich. Das Telefon im Hintergrund klingelte immer noch.

»All right«, sagte ich. »Morgen um elf Uhr.«

»Ausgezeichnet«, sagte Kommissar Vindhage und legte auf.

## 17

Ich nahm den Zug, der um 9.49 Uhr losfuhr, und ich war eine halbe Stunde zu früh in der Polizeizentrale am Stortorget. Fünfmal drehte ich eine Runde um den Markt, kaufte mir eine Limonade am Kiosk oben an der Drottninggatan und schaffte es, so nervös zu werden, dass ich fast Reißaus genommen hätte.

Aber ich riss mich zusammen. Als ich fünf Minuten vor elf ins Haus ging, war ich verschwitzt und musste pinkeln, und ich durfte auf die Toilette gehen, bevor ich zu Kommissar Vindhage hinaufgeschickt wurde.

Er kam mir schon entgegen, als ich aus dem Fahrstuhl trat. Ein magerer Kerl in den Sechzigern, mit dünnem, grauweißem Haar, weißem Hemd und Schlips. Seine Haut war fast hellgrün, und mir war sofort klar, dass er einfach keine Zeit gehabt hatte, das schöne Sommerwetter zu genießen. Ich hatte ihn natürlich schon früher einmal gesehen, in der Zeitung und wahrscheinlich von weitem in der Fimbulgatan, aber es war jetzt das erste Mal, dass ich ihm Aug in Aug gegenüberstand.

Und seinen dünnen Schnauzbart, groß wie eine Augenbraue, hatte ich vorher nie bemerkt.

»Mauritz Målnberg«, sagte er, »willkommen.«

»Danke«, erwiderte ich.

Er ging vor mir durch einen langen mietskasernengrauen

Flur und führte mich in sein Büro. Dort durfte ich mich auf einen von zwei modernen schwarzen Stahlrohrsesseln vor einem niedrigen Tisch setzen. Der Kommissar selbst setzte sich in den anderen und schlug weltgewandt ein hellbeiges, sorgfältig gebügeltes Hosenbein über das andere. Zwischen uns auf dem Tisch lag mein Brief.

»Kaffee?«, fragte er.

»Nein, danke«, antwortete ich.

»Etwas anderes? Wasser? Coca Cola?«

Ich schüttelte den Kopf. Er räusperte sich und schaute mich mit stahlgrauen Augen an. Es vergingen ein paar Sekunden, und ich bereute es schon, die Cola abgelehnt zu haben.

»Zunächst müssen wir eine Sache klarstellen«, sagte er. »Du bist doch derjenige, der den Brief geschrieben hat, nicht wahr?«

Ich nickte, ohne den Brief anzusehen.

»Gut. Außerdem sollst du wissen, dass das hier kein offizielles Verhör ist. Ich habe dich hierher gebeten, weil ich glaube, dass es am besten ist, wenn wir so einiges einmal miteinander bereden. Und weil ich dich davor warnen möchte, weiterhin den Privatdetektiv zu spielen. Das kann gefährlich werden.«

»Ich verstehe.«

»Ausgezeichnet.«

Er zog eine Brille mit Metallfassung aus der Brusttasche seines Hemds und setzte sie sich auf.

»Weiterhin möchte ich unterstreichen, dass wir, die wir hier im Haus arbeiten, absolut keine Idioten sind. Deinem Brief nach zu urteilen kann man leicht den Eindruck bekommen, dass du uns gegenüber keine besonders große Wertschätzung hegst.«

Ich hoffte, er würde lächeln, aber das tat er nicht. Ich schluckte und betrachtete meine Hände, die sich auf meinem Schoß wanden. Verloren und torffarben sahen sie aus.

»Entschuldigung«, sagte ich. »Das wollte ich nicht.«

»Nun gut«, sagte Vindhage. »Es war vollkommen in Ordnung, dass du dich gemeldet hast, wir arbeiten hart an dem Fall Kekkonen und sind natürlich dankbar für jeden Tipp.«

»Ich verstehe«, sagte ich erneut.

Er nahm den Brief und zog meinen zweimal gefalteten Briefbogen heraus. Schien eine Weile zu studieren, was ich geschrieben hatte, und faltete ihn dann wieder zusammen. Nahm die Brille ab und schob sie zurück in die Brusttasche. Ich merkte, dass ich schon wieder pinkeln musste, obwohl ich doch erst vor fünf Minuten auf der Toilette gewesen war.

»Es sind ja in erster Linie zwei Dinge, zu denen du etwas zu bemerken hast«, sagte er. »Der Schachzug und diese Person, die du den Dichter Olsson nennst.«

»Das stimmt«, sagte ich und schöpfte ein wenig Mut.

»Beginnen wir mit dem Schachzug«, fuhr Kommissar Vindhage fort. »Darauf haben wir natürlich einige Anstrengungen verwandt. Ich spiele auch selbst ein wenig und weiß natürlich, dass man nicht ohne weiteres mit einem Bauern auf e4 jemanden schachmatt setzt. Es ist möglich, dass der Mörder eine ganz besondere Absicht mit dieser Mitteilung im Kopf seines Opfers hatte, aber es kann auch ein Versuch sein, uns in die Irre zu führen. Auf jeden Fall kannten wir das Buch nicht, das du erwähnt hast, ich habe einen Mann dran gesetzt …«

»Habt ihr noch eins gefunden?«, fragte ich überrascht.

Er nickte. »Es gab ein Exemplar bei Herous. In der Gamla gatan, er hat einiges aus dem Ausland. Sonst hätte ich dich natürlich gebeten, uns deins auszuleihen.«

Er lächelte kurz, und ich fühlte, dass wir vielleicht doch nicht so weit voneinander entfernt waren, wie es anfangs ausgesehen hatte.

»Natürlich«, sagte ich.

»Es ist zwar höchst unwahrscheinlich, dass wir in dieser

Richtung einen Zusammenhang finden werden – aber wir überlassen nichts dem Zufall.«

»Das war ein ziemlich brutaler Mord«, sagte ich.

»Sehr brutal«, bestätigte Vindhage, betastete seinen Augenbrauenschnurrbart und schaute düster drein. »Nun ja, wir müssen mal sehen, was wir aus diesem Klimke herauskriegen. Was deine übrigen Beobachtungen betrifft, so muss ich dich von einigen Irrtümern befreien. Aber zunächst werde ich dich der Schweigepflicht unterwerfen.«

»Der Schweigepflicht?«, wiederholte ich und spürte genau, dass ich nur ein langhaariger Sechzehnjähriger mit Pickeln und sinkender Hybris war.

»Ich habe mir überlegt, dir ein paar Details zu erzählen, aber dafür fordere ich von dir, dass du nichts weitererzählst. Niemandem. Ich erzähle dir das nur, damit du begreifst, dass du dich in einer Sackgasse befindest, und damit du nicht in gleicher Richtung weitermachst. Verstanden?!

»Ja.« Ich nickte.

»Hm. Es geht also um die Beziehung zwischen Ester Bolego und diesem Mann, den du den Dichter Olsson nennst ...«

»Er nennt sich selbst so«, warf ich ein.

»Vollkommen richtig«, sagte Vindhage. »Er nennt sich Dichter Olsson, aber eigentlich heißt er Christian Bolego.«

»Was?«, fuhr ich auf, »Bolego ...?«

»Ganz genau. Christian Bolego. Er ist der jüngere Bruder der Witwe des Ermordeten.«

Ich schloss für fünf Sekunden die Augen. Öffnete sie dann wieder und starrte auf das eingerahmte Foto der Eishockeymannschaft von ÖSK, das über Vindhages Kopf hing. Ich erkannte Orvar Bergmark, Olle Sääw, Stockis Kihlgårds und Gunnar Ring. Ich spürte, wie die ersten Anzeichen eines Anfalls sich bemerkbar machten, und ballte die Fäuste, um dem entgegenzuwirken. Es gelang mir auch, sie zu stoppen.

»Vier Jahre jünger«, fuhr der Kommissar fort. »Er hat eine

etwas holprige Laufbahn hinter sich, wie man wohl sagen kann. Hat unter anderem ein paar Jahre im Ausland gelebt, aber er ist offiziell homosexuell, weshalb ich fürchte, dass du die Theorie, dass er ein Verhältnis mit seiner Schwester haben könnte, wohl vergessen kannst.«

Die Wellen der Übelkeit ebbten ab.

»Warum ...?«, fragte ich. »Wie sollte ...?«

Aber die Fragen wollten irgendwie nicht vollständig werden.

»Ich möchte mal behaupten, dass wir ihn ziemlich genau unter die Lupe genommen haben«, erklärte Vindhage mit einem leicht müden Ton in der Stimme, »und ich muss dich in diesem Punkt also enttäuschen. Er ist unschuldig. Außerdem hat er für die ganze Nacht ein Alibi.«

»Ein Alibi? Wie ...?«

»Ein Bettkamerad in Örebro. Aber ich denke, du musst nicht alle Details wissen. Und der Gedanke, dass die Ehefrau des Mörders einen heimlichen Geliebten haben könnte ... nun ja, wir sind natürlich für alle Möglichkeiten offen, aber wir haben nicht ein einziges Indiz gefunden, das darauf hindeuten könnte, dass dem so ist.«

»Aber ich ...«

»Wir schließen die Möglichkeit nicht aus, wie gesagt. Aber das ist auch alles. Es gibt eine ganze Menge an Möglichkeiten, die wir nicht ausschließen. Hast du diesbezüglich noch Fragen?«

Er schaute auf die Uhr. Mir war klar, dass er damit andeuten wollte, dass unser Gespräch beendet war.

Ich schüttelte den Kopf. Nein, ich hatte keine Fragen.

Doch, eine hatte ich trotz allem noch.

»Wie haben Sie herausgekriegt, dass ich den Brief geschrieben habe?«

Zum Teufel mit allen Ehrenkodexen, dachte ich.

Er lachte kurz auf. »Wir haben da unsere Methoden«, sagte er. »Und ich kenne meinen Strindberg. Vergiss nicht, uns in Zukunft lieber nicht zu unterschätzen.«

Ich versuchte, eine kluge Antwort darauf zu finden, aber die Worte saßen mir quer im Hals, und es kam nichts heraus.

»Außerdem möchte ich dich vor den Risiken warnen, die es mit sich bringt, wenn man Detektiv spielt«, fügte Vindhage mit ernster Miene hinzu. »Trotz allem läuft ein Mörder frei herum, und wenn er ... oder sie ... davon erfährt, dass du herumschnüffelst, gibt es natürlich keinen Grund, warum die Axt nicht noch einmal hervorgeholt werden könnte. Hm. Du verstehst?«

Ich nickte. Fühlte mich plötzlich genauso hellgrün im Gesicht wie der Kommissar.

»Dann ist es ja gut.«

Er stand auf. Ich stand auf. Wir schüttelten uns die Hand, und ich verließ das Büro.

Als ich durch die Eingangstür trat, wurde ich von zwei Dingen überwältigt. Zum einen von dem blendenden Sonnenlicht.

Zum anderen gab es da ein fast ebenso blendendes Gefühl der Scham. Ich beschloss, zu Bohlins zu gehen und mir mindestens zwei neue LPs zu kaufen.

# II

# 18

Der Sommer verging.

In New Jersey, USA, wurden bei den schlimmsten Rassenunruhen seit Menschengedenken dreiundzwanzig Menschen getötet und sechshundertfünfzig verletzt, Mick Jagger wurde wegen Drogenbesitzes von einem Gericht in London verurteilt, und in Kumla wurde beobachtet, wie ein zwölfendiger Elchbulle die Fuchsien in den kommunalen Beeten vorm Rathaus fraß.

Letztere Beobachtung wurde von einer gewissen Witwe Sivertsson frühmorgens mit ihrem Königspudel Hyland gemacht. Keiner von beiden war mit einem Fotoapparat ausgerüstet, aber trotzdem kam das Ereignis auf die Titelseite der Länstidningen.

Elonsson und ich arbeiteten bis zur letzten Woche im Juli im Torfmoor. Insgesamt verdienten wir gut viertausend Kronen, ich vergrößerte meine Plattensammlung um vierzehn neue LPs, kaufte mir zwei Wranglerjeans und eine Meerschaumpfeife für fast fünfzig Piepen.

Mitten in der letzten Juliwoche begaben wir uns auf Ferienreise, Elonsson und ich. Wir trampten auf gut Glück Richtung Süden, und dank eines ungewöhnlich entgegenkommenden deutschen LKW-Fahrers namens Lothar erreichten wir bereits am ersten Abend Båstad, wo wir unser Zelt auf einer schönen Ebene vor dem Buchenwald auf dem

Hallandsåsen aufschlugen. Wir begaben uns ins örtliche Pub, wo ich mich zum ersten Mal in meinem Leben so richtig besoff – es gab eine neue englische Biersorte, die hieß Bass und war so gut, dass man einfach nicht genug davon kriegen konnte. Wir fanden auch ein paar Mädchen, aber die ließen uns später am Abend wieder sitzen, als sie feststellten, dass wir weder über die Wohnung noch über das Auto verfügten, die wir ihnen im Übermut unseres Rausches vorgegaukelt hatten.

Wir schwankten heim zu unserem Zelt, zu unserer Einsamkeit, wir kotzten jeder an einem barmherzig kühlen Buchenstamm, und am nächsten Tag schliefen wir bis weit in den Nachmittag hinein.

Insgesamt sechs Tage waren wir fern von Närke. Als wir losfuhren, hatte ich vorsichtig mit dem Gedanken gespielt, bis zu Signhild in Skåne zu gelangen, aber je näher wir kamen, umso kältere Füße bekam ich. Ich hatte ihr gut zwanzig Briefe geschrieben, vier davon auch abgeschickt und einen Brief und zwei Ansichtskarten von ihr zurückerhalten. Irgendwie hatte ich das Gefühl, dass Elonssons Gesellschaft mir nicht zum Vorteil gereichen würde, und ich wollte unbedingt einen guten Eindruck machen, wenn ich Signhild traf.

*Musste* einen guten Eindruck machen. Es war viel zu wichtig, als dass es in den Niederungen des Alltags einfach ignoriert werden konnte. Dass Elonsson nichts von dem Verhältnis zwischen Signhild und mir wusste, spielte in diesem Zusammenhang natürlich auch eine gewisse Rolle.

Auf jeden Fall nahmen wir am Vormittag des 3. August den Zug vom Bahnhof Ängelholm, ohne näher als fünfzig Kilometer an Tygelsjö herangekommen zu sein, und ich bereitete mich stattdessen darauf vor, meine Geliebte daheim in Kumla zu empfangen – wo sie, laut Angaben auf der letzten Karte, um den zehnten wieder ankommen wollte.

Amor omnia vincit.

Die Ermittlungen im Mordfall Kalevi Oskari Kekkonen gingen ohne entscheidenden Durchbruch weiter – zumindest soweit es von außen zu beurteilen war. Ein paar Tage nach meinem Gespräch mit Kommissar Vindhage rief er an und wollte noch ein paar Kleinigkeiten überprüfen, und ich antwortete, so wahrheitsgemäß ich konnte. Ich nutzte auch noch die Gelegenheit, um zu fragen, wie es denn mit Klimke und »Der Teufelspakt« lief, aber er sagte nur, dass es in dieser Hinsicht keine weiteren Erkenntnisse gebe.

Mein Vater hatte einen Vierspalter über den Mord – inklusive eines Interviews mit Vindhage – in einer Samstagsausgabe der Länstidningen Mitte Juli, aber die enthielt nichts, was ich nicht bereits wusste.

Das Leben daheim in der Fimbulgatan ging weiterhin seinen gemächlichen Gang. Ich war ziemlich oft allein. Meine Mutter und mein Vater besuchten noch einmal Onkel Nylle, da das Wetter in diesem Sommer so ungewöhnlich heiß war – und Katta war meistens irgendwo anders mit ihrem Aspiranten. Wo, das herauszufinden machte ich mir nicht die Mühe.

Auch im Lundbomschen Haus passierte nicht viel. Der Dichter Olsson – ich hatte aus irgendwelchen Gründen Schwierigkeiten, ihn bei seinem richtigen Namen zu nennen – wohnte noch dort, und Ester Bolego schien offenbar Urlaub von Svea bekommen zu haben, oder aber sie war genau wie Signhild auf Grund des Schocks krankgeschrieben worden. Ich war mit derartigen Gepflogenheiten nicht besonders vertraut, aber ich nahm erst einmal an, dass man zumindest für ein paar Monate nicht zur Arbeit gehen musste, wenn einem der Vater oder der Mann geköpft wurde.

Sie saßen oft unter dem Sonnenschirm draußen und unterhielten sich, Ester und ihr Bruder. Lasen, tranken Kaffee oder Bier. Es war wie gesagt ein schöner Sommer, der beste seit dem Rekordsommer 1959 laut den Zeitungen, und eines

Abends hörte ich sie auch noch singen. Ich saß in meinem Zimmer und las den »Steppenwolf« von Hesse, und mir kam in den Sinn, dass es das erste Mal seit langem war, dass ich ihre kräftige, schöne Stimme wieder hörte.

Nicht erst seit dem Mord – wenn ich mich recht erinnerte, waren schon zuvor Monate vergangen, viele Monate.

Es war wieder etwas Italienisches. Ich legte mein Buch hin, blieb sitzen und hörte nur zu. Eine leichte Abendbrise fuhr durch die Kastanie, und ich erinnerte mich an das, was mein Vater über sie gesagt hatte:

»Alles ist relativ außer Ester Bolego.«

Sie sang sicher nur wenige Minuten, und sie hörte auf, weil O Sole Mio anfing zu jaulen. Ein lang gezogener, dunkler, schwermütiger Ton, der aus dem tiefsten Inneren seiner gequälten Hundeseele zu kommen schien. Ich wandte mich wieder Hesse zu und dachte, was für ein verdammter Köter er doch war.

Außer Hesse und Sartre las ich in diesen heißen Wochen im Juli und Anfang August noch Camus. Ich musste zugeben, dass »Der Fremde« wirklich so gut war, wie Studienrat Burblom es behauptet hatte – und dass es nur schade war, dass das Buch bereits geschrieben worden war.

Wenn dem nicht so gewesen wäre, dann hätte ich mich sofort hingesetzt und es verfasst – mehr als zwei, drei Wochen hätte ich dafür sicher nicht gebraucht, so läuft das mit Meisterwerken, dachte ich. Es gibt sie, fertig im Kopf, und wenn man nur den richtigen Griff hat und in Fahrt kommt, dann läuft es wie geschmiert.

Aber ich sah auch ein, dass ich zu spät geboren worden war. Sowohl nach Shakespeare als auch nach Camus und Dylan. Verdammt, was gab es überhaupt noch zu sagen? Und zu schreiben? On the Eve of Destruction?

Am 11. August bekam ich eine dritte Ansichtskarte von Signhild. Das war auch allerhöchste Eisenbahn, denn auf ihr stand, dass sie schon am kommenden Tag mit einem Zug am Bahnhof Kumla ankommen würde.

Ob ich sie dort abholen könnte?, wollte sie wissen.

Ich las und rauchte und schrieb Gedichte bis vier Uhr in der Nacht.

* * *

Der gleiche Sommer.

Der gleiche Bahnsteig, es gibt nur einen in Kumlas Bahnhof.

Die gleichen Hauptdarsteller: Mauritz Bartolomeus Målnberg, siebzehn Jahre und elf Tage alt, Signhild Kristina Kekkonen-Bolego, siebzehn Jahre und acht Tage alt.

Sonnig und heiß, obwohl es erst halb zehn Uhr morgens ist. Der Zug aus dem Süden ist fast schon in einem diesigen Nebel zu erkennen, als er den Bahnhof von Hallsberg verlässt. Sieben Kilometer entfernt, acht Minuten schnurgerade Eisenbahnschienen.

Eine Hand voll Menschen auf dem Bahnsteig. Einer davon hat Herzklopfen und pafft wie besessen auf seiner neuen Meerschaumpfeife. Es sind nur noch wenige Minuten.

Sekunden. Die allerletzten dahineilenden Bruchteile von sechs Wochen Trennung. Ankunft statt Abfahrt. Wiedersehen statt Abschied. Die Zugbremsen quietschen. Ich glaube, ich falle in Ohnmacht. Sie wird sicher Hand in Hand mit einem wahnsinnig schicken Kerl aus Skåne aussteigen. Ich kriege einen Anfall. Wo zum Teufel ist sie? Ist das …?

Nein.

Doch.

Ja, das ist sie. Oh, welche Wonne. All my loving.

* * *

Sie trug Jeans, die ganz neu aussahen, weiße Turnschuhe, die auch neu aussahen, und ein blauweißgestreiftes Seglerhemd, das aussah, als hätte sie es vor zehn Minuten gekauft. Ich hatte das merkwürdige Gefühl, dass sie es gar nicht war. Dass sie sich in der Zeit, die sie fort war, so sehr verändert hatte – sich derart neue, entscheidende Lebenserfahrungen zugelegt hatte –, dass sie nicht länger die Signhild war, die genau von diesem einsamen Bahnsteig anderthalb Monate zuvor abgefahren war.

Dass sie neu und anders war.

Diese Empfindungen, Einbildungen und Vermutungen schossen mir durch den Kopf und blieben nicht länger als eine Sekunde in ihm haften. Oder höchstens zwei. Wir standen still und schauten einander an, dann stellte sie ihre karierte Tasche ab und umarmte mich.

»Hallo«, sagte sie. »Ich habe mich nach dir gesehnt.«

Vierunddreißig Jahre später sah ich einen japanischen Film, der davon handelte, was geschieht, nachdem wir gestorben sind. Das ist gar nichts Besonderes: Man kommt in eine Art Pensionat, zusammen mit einer kleinen Gruppe anderer Frischgestorbener, und dann hat man eine Woche Zeit, sich zu entscheiden, welche Erinnerung aus seinem Leben man in die Ewigkeit mitnehmen möchte. In meinem Fall ist das ganz einfach. Ich würde diese Minuten auf dem Bahnsteig in Kumla haben wollen, als Signhild aus Skåne zurückkommt. Als sie ihre Tasche hinstellt, mich umarmt und mir sagt, dass sie mich vermisst hat. Als sie alle meine Ängste und meine Unsicherheit und meine Zweifel beiseite schiebt, allein dadurch, dass sie mich ansieht und mich dann an sich drückt.

Meine Seele war eine geballte Faust gewesen, jetzt wurde sie zu einem Blütenkelch.

Das Blut brauste bis in die Zehenspitzen, und jede einzelne Zeile in jedem albernen Lied der schwedischen Schlagerparade war bleischwer vor Weisheit und offensichtlicher Wahrheit.

Wir werden Hand in Hand gehen.

Du bist die Einzige.

Und machen das Leben füreinander lebenswert.

Ich schluckte.

»Ich auch«, brachte ich heraus. »Schön, dass du zurück bist.«

»Ich habe dir was mitgebracht.«

Sie bückte sich und wühlte in der Seitentasche der Reisetasche. Holte ein kleines, flaches rotes Päckchen heraus.

»Aus Kopenhagen. Wir waren einen Tag dort, ich hoffe, es gefällt dir.«

»Ich habe auch etwas für dich.«

Ich holte die kleine Schachtel mit der Silberkette heraus, die ich bei Guldfynd in Örebro gekauft hatte, und beglückwünschte mich dazu, es wirklich getan zu haben.

Und dass ich sie mit zum Bahnhof genommen hatte. Nur für alle Fälle.

Wenn es sich denn ergeben sollte.

»Wir öffnen erst, wenn wir zu Hause sind«, sagte Signhild.

Sie ließ das fast klingen, als wenn wir verheiratet wären und ein gemeinsames Heim hätten. Das war zu viel für mich, um es zu verdauen. Wenn das Herz überläuft, weiß es nicht mehr, wohin.

Ich griff mit der einen Hand nach ihrer Tasche und legte ihr die andere um die Schulter.

* * *

Abgesehen von den Karten und dem Brief von Signhild hatte ich auch einen Telefonanruf aus Tygelsjö erhalten. Er kam nach meinem zweiten Brief, in dem ich offenbarte, was ich über den Dichter Olsson herausgefunden hatte, als ich Vindhage im Polizeirevier getroffen hatte. Wir sprachen an einem Donnerstagabend miteinander, Signhild und ich, und es fiel ihr schwer zu glauben, dass Olsson tatsächlich ihr Onkel sein sollte. Sie wusste zwar, dass ihre Mutter einen Bruder hatte, aber es wurde nie von ihm gesprochen, es war etwas Geheimnisvolles, Verborgenes um ihn. Doch dass er auf diese Weise auftauchen sollte, kurz bevor ihr Vater geköpft wurde, das war doch ganz einfach etwas zuviel des Guten.

Und warum hatte er seine Identität geheim gehalten? Auch wenn er nun noch so wurzellos und homosexuell war, so war er trotz allem doch mit ihr verwandt. Warum sollte er es nötig haben, sein eigen Fleisch und Blut zu verleugnen?, wunderte Signhild sich.

Das wunderte mich auch. Ich hatte bei meiner Unterredung mit Vindhage nicht weiter darüber nachgedacht, sah aber ein, dass ihre Fragen berechtigt waren: sowohl als sie damals am Telefon mit mir sprach als auch jetzt, an diesem denkwürdigen Augustvormittag, als wir vom Bahnhof nach Hause gingen.

Signhild fürchtete sich außerdem, das war nicht zu übersehen. Sie hatte ihrer Mutter nicht erzählt, dass sie es wusste, und es war vielleicht noch möglich, Dinge nicht anzutasten, wenn man sich in fünfhundert Kilometer Entfernung unten in Skåne befand, aber jetzt, wo sie allem wieder Auge in Auge gegenübertreten sollte, war das natürlich etwas ganz Anderes.

»Was soll ich tun?«, fragte Signhild, als wir in Höhe des Brandstationsparks waren. »Was um alles in der Welt soll ich sagen? Soll ich ihn als den begrüßen, der er ist? Hallo, Onkel Christian, wie schön, dass du alles geheim gehalten hast! Hallo, Mama, dann war er also gar nicht dein Liebhaber?«

Ich wusste nicht, was ich dazu sagen sollte, und so liefen wir schweigend eine Weile weiter.

»Am besten ist es wohl, wenn du überhaupt nichts sagst«, schlug ich schließlich vor. »Zumindest zu Anfang. Es ist ja möglich, dass Vindhage ihnen von meinem Gespräch mit ihm erzählt hat, und dann können sie sich ausrechnen, dass du es auch weißt. Gib ihnen eine Chance, es selbst zu erzählen.«

Sie überlegte.

»All right«, sagte sie. »Ist vielleicht auch nicht schlecht. Obwohl ich es mache, weil ich eigentlich feige bin. Ich glaube, ich will es gar nicht wissen. Erinnerst du dich noch daran, worüber wir gesprochen haben, bevor ich abgefahren bin? Ich will nicht mehr zu Hause wohnen … nicht nach allem, was passiert ist und wie es jetzt geworden ist. Es war schön, so weit weg zu sein. Ich habe viel darüber nachgedacht.«

Ich sagte nichts. Verstand trotz allem nicht so recht, was sie mit »wie es geworden ist« meinte, aber nicht das machte mir Sorgen. Der Gedanke, dass Signhild wegziehen und irgendwo anders als in der Fimbulgatan wohnen könnte, erzeugte einen dicken Kloß in meinem Hals. Was wird passieren? Wohin wird sie ziehen? Wie soll das dann mit uns laufen?

Und ich begriff, dass die Liebe einen nur kurz verschnaufen lässt. Wenn ich wirklich das Herz meiner Geliebten behalten wollte, dann war ich gezwungen zu handeln.

Zu handeln und immer wieder zu handeln, so lautet das Gesetz der Liebenden.

* * *

Aber nicht Signhild war die Erste, die die Fimbulgatan verließ, sondern Katta.

»Urban und ich haben eine Entscheidung getroffen«, gab sie am gleichen Abend bekannt, als wir wieder einmal zu fünft um den Esstisch saßen.

»Ach ja?«, meinte mein Vater. »Gab es wirklich kein Arboga-Bier in diesem jämmerlichen Krämerladen?«

»Nein«, bestätigte meine Mutter, »ich habe extra noch nachgefragt.«

»Wir haben eine Entscheidung getroffen«, wiederholte Katta.

»Das habe ich gehört«, sagte mein Vater. »Und was für eine Entscheidung habt ihr getroffen?«

»Na, dass wir zusammenziehen wollen natürlich. Urban kriegt zum ersten September eine Gehaltserhöhung, und wir können eine Zwei-Zimmer-Wohnung in Markbacken mieten.«

»Na, ausgezeichnet«, sagte mein Vater.

»Ist das wirklich …?«, fragte meine Mutter.

Ich überlegte, welches Wort sie wohl diesmal geschluckt hatte.

*Nötig? Euer voller Ernst? Eine gute Idee?*

»Es stimmt«, sagte Dubbelubbe stolz und legte das Besteck hin. »Wir werden uns vorher natürlich verloben.«

»Ich dachte, ihr wärt schon verlobt?«, meinte mein Vater.

»Aber Arne, nein, weißt du …«, sagte meine Mutter.

Sie zog ein Taschentuch aus ihrer Schürzentasche und putzte sich die Nase. Vielleicht war auch noch die Rede von ein paar Tränchen, oder aber sie versuchte nur, den Anschein zu erwecken.

»Hm«, sagte mein Vater. »Natürlich. Ja, gewisse Prozesse sind reversibel und andere nicht.«

Er trank einen Schluck Bier, schaute sich am Tisch um und stellte offenbar fest, dass niemand außer ihm verstand, was er meinte.

»Und wann?«, fragte meine Mutter. »Und deine Arbeit? Habt ihr auch überlegt …?«

»Ich habe mich um einen Job in Gumperts Buchladen beworben«, erklärte Katta. »In der Drottninggatan am Järntorget. Es waren nur drei Bewerberinnen, und diejenige, mit der ich geredet habe, sagte, dass ich wohl schon in Frage kommen würde.«

»Buchladen?«, mischte ich mich ins Gespräch ein. »Du kennst doch nicht mal den Unterschied zwischen Hjalmar Bergman und Pippi Langstrumpf, Katta!«

»Was?«, fragte Katta verwirrt.

»Natürlich kennt sie den«, wiegelte meine Mutter ab. »Aber ich begreife nicht so recht ...«

»Bergman ist in Örebro aufgewachsen«, erklärte Dubbelubbe.

»Lasst uns auf das junge Paar anstoßen«, unterbrach mein Vater und hob sein Bierglas. »Wenn ihr nun den Weg gemeinsam gehen wollt.«

Wir tranken feierlich auf den baldigen Auszug meiner Schwester, und ich überlegte so nebenbei, ob wohl in anderen Häusern in der Fimbulgatan oder sonst wo auf der Welt ebenso interessante und belebende Tischgespräche geführt würden wie hier.

»Wir mögen uns ja nun einmal, da brauchen wir wohl das Ganze nicht unnötig in die Länge zu ziehen«, schloss Urban Urbansson und schaute dabei ganz philosophisch drein.

* * *

»Wie war es?«, fragte ich, als Signhild und ich uns später am Abend trafen.

»Es ging«, antwortete sie und zuckte mit den Schultern.

Mir schien, sie klang etwas traurig. Oder aber sie wollte nicht weiter darüber reden.

Als hätten schon wenige Stunden daheim sie bedrückt und trübsinnig werden lassen.

»Wollen wir jetzt unsere Geschenke öffnen?«, schlug ich vor, denn das hatten wir doch so beschlossen. Einen Spaziergang zu machen und dann nachzuschauen, was wir uns gegenseitig gekauft hatten.

»Okay«, sagte sie. »Aber du darfst keine zu großen Erwartungen haben. Es ist nur eine Kleinigkeit.«

»Meins auch«, versicherte ich ihr.

Ich musste zugeben, dass wir ein wenig lächerlich klangen, aber das war nur eine etwas versnobte, intellektuelle Reflexion, die nie auch nur in die Nähe meines Herzens gelangte. Ich riss das Papier auf und holte ein kleines Miniaturbild von einem Seemann mit Südwester und krummer Stummelpfeife und dem Namen Kopenhagen auf dem Rahmen heraus. Der Seebär hatte vor dem einen Auge eine Klappe und sah durch und durch dänisch aus.

»Hübsch«, sagte ich, »richtig schön.«

»Es ist eine Erinnerung an Kopenhagen«, sagte Signhild. »Ich habe es auf dem Ströget gekauft.«

»Ah ja«, sagte ich. »Es gefällt mir richtig gut. Und jetzt mach du dein Päckchen auf.«

Das tat sie. Während sie am Papier herumfummelte, stellte ich fest, dass sie bereits eine Kette um den Hals trug, die der von mir gekauften ungemein ähnlich sah, aber zum Teufel, zwei konnten auch nicht schaden.

Sie versank eine Weile in Trance, und dann sagte sie: »Oh, das ist doch viel zu viel.«

»Du kannst sie umtauschen, wenn du willst«, sagte ich.

Sie hatten zwar bei Guldfynd etwas von einer Woche gesagt, aber das vergaß ich in der Eile. Sie schloss die Hand um die Kette und schaute mich an.

»Mauritz«, sagte sie. »Ich mag dich schrecklich gern.«

»Mm«, murmelte ich und fasste sie bei den Oberarmen. »Ich mag dich auch schrecklich gern.«

»Aber ...«

»Was aber?«

»Im Augenblick passiert so viel. Mit Papa und Mama und überhaupt. Ich habe das Gefühl, dass ich dich brauche.«

»Aber das ist doch nicht verkehrt, oder?«

»Nein, kann schon sein, aber ... nein, ich weiß nicht.«

»Gibt es etwas, von dem du glaubst, es ist nicht in Ordnung? Zwischen dir und mir, meine ich?«

Sie zögerte eine Weile. Stand da und schaute mir tief in die Augen, während sie nach Worten zu ringen schien.

Offensichtlich fand sie keine, denn nach einer Weile begann sie, sich vorsichtig meinem Gesicht zu nähern, und dann begannen wir, uns zu küssen.

Es war haargenau so wunderschön wie im Viaskogen – wenn nicht noch schöner.

# 19

Ich weiß nicht, wie ein Gerücht entsteht.

Kann nicht sagen, welche Zutaten notwendig sind und welche Mechanismen wirksam werden, ich kann nur spekulieren. Möglicherweise gibt es auch unterschiedliche Arten von Gerüchten – und nur bei einigen kann man mit Sicherheit sagen, welche Feuerherde die Rauchentwicklung in Gang gesetzt haben. Woher alles eigentlich stammt und wer da in die Glut bläst.

Aber bei anderen – beispielsweise im Falle von Ester Bolego – handelt es sich um eine andere Art von Prozess. Ein Gemisch sinnloser Faktoren, die jeder für sich besehen als vollkommen harmlos und unbedeutend eingestuft werden können, bei denen aber einfach das Gewicht des Ganzen ab einem gewissen Zeitpunkt und in einer bestimmten Situation die Glut entfacht.

Dahingeworfene Worte und Geraune. Nichts plus nichts plus nichts wird plötzlich etwas, und dann gibt es mit einem Mal kein Zurück mehr. Das eine bietet dem anderen Nahrung. Beobachtungen und Verdächtigungen kommen zusammen, sie stützen und befruchten einander, und bevor man sich recht versieht, pulsiert die ganze Stadt von bösen Ahnungen.

Versteckte Andeutungen, schlecht kaschierte Verdächtigungen und Furcht erregende Vorwürfe.

Dieser Kekkonen da.

Dieser Mord da, ja genau.

Natürlich wundert man sich, schließlich war er doch ein ungewöhnlich hässlicher Kerl, um so ein prachtvolles Frauenzimmer zu haben. Das schwergewichtigste kleine Wörtchen von allen: *natürlich.*

*Natürlich* war es erstaunlich, dass sie sich mit so einem Saufbold und Tollpatsch zufrieden gab. Und wenn er noch so eine Hand für Uhren hatte, denn die hatte er nun einmal.

*Natürlich* war es ... und hatten übrigens die Kerle bei Svea nicht schon seit Jahren ihr sehnsüchtige Blicke nachgeworfen? Nicht nur die Taxifahrer. Wie war das noch mit diesem Thörnqvist?

*Natürlich* sah es so aus, als würde sie ihren fetten Uhrmacher nicht gerade übermäßig betrauern. Und war sie nicht mal gesehen worden, als ...? Es würde doch niemanden überraschen, wenn sich jetzt herausstellte, dass ...? Natürlich hatte man so seine Vermutungen.

So einfach ist das. So ging es zu, als die Daumenschrauben des Gerüchts angezogen wurden, und als die Menschen in der Mitte der Welt sie anzogen, da zogen sie sie kräftig an. Habe ich doch immer schon gesagt, und Gott sei ihnen gnädig, und die Sonne bringt es an den Tag.

Und *natürlich.* Ich glaube, es war zwei oder vielleicht auch drei Tage nach Signhilds Rückkehr, als ich das erste Mal hörte, wie man offen über die Sache redete. Es waren seit dem Mord zwei Monate vergangen, und wie die Lage war, so konnte ich ja nicht den ganzen Sommer über so tun, als wäre ich stocktaub. Wenn es um Gerüchte geht, spielt auch die Zeit eine Rolle, wie ich vermute. Ein gewisser Gärungs- oder Reifungsprozess oder etwas in der Richtung – der beendet sein muss, bevor man den Korken aus der Flasche ziehen und den süßsauren Inhalt genießen kann. Aber, wie gesagt, ich kann da nur spekulieren.

Zwei Bauern waren es. Leicht gekleidet, keine Gummistiefel, geblümte Hemden. Ausgerechnet bei Svea, na, irgendwie war es auch logisch. Ich war hingegangen, um mir zwei Zimtschnecken und eine Limonade zu kaufen und sie mit der neuen Nummer vom New Musical Express auf einer Bank im Brandstationspark zu genießen, als ich es hörte.

»Nee, die arbeitet wohl nicht mehr hier«, sagte der eine und schaute sich um.

»Ist doch logisch, dass sie nicht mehr arbeitet«, erwiderte der andere. »Das fehlte noch. Nur merkwürdig, dass sie noch frei ist.«

»Das ist eine Schande.«

»Ganz deiner Meinung.«

Kurze Verschnaufpause.

»Eine Schande, jawohl. Die hat keinen Funken Anstand im Leib. Nicht, dass ich so viel für den Uhrmacher übrig hatte, aber dass die Polizei nicht kapiert, wie der Hase läuft, das ist doch unglaublich, ich weiß gar nicht, was ich davon halten soll.«

»Ganz genau«, stimmte Nummer Zwei zu. »Aber hier setzt sie ihren Fuß nicht mehr rein. Das Miststück.«

»Wasdarfesdennsein?«, fragte eine junge Verkäuferin mit Pferdeschwanz, die ich noch nie zuvor gesehen hatte.

»Eine Limonade und zwei alte geile Knacker«, sagte ich. »Verzeihung, was habe ich gesagt? Zwei Zimtschnecken, meinte ich. Ich muss in Gedanken gewesen sein.«

Es wurde ganz still am Tisch. Tiefdruckstille. Ich bekam mein Getränk und mein Gebäck und bezahlte.

»Sind Sie neu hier?«, fragte ich.

»Ja. Ich habe gestern angefangen.« Sie errötete leicht und warf einen scheuen Blick auf das verstummte Unwetter.

»Ach so«, sagte ich und verließ die Konditorei.

* * *

Am gleichen Tag nahm auch Elonsson das Thema auf.

»Es heißt«, sagte er. »Es heißt, dass die Bolego mit der Sache was zu tun haben soll.«

Wir standen unten auf der Solhemsgatan und warteten darauf, nach Eyravallen mitgenommen zu werden, um den ÖSK 0:0 spielen zu sehen. Gegen Djurgården, wenn ich mich nicht irre. Ich hatte keine besonders große Lust, aber Elonsson hatte Suurman überredet, sich Papas neues Auto auszuleihen, und schließlich hatte ich klein beigegeben. Vielleicht brauchte ich einen Fußball im Kopf, um mir ein bisschen klarer über mein Leben zu werden.

»Was faselst du da?«, erwiderte ich.

»Hier wird nicht gefaselt«, sagte Elonsson. »Ich sage nur, was so geredet wird.«

»Das habe ich gehört. Und was wird so über Ester Bolego geredet?«

Es war gar nicht meine Absicht gewesen, aggressiv zu klingen, aber ich hörte selbst, dass dem so war.

»Dass sie diejenige war, die die Axt in der Hand gehabt hat«, sagte Elonsson. »Oder dass es ein Kerl gemacht hat, mit dem sie es getrieben hat. Warum klingst du denn so wütend?«

»Ach, scheiß drauf«, sagte ich. »Ich mag es nur nicht, wenn die Leute über Dinge reden, von denen sie keine Ahnung haben.«

»Ach so«, meinte Elonsson. »So ist das. Und es könnte nicht vielleicht sein, dass du ein klitzekleines Bisschen darin verwickelt bist?«

»Wovon redest du?«

Elonsson versuchte, verächtlich zu lächeln, zumindest hatte ich den Eindruck. Das fiel ihm mit seiner Lippe nicht besonders leicht, er sah eher aus wie ein Fünfjähriger, der versucht zu pfeifen.

»Das kleine Fräulein Signhild«, sagte er. »Ähm.«

Ich hatte natürlich so einem unromantischen Esel wie

Elonsson mit keinem Wort etwas von meinem Liebesleben erzählt, es war ja unter anderem sogar seine Anwesenheit gewesen, die mich während unserer Reise in südliche Gefilde von Signhild hatte Abstand nehmen lassen. Aber jetzt sah es so aus, als hätte er Witterung aufgenommen. Statt zu antworten zündete ich mir die Pfeife an.

»Ihr wart nicht allein auf dem Bahnsteig.«

Verdammte Scheiße, dachte ich, aber im gleichen Moment spürte ich ein dubioses Gefühl von Stolz in mir aufsteigen.

Man hatte uns beobachtet.

So war es also.

Ein oder mehrere unbekannte Zeugen hatten gesehen, wie ich Signhild auf dem Bahnsteig umarmt hatte.

Man redete darüber.

Über uns. Mauritz Målnberg und Signhild Bolego. Doch, doch. Mitten auf dem Bahnsteig am helllichten Tag. Umarmen sich, als wäre es die offiziellste Sache der Welt, das war nicht nur so ein Gerücht, das in der Stadt herumging.

Plötzlich spürte ich, wie sich auf meinem ganzen Körper eine Art Gänsehaut bildete. Aber nicht auf der Haut, sondern irgendwie darunter.

»Wie gesagt«, sagte Elonsson, »es gibt genügend hässlichere Mädchen, du musst jetzt nicht den Kopf in den Sand stecken wie ein Strauß.«

»Du weißt doch gar nicht, wovon du redest«, sagte ich. »Da kommt Suurman, lass uns ein andermal drüber weiterreden.«

»Saved by the bell«, sagte Elonsson. »Na gut, ich werde noch drauf zurückkommen. Es kommt bestimmt eine Gelegenheit.«

* * *

Womit er natürlich Recht hatte.

Denn das Gerücht lief weiter. Leise und heimlich geflüstert verbreitete es sich wie eine alte Seuche in der Stadt, und es gab natürlich keinen Grund, warum es vor der Fimbulgatan Halt machen sollte. Es drang zu Burmans. Zu Fredrikssons. Zu Målnbergs und schließlich – oder war es dort schon von Anfang an gewesen? – ins Auge des Sturms selbst: zu den Bewohnern des Lundbomschen Hauses.

Ich sah selbst, wie es geschah.

Samstag vor Schulbeginn. Vormittags. Ich war dabei, wieder einmal das Gras zu mähen, obwohl ich die lächerlichen zehn Kronen nicht brauchte. Ich war wohl ungefähr halb bis zur Sonnenuhr gekommen, als ich sah, wie Signhild von Brundins nach Hause kam. Reichlich verheult, das war von weitem zu sehen, und zwei Stunden vor Ladenschluss.

Sie knallte ihr Fahrrad auf den Ständer und rannte ins Haus. Ich ließ den Rasenmäher stehen und war innerhalb einer halben Minute bei ihr in ihrem Zimmer.

»Was ist passiert?«, fragte ich.

Sie lag bäuchlings auf dem Bett und schluchzte laut. Ich setzte mich neben sie und strich ihr etwas unbeholfen über Haare und Rücken. Nach einer Weile drehte sie sich um und schaute mich durch nassgeweinte Haarsträhnen an. Holte ein paar Mal tief Luft.

»Das Geschäft«, sagte sie. »Sie reden bei Brundins über meine Mutter.«

»Ja?«, fragte ich blöd. »Und was reden sie?«

Als ob ich die Antwort nicht wüsste.

»Dass sie … na, natürlich, dass sie damit etwas zu tun hat. Das habe ich ja auch gesagt. Ich kann da nicht mehr hin!«

»Wer hat …?«, versuchte ich es tapfer. »Und außerdem musst du dich gar nicht darum kümmern.«

»Es waren mehrere«, schluchzte Signhild. »Und sie haben mich angeguckt, als ob … ja, kapierst du nicht, was für ein Gefühl das ist?«

Ich versicherte ihr, dass ich natürlich verstand, was für ein schreckliches Gefühl das war, aber dass sie trotzdem versuchen musste, es zu ertragen. Sie setzte sich auf.

»Das ist leicht gesagt. Ich denke gar nicht daran, es zu ertragen.«

Ich wusste nicht, was ich machen sollte. Oder sagen. Plötzlich hatte ich das Gefühl, sie würde mich anklagen, weil die Leute über ihre Mutter redeten, und das war doch irgendwie verrückt. Signhild und ihre Familie gegen den Rest der Welt sozusagen. Oder zumindest gegen den Rest von Kumla, was wahrlich schon schlimm genug war. Ich überlegte und musste einsehen, dass es wohl so war, wie sie es geschildert hatte. Wie sie es erlebt hatte: Signhild war seit ihrer Rückkehr aus Skåne gerade mal eine Woche arbeiten gewesen, und jetzt war es so weit, dass sie kündigen wollte.

Und was würden die bösen Zungen dann sagen? Welche Schlussfolgerungen würden die Schrullen bei Brundins und bei Svea daraus ziehen?

In Mailand oder Honolulu würde so etwas nie passieren, dachte ich und fühlte eine große Wut in mir aufflammen. Kumla ist ein Rattenloch! Gleichzeitig war mir klar, dass ich ein wenig ungerecht war, bestimmt waren die Menschen in anderen Städten nicht viel besser.

Solche Idioten gibt es in Lissabon auch. *Die ganze Welt* ist ein Rattenloch!

»Hast du mit deiner Mutter geredet?«, fragte ich, um dennoch etwas konstruktiv zu erscheinen.

Sie schüttelte den Kopf und wischte sich die Tränen aus dem Gesicht.

»Habt ihr überhaupt miteinander geredet?«

»Nein. Nicht ... nicht darüber.«

Ich fand, das klang zumindest etwas merkwürdig, traute mich aber nicht, das zu sagen.

»Wäre es nicht an der Zeit, es zu tun?«, schlug ich vorsichtig vor. »Es lässt sich doch gar nicht vermeiden, dass sie irgendwann erfährt, was die Leute reden.«

Signhild gab keine Antwort.

»Und du hast ihr auch nicht erzählt, dass du weißt, wer der Dichter Olsson ist?«

Sie schüttelte erneut den Kopf und schaute mürrisch drein.

»Hat Kommissar Vindhage keinen Kontakt zu dir aufgenommen?«

Sie biss sich auf die Lippe und kniff die Augen zusammen. Blinzelte mich sozusagen an. Es war ein Blick, an den ich mich von vor sechs Jahren erinnerte, und ich begriff plötzlich, dass wir wirklich die ganze Zeit die gleichen Menschen sind. Wir verändern uns äußerlich, aber im Inneren bleiben wir sowohl fünfjährig, als auch zehn- und fünfzehnjährig. Wahrscheinlich das ganze Leben lang.

Das kann ab und zu eine Last sein.

Außerdem dachte ich, dass ich ihr wohl zu viele Fragen stellte. Ich sollte sie stattdessen lieber in den Arm nehmen, so sollte es ja wohl sein.

Sie trösten, ihr helfen und ihr eine Stütze sein. Ich bin nicht gut in so etwas, das sah ich ein. Ganz und gar nicht.

»Ich werde ihn Montag treffen«, sagte Signhild.

»Vindhage?«

»Ja. Er wollte gestern kommen und mit mir reden, aber ich habe ihm gesagt, dass ich keine Zeit habe. Stattdessen fahre ich nun am Montag nach Örebro. Da werde ich auch Kennedy treffen.«

Ich nickte nachdenklich.

»Heute ist Samstag«, sagte ich. »Wenn du willst, kann ich dabei sein, wenn du mit deiner Mutter und dem Dichter Olsson redest. Morgen oder so. Hältst du das für eine gute Idee?«

Es verging wohl eine halbe Minute, bevor Signhild antwortete, und die Sekunden waren zäh wie Schleim.

»Okay«, sagte sie schließlich. »Ist vielleicht gar nicht so schlecht. Ich werde es ihr sagen, und dann rufe ich dich an.«

Ich zögerte noch weitere zähe Sekunden.

»Was willst du heute Abend machen?«, fragte ich dann. »Wenn du willst, dann können wir ...«

»Nein, Mauritz«, unterbrach sie mich. »Entschuldige, aber ich glaube, es ist am besten, wenn ich heute Abend allein bin.«

»Ja, sicher«, sagte ich. »Ja, das ist bestimmt das Beste.«

Dann ließ ich sie allein.

* * *

Aber es kam nie zu Stande, dieses Gespräch unter acht Augen.

Signhild rief mich den ganzen Abend über nicht an, und früh am Sonntagmorgen – oder zumindest relativ früh, ich war schon eine Weile wach gewesen, hatte im Bett gelegen und eine LP von den Small Faces angehört, die ich mir von Elonsson geliehen hatte – hörte ich plötzlich, wie der Dichter Olsson sein Motorrad anließ. Ich sprang aus dem Bett und schaute aus dem Fenster.

Das war merkwürdig. Sie standen wie für den Fotografen aufgestellt. O Sole Mio im Beiwagen. Der Dichter Olsson in Ledermontur neben dem Motorrad. Signhild und Ester Bolego nebeneinander auf dem Kiesweg, Arm in Arm. Die Sonne schien, und der schräge Schatten des Wellblechdaches über dem Fahrradständer fiel direkt zwischen sie.

Ester im Schatten, Signhild in der Sonne.

Es war natürlich die reinste Einbildung, aber ich hatte das spontane Gefühl, dass sie sich genau in dieser Formation postiert hatten, damit ich sie von meinem Fenster auf der anderen Straßenseite aus sehen konnte. Als wäre das irgendwie arrangiert worden. Von einem von ihnen oder von allen dreien zusammen.

Das Bild brannte sich in meinem Gedächtnis wie auf einer Tontafel fest und ist seitdem dort. Wenn ich tatsächlich ein Foto gemacht hätte, hätte es nicht deutlicher ausfallen können.

Signhild im Licht, Ester im Dunkel. Christian Bolego und O Sole Mio in ihrer Lederkleidung, bereit für die Abfahrt. An einem Augustvormittag 1967.

Und dann hebt der Dichter die Hand und startet die brummende Enfield. Schaltet in einen Gang, tritt aufs Gas und knattert davon.

Ein paar Kiesel spritzen auf. Es ist der letzte Tag der Sommerferien.

Mutter und Tochter bleiben einen Augenblick lang stehen. Dann schauen sie sich kurz an, drehen mir den Rücken zu und gehen hinein.

Es ist ein sonderbar intensives Bild.

# 20

Das neue Schuljahr begann.

Der Sommer schien für alle Beteiligten gut verlaufen zu sein, sowohl was die Gymnasiasten als auch was die Pädagogen betraf, nur der alte Burblom, unser beeindruckender Schwedischlehrer, hatte zwei Tage vor Schulbeginn angerufen und erklärt, dass er es satt habe.

Er hatte beschlossen, seine restlichen Tage in einem Ort auf der Südseite Kretas zu verbringen, wo er schon seit Menschengedenken jede freie Minute gewesen war. Er dachte gar nicht daran, seinen Fuß jemals wieder in Hallsbergs entarteten Schlamm zu setzen.

Zumindest wurde gesagt, dass es so abgelaufen sei.

Statt Burblom bekamen wir für das wichtigste Fach der Schule einen neuen Lehrer. Er hieß Angelo Grönkvist, wenn wir sein Gekritzel nicht falsch verstanden, das er auf die Tafel brachte. Er erinnerte im Aussehen und Auftreten ein wenig an Mahatma Gandhi, und als Erstes ließ er uns eine kurze Betrachtung über das Thema »Was ein junger Mensch nicht übers Leben wissen muss« verfassen.

Er nannte es »Betrachtung«, nicht Aufsatz. Vretstorps-Karlsson fragte, was unter dem Begriff Betrachtung zu verstehen sei, und nachdem Angelo Grönkvist zehn Sekunden darüber nachgedacht hatte, antwortete er, dass das Verhältnis zwischen einem Aufsatz und einer Betrachtung ungefähr das gleiche wäre wie zwischen einem Teller Grütze und einem Glas Champagner.

»Und die Betrachtung ist das Blubberwasser?«, wollte Me-andersson wissen.

»Ganz genau«, sagte Grönkvist und erklärte, dass wir zwei Stunden zur Verfügung hatten.

Ich schritt unmittelbar zur Tat. Die Einleitungssätze sprudelten wie aus einer klaren Quelle.

*Morgens, wenn ich aufwache, kontrolliere ich zunächst, ob ich nachts nicht amputiert worden bin. Anschließend bleibe ich eine Weile im Bett liegen und denke an meine Geliebte. Anschließend stehe ich auf.*

Angelo Grönkvist schlich in seinem ziemlich zerknitterten, sahnegelben Leinenanzug im Klassenzimmer herum und schaute uns über die Schulter, um zu sehen, wie es so lief. Ein leichter, aber nicht zu leugnender Duft nach Mentholtabak und Veilchenpastillen umgab ihn. Als er zu meiner Bank kam, blieb er eine Weile stehen und starrte auf meine Einleitung.

»Genial«, sagte er dann. »Du hast es drauf, mein Junge.«

Ich spürte, wie mir das Blut in den Kopf stieg. Endlich, dachte ich. Endlich ein Mensch, der mich wirklich sieht.

Wir arbeiteten die Pause hindurch, und ich schaffte es gerade noch, das Ganze fertig ins Reine zu schreiben, als es zur Mittagspause klingelte.

*Was ein junger Mensch nicht übers Leben wissen muss*

*Morgens, wenn ich aufwache, kontrolliere ich zunächst, ob ich nachts nicht amputiert worden bin. Anschließend bleibe ich eine Weile im Bett liegen und denke an meine Geliebte. Anschließend stehe ich auf.*
*Wir gehen hinaus an den Strand, meine Geliebte und*

*ich. Es ist Frühling oder Spätsommer, eine sanfte Brise streicht vom Meer heran, der Himmel ist weiß und kein Mensch zu sehen. Der Sand ist fest und unten direkt am Wasser einfach zu begehen, über dem Land schweben Möwen in trägen, ausgedehnten Ellipsen. Wir gehen dicht an dicht, ich habe meinen Arm um ihre Schulter gelegt, und als die Sonne sich nach einer Weile durch die Wolkendecke zeigt, halten wir an und lieben uns in einer Kuhle in den Dünen.*

*Hinterher bleiben wir noch liegen. Ein einsamer rötlicher Hund kommt heran und will unsere Bekanntschaft machen, meine Geliebte gibt ihm ein Wurstbrot aus unserem Proviant. Er frisst es mit einem einzigen Schnappen und verlässt uns. Wir setzen unseren Weg fort. Die Wolken ziehen sich erneut zusammen, und nach einer halben Stunde erreichen wir einen alten Betonbunker, halb begraben im Sand. Wir halten erneut an und trinken Wasser.*

*Dann sitzen wir da, an die raue Betonwand gelehnt. Schauen über das ruhige Meer. Wir haben keinen Durst, wir sind nicht hungrig, wir haben uns geliebt.*

*»Hast du irgendwelche Schmerzen?«, fragt meine Geliebte.*

*»Nein«, antworte ich.*

*»Macht dir irgendetwas Sorgen?«*

*»Nein.«*

*»Ich liebe dich. Liebst du mich?«*

*»Ja, ich liebe dich von ganzem Herzen.«*

*Wir sitzen eine Minute lang schweigend da.*

*»Dieser Augenblick ist vielleicht der schönste in unserem Leben«, sagt meine Geliebte und fängt an zu weinen. »Morgen müssen wir etwas anderes machen.«*

*Das sollte ein junger Mensch nicht vom Leben wissen.*

»London«, sagte Askersunds-Schyman, als wir zum ersten Mal in dem neugebauten Speisesaal saßen. »Hol mich der Teufel, oh Mann!«

»Du drückst dich sehr gewählt aus«, sagte Kilsmo-Lundberg, der den ganzen Sommer über in einer Gärtnerei von Brevens Werk gearbeitet hatte. »Wie immer.«

»Pink Floyd«, fuhr Schyman unbeeindruckt fort. »Arthur Brown. John Mayall and the Bluesbreakers im Roundhouse ... Oh Scheiße, ich sage es euch! Und Flower Power! Und was habt ihr so gemacht, ihr Bauernärsche?«

Schyman war nicht mehr der Alte, verglichen damit, wie er im Juni ausgesehen hatte. Er trug eine blaue runde Brille, ein rotes Tuch um sein Zottelhaar, das offenbar im Laufe des Sommers einen halben Meter gewachsen war. Ein geblümtes Hemd, karierte Hose mit Schlag und Stiefel.

Ein Paar Räucherkerzen hinter dem Ohr. Es war schwer, nicht beeindruckt zu sein.

»Love-in im Alexandra Palace die ganze Nacht durch! Wart ihr schon mal bei einem Love-in, ihr Plattfußindianer?«

»Wow«, sagten Lisbutt und Damita wie aus einem Mund. Auch sie hatten Schymans neu erworbenem Charme nicht widerstehen können und sich an unserem Tisch niedergelassen.

»Hast du auch Cliff Richard gesehen?«, erdreistete sich Damita zu fragen.

»Cliff Richard«, schnaubte Schyman. »Ja, ich glaube, ich habe ihn mal in einem Waschsalon gesehen. Meine Mutter findet ihn auch ganz toll. Darf man hier eigentlich im Speiseraum rauchen?«

Sicher, es war 1967. Sicher, es war freedom, peace and friendly fucking, aber es war verdammt noch mal nicht erlaubt, in dem neuen Speisesaal der Bryléschule zu rauchen.

Schyman wurde dessen gewahr, als er seine Zigarette angezündet und zwei Züge gemacht hatte. Ein anderer legendärer Schwedischlehrer, Fritjof Uhl, einst zu Beginn unserer Zeitrechnung Meister im militärischen Fünfkampf, kam angeschossen wie die Kugel aus einer Kanone. Er packte Schyman, zog ihn geradewegs vom Stuhl, riss ihm die Zigarette aus dem Maul und schleppte ihn an den Haaren aus dem Raum.

Ein entschlossenes Eingreifen alles in allem.

»All you need is love!«, schrie Schyman.

»Hm«, sagte Vreststorps-Karlsson. »Was machen wir? Einen Spaziergang rauf zur Konditorei vielleicht?«

* * *

Aber bald lief alles wieder in den alten Bahnen. Die Neuigkeiten: Angelo Grönkvist, Schymans radikale Veränderung zum sog. Hippie und der neue Speisesaal. Im Großen und Ganzen war es das. Und das Hämmern der Rammen hörte auf. Irgendwann im Laufe des Sommers hatte man den letzten Betonphallus in den leichtsinnigen Lehm gerammt, und ab dem neuen Schuljahr war es im Prinzip möglich, alles zu verstehen, was die Lehrer sagten. Man hatte keine Ausrede mehr, zumindest nicht diese .

Doch, Bénédicte de Trebelguirre war auch noch ein Zugewinn, oh ja. Fast hätte ich sie vergessen, wie konnte ich nur?

Sie war eine dunkle, schlanke Französin um die Fünfundzwanzig, und es gelang Elonsson wie auch mir, in den Zusatz-Konversationskurs in Französisch zu kommen, der immer mittwochs stattfand, nach Ende des normalen Schultags.

Mademoiselle de Trebelguirre stellte sich bereits am ersten Schultag in der Aula vor, und die Anzahl der Namen auf der Anmeldeliste an der Tür überstieg schnell die einhundertundfünfzig. Französisch war ja eigentlich traditionell eher Mädchensache, aber in diesem Fall waren mehr als achtzig Prozent der Bewerber männlichen Geschlechts, es schien, als wäre plötzlich der Wunsch nach Vervollkommnung über uns gekommen. Gerade hier und jetzt.

Les temps ils sont en changeant, und wir hatten natürlich ein wahnsinniges Glück bei der Auslosung, Monsieur Elonsson und ich. Sans doute.

* * *

Aber mein Herz war nicht in Hallsberg. Natürlich nicht. Aufs Gymnasium zu gehen, das war eine Unterbrechung, eine Störung bei etwas, das viel wichtiger war. Unendlich viel wichtiger.

Bei dem, was sich im Auge des Sturms in der Fimbulgatan in der Mitte meiner Welt zutrug.

Oder was sich besser gesagt nicht zutrug. So war es nun einmal, in den ersten Wochen des neuen Schuljahrs passierte nicht viel. Doch, es wurde natürlich bei uns der Rechtsverkehr eingeführt, in der Fimbulgatan ebenso wie im Rest des Landes. Und meine Schwester Katta zog in die Stadt, das gehört auch dazu. Zu ihrem Aspiranten nach Markbacken. Sie hinterließ ein Zimmer, in das ich jederzeit hätte einziehen können, wenn ich gewollt hätte, aber ich verschob das auf später. Wollte ich doch auf keinen Fall den Blickkontakt mit Signhilds Fenster im Lundbomschen Haus verlieren. Kattas Balkon zeigte auf Fredrikssons baufällige Garage und einen Teil der Nachbarhecke, und darauf konnte ich verzichten.

Ich traf Signhild vor dem 9. September nur zweimal, vor dem Tag, an dem sich alles veränderte und neue Vorzeichen bekam – beide Male machten wir einen langen Spaziergang, einmal wieder in den Viaskogen, das andere Mal nach Örsta Kulle und Elvesta. Es waren ziemlich trübsinnige Wanderungen, beide Male regnete es auch noch ein wenig, wir sagten nicht viel, ich versuchte zwar, das Gespräch über das eine oder andere in Gang zu bringen, aber Signhild war irgendwie verschlossen. Nach innen gewandt und eingekapselt.

»Können wir nicht einfach gehen, ohne zu reden?«, bat sie mich. »Halte meine Hand, dann fühle ich mich sicher.«

Ich tat ihr natürlich den Gefallen. Es war ja gut, wenn ich ihr eine Art von Sicherheit geben konnte, aber zu mehr als Händchenhalten und ein paar Umarmungen reichte es nicht. Keine Küsse, keine wollüstigen Schauer.

Ich hatte mir gerade Dylans LP *Blonde on Blonde* angeschafft, und ich weiß noch, dass ich an *Sad Eyed Lady of the Lowlands* denken musste, während wir da schweigend nebeneinander durch den Regen gingen, die Hand meiner Geliebten in meiner.

Aber ich bin mir nicht sicher, ob der Begriff *trübsinnig* der richtige ist. Es war eher beunruhigend. Und Signhild wollte nichts sagen.

Weder über den Zustand ihrer Seele noch über den in ihrem Zuhause.

Aber das Schweigen hat seine Zeit, und das Reden hat seine Zeit, und als sie mich frühmorgens am 9. September anrief, da war es einfach nicht mehr möglich, sich passiv zu verhalten.

Warten hat seine Zeit, Handeln hat seine Zeit.

## 21

Ich bin's.«

Ich erinnere mich noch, dass mir auffiel, dass sie sich so meldete. Und dass es mich zutiefst berührte.

*Ich bin's.*

Es war kein Name nötig. Ich und du. Wir. Signhild und ich gehörten so eng zusammen, dass dieses einfache Pronomen genügte.

»Ja?«, fragte ich.

»Ich muss mit dir reden. Kannst du rüberkommen?«

Sie klang irgendwie anders. Finsterer und ein wenig resignierter als bei den letzten Malen, als wir uns trafen, aber da war noch mehr. Eine leichte Verzweiflung vielleicht?

»Ist was passiert?«

»Komm her, dann erzähle ich es dir.«

»Okay.«

Ich legte den Hörer auf. Schaute auf die Uhr. Es war erst halb acht. Ich weiß nicht, ob Signhild so früh anrief, weil sie glaubte, dass ich zur Schule müsste. Wahrscheinlich war das der Fall. Ich glaube nicht, dass ich ihr erzählt hatte, dass wir von diesem Schuljahr an samstags frei hatten – ein Ereignis, das zumindest laut gewissen Lebenskünstlern in der Klasse verdammt noch mal die größte Innovation in der Geschichte der Menschheit seit dem Steigbügel und dem Zippofeuerzeug war.

Ich brachte schnell meine Morgentoilette hinter mich und lief über die Straße. A damsel in distress, dachte ich und überlegte, ob ich das wohl irgendwo gelesen hatte.

* * *

Sie saß zusammengekauert auf ihrem Bett. Es war gemacht, mit der roten Überdecke und den Stofftieren, und es sah so aus, als hätte sie die ganze Nacht kein Auge zugetan.

»Jetzt geht es einfach nicht mehr«, sagte sie.

»Ach«, sagte ich und setzte mich neben sie.

»Ich glaube, ich werde wahnsinnig.«

Ich nahm ihre Hand und schaute ihr ins Gesicht. Es war ein wenig gerötet und angeschwollen, aber ich konnte nicht sagen, ob das vom Weinen kam oder einfach nur von der Schlaflosigkeit.

»Was ist denn passiert?«, fragte ich.

»Sie ist schwanger«, sagte Signhild.

»Was?«, fragte ich.

»Mit einem Kind. Sie kriegt ein Kind.«

»Deine Mutter?«

»Ja. Wer denn sonst?«

»Das ist nicht dein Ernst?«

»Natürlich ist das mein Ernst. Sie ist im sechsten Monat. Sie hat es mir gestern erzählt. Ich halte es nicht mehr aus, ich war heute Nacht draußen und bin drei Stunden lang herumgelaufen.«

Die Gedanken wirbelten mir im Kopf herum, aber wie üblich gab es nicht viel, was ich greifen konnte.

»Ich liebe dich, Signhild«, sagte ich. Dachte, es könnte ja wohl nicht schaden, sie daran zu erinnern. »Warum hast du denn nicht angerufen? Dann hätte ich dir beistehen können.«

Sie gab keine Antwort. Gab meiner Hand nur einen leichten Druck.

»Ich hätte so gern ...«, fuhr ich fort, während eine Idee aus meinem Unterbewusstsein aufstieg. »Das ist doch sicher nicht ... ich meine ... wie soll ich sagen ...?«

Signhild ließ seufzend meine Hand los.

»Richtig geraten«, sagte sie. »Papa ist nicht der Vater des Kindes. Es ist der andere.«

»Der andere?«

»Ja.«

»Hat sie das gesagt?«

»Ja, das hat sie auch gesagt.«

»Das ist ja wohl ... hat sie gesagt, wer es ist?«

»Nein. Nur, dass er es nicht war, mein Vater ... ich will nichts damit zu tun haben. Ich halte das nicht aus. Kannst du dir vorstellen, was für ein Gefühl das ist?«

Ich nickte ratlos.

»Ja, das muss ja ... schrecklich sein. Oder ...?«

»Stimmt«, sagte Signhild mit unnatürlich hoher Stimme, als wäre sie kurz davor, in Tränen auszubrechen. »Mein Vater ist ermordet worden, und meine Mutter ist schwanger von einem heimlichen Liebhaber. Ich wünschte, ich wäre nie geboren worden.«

»Ich bin verdammt froh, dass du geboren worden bist«, protestierte ich und nahm sie in den Arm. Sofort fing sie an zu weinen, anfangs laut und jammernd, dann beruhigte sie sich etwas, während ich ihr über die Arme und den Rücken strich und ihr ab und zu mit dem Handrücken die Tränen abwischte.

So saßen wir sicher zehn, fünfzehn Minuten lang da, ich erinnere mich, dass mein Torfarbeiterrücken durch die verdrehte Stellung auf der Bettkante langsam wehtat. Dann ging sie zur Toilette. Die lag gleich neben ihrem Zimmer, ich konnte hören, wie sie pinkelte, sich die Nase putzte und sich Wasser ins Gesicht spritzte, und als sie zurückkam, sah sie ziemlich gefasst aus. Irgendwie entschlossen.

»Du glaubst doch nicht, dass sonst irgendjemand glauben wird, mein Vater könnte der Vater sein?«, fragte sie. »Mauritz, ich muss hier wegziehen, sonst werde ich noch verrückt.«

Die Idee kam wie ein Dieb in der Nacht geschlichen.

»Katta ist zu Dubbelubbe nach Örebro gezogen«, sagte ich. »Willst du nicht ...?«

* * *

Und so kam es.

Wunder über Wunder, am Sonntag, dem 10. September, zog Signhild quer über die Fimbulgatan um und nahm Kattas Zimmer in Beschlag. Meine Eltern waren drüben gewesen und hatten mit Ester Bolego gesprochen, und irgendwie war man übereingekommen, dass das doch eine prima Lösung war. Wenn auch nicht die beste, dann auf jeden Fall für den Augenblick die einfachste. Ich weiß nicht, welche Worte und Argumente zwischen ihnen gewechselt wurden – ob Signhilds Mutter so ohne weiteres damit einverstanden war oder ob sie sie überreden mussten. Vielleicht begriff sie trotz allem, wie schlecht es ihrer Tochter bei all dem Wirbel ging, vielleicht war sie so mit ihren eigenen Problemen beschäftigt, dass sie gar nicht in der Lage war, Widerstand zu leisten.

Ich weiß es nicht, wie gesagt. Weder meine Mutter noch mein Vater sagten ein Wort dazu, dass Ester Bolego ein Kind erwartete, sie hatten es offenbar erfahren, aber soweit ich herausbekommen konnte, hatten sie nicht mitgekriegt, dass ein anderer als Kalevi Kekkonen der Vater des Kindes war.

Obwohl es natürlich möglich war, dass sie dennoch diese Schlussfolgerung zogen.

* * *

Dann wären sie nicht die Einzigen gewesen. Genau wie Signhild vorhergesagt hatte, dauerte es nur wenige Tage, bevor der Gerüchtekessel im Ort neue Nahrung bekam, ich hörte an verschiedenen Stellen davon.

Zumindest, dass die Bolego schwanger war. Das konnte man sich ja nun am kleinen Finger abzählen. Bei dem Bauch …

Und der Teufel soll mich holen, wenn dieser unbeholfene Uhrendreher es noch in seinem Alter hingekriegt haben sollte! Nein, nein, das konnte schon Klapp-Eriks Katze kapieren.

Was für eine Schande, wie es in der Welt zugeht.

Und damit waren wir natürlich bei des Pudels Kern! Erst herumscharwenzeln und dann mit dickem Bauch herumlaufen. Schon merkwürdig, dass die Polizei nicht eins und eins zusammenzählen konnte!

Und so weiter und so fort.

Aber *natürlich.*

Signhild zog also quer über die Straße um, darüber zerrissen sich nicht alle Leute den Mund, und was mich betraf, so war das ein Ereignis, dessen Bedeutung sowohl geköpfte Uhrmacher als auch schwangere Witwen um vieles übertraf.

Wir wohnten nun unter dem gleichen Dach, Signhild und ich.

Sie und ich.

Wir. Das war unglaublich, und die ersten drei Nächte machte ich kaum ein Auge zu. Das war ganz einfach zu viel.

* * *

Unter dem gleichen Dach, aber die Wände trennten uns.

Eine Toilette, ein Wandschrank und vier Meter Flurboden mit einem rot-grau-karierten Plastikbelag. Zwei kleine Bilder mit Tannen drauf und ein etwas größeres mit einer Kuh.

Ich konnte sie atmen hören. Wenn ich bis zwei Uhr noch nicht eingeschlafen war, stand ich nachts auf und drückte mein Ohr an die Blumentapete, um zu lauschen, und nach einer Weile spürte ich – glockenrein wie nur irgendwas – einen anderen Blutkreislauf und ein anderes Atmen als mein eigenes. Das pflanzte sich durch den Wandschrank, die Toilette und die Nachtfinsternis fort, und ich spürte es so deutlich, als würde ich in Signhilds Bett mit dem Kopf auf ihrer Brust liegen.

Ich stand gern so da, oft schloss ich dabei die Augen, und einmal schlief ich ein und knallte zu Boden. Es war atemberaubend.

Während meiner schlaflosen Stunden holte ich auch ab und zu den Daumen des deutschen Fähnrichs hervor und legte ihn vor mich auf den Tisch. Ich weiß noch, dass er mir gerade zu dieser Zeit, in den ersten Wochen mit Signhild unter einem Dach, geheimnisvoller erschien als je zuvor, sein grüner Schimmer war kräftiger als sonst, ich konnte meine Fragen und Vermutungen bei ihm loswerden, und ich hatte wirklich das Gefühl, als höre er zu und nehme sie auf.

Eines Nachts schrieb ich ein Gedicht an den Daumen. Das muss gegen Morgen gewesen sein, denn es war nicht gerade eine Spitzenleistung.

*Deutscher Daumen, grün und rot*
*Hilf mir in meiner großen Not*
*Kühle meiner Liebe Glut*
*Gib mir Kraft für Leben und Tod*

Als ich später die Zeilen bei hellem Tageslicht betrachtete, musste ich einsehen, dass es mit das Schlimmste war, was ich jemals zu Stande gebracht hatte, und dass mein Tribunalfranzose vermutlich so angewidert gewesen wäre, dass er beim Anblick dieses Elends nur gekotzt hätte.

Sofort zerriss ich das Gedicht in kleine Fetzen, aber auch nach fünfunddreißig Jahren habe ich die Worte immer noch im Kopf. Natürlich ist das ungerecht. Wo doch so vieles andere verloren gegangen ist, meine ich.

Aber so ist es wohl mit dem Leben. Meistens ist es der Dreck unter den Fingernägeln, der bleibt.

Auf jeden Fall legte ich nicht die vier Flurmeter auf dem Plastikbelag zurück.

Und Signhild tat es auch nicht.

Noch nicht.

## 22

Man muss um seine Größe wie auch um seine Grenzen wissen.

Ich glaube, zu der Zeit hatte ich langsam akzeptiert, dass ich mein Lebensskript so ziemlich selber zu schreiben hatte – mangels anderer interessierter Anwärter offenbar –, aber sich einzubilden, mehr als eine Nebenrolle in dem bedeutend schicksalsschwereren Drama zu spielen, das sich in diesem Sommer und Herbst auf der anderen Straßenseite abspielte, das wäre doch vermessen gewesen.

*Der Fall Kekkonen* – wie er von meinem Vater wie auch von den Großmäulern der überregionalen Zeitungen genannt wurde.

Natürlich war das Opfer selbst die Hauptperson, das konnte ihm niemand nehmen. Kalevi Oskari Kekkonen, geboren in Kotka, gestorben in Kumla. Eines ziemlich langweiligen Abends, ungefähr eine Woche nachdem Signhild eingezogen war, saßen Elonsson und ich in meinem Zimmer und spielten Privatdetektiv, und ich versuchte, den dahingeschiedenen Uhrmacher ein wenig mehr im Detail zu beschreiben. Sowohl ihn als auch Ester Bolego – da Elonsson behauptete, er bräuchte etwas mehr Fleisch auf den Knochen, um das Rätsel zu lösen. Ich hatte nichts über meinen früheren Ausflug in die Detektivbranche verraten – und hatte auch um Signhild die Nebelwände so gut es ging gelegt, etwas, was Elonsson wahrscheinlich durchschaute, aber er machte zumindest gute Miene zum bösen Spiel. Stattdessen zeichnete er in seinen mitgebrachten Collegeblock Dreiecke und Fragezeichen, sog an seiner schiefen Oberlippe und versuchte überhaupt, sehr scharfsinnig auszusehen, vielleicht gar analytisch – wir sollten am nächsten Tag eine Mathearbeit schreiben, deshalb saßen wir hier. Eigentlich. Sinusfunktion und Cosinusfunktion und das eine oder andere, wir waren es schon Leid, bevor wir überhaupt angefangen hatten.

»Dreiecksdrama«, sagte Elonsson mit dumpfer Stimme. »Das sehen doch meine Guppiweibchen.«

»Erklär mir das«, bat ich ihn.

»All right, mein lieber Watson«, sagte Elonsson und kaute auf seinem gelben Bleistift. »Wir haben zwei Bekannte und eine Unbekannte. Den einen Bekannten gibt es nicht mehr. Hat den Kopf abgeschlagen bekommen. Dekapitiert, wie man so sagt. Die andere Bekannte lebt in … wie sagt man? … anderen Umständen … und in weit fortgeschrittener Schwangerschaft. Dickgebumst, wie man in Åbatorp sagt. Der Unbekannte ist der Schlüssel zum Rätsel. Mr. X, der mit an Sicherheit grenzender Wahrscheinlichkeit … puh … ein Verhältnis mit Ester Bolego gehabt hat und der mit an Sicherheit … äh … der Vater des Kindes ist.«

»Brillant«, sagte ich.

Elonsson seufzte.

»Ich weiß«, sagte er. »Wie wirkt sie?«

»Was, wer?«

»Die Bolego natürlich! Wie verhält sie sich? Mein Gott, du wohnst doch mitten drin, hast du denn keine Augen im Kopf?«

»Zwei Stück«, erwiderte ich. »Genau so viele wie du Gehirnzellen, Sherlock.«

»Du bist nur neidisch«, sagte Elonsson.

Aber es war natürlich eine wichtige Frage, die Elonsson da gestellt hatte, das musste ich zugeben. Äußerst wichtig. Ich dachte darüber nach.

Wie wirkte sie?

Wie nahm Ester Bolego das alles auf?

Ihr Mann war geköpft worden. Sie selbst war schwanger und auf dem besten Weg, vom Volksmund verurteilt zu werden. Verdächtigt und der Lüge bezichtigt. Vielleicht war es nur eine Frage der Zeit, bis die Polizei sie festnahm? Ich hatte während der letzten Wochen im Großen und Ganzen keine unbekannten Autos oder anonyme männliche Gestalten am Lundbomschen Haus gesehen, nur hielt ich meine Überwachung natürlich nicht permanent aufrecht. Aber die Polizei müsste sie doch trotz allem im Auge behalten? Sie müssten ihr doch, zumindest was das zu erwartende Kind betraf, ein paar Fragen stellen?

Und ihre Tochter war zu den Nachbarn gegenüber gezogen! Das war wirklich kein normales Benehmen, weder in Kumla noch irgendwo sonst auf der Welt zu dieser Zeit.

Nein, die Uhr tickte, so ein Gefühl war das. Die Lunte brannte. Außerdem waren sowohl Mutter als auch Tochter arbeitslos, sie hatten als direkte Folge der Lage ihren Job bei Svea beziehungsweise Brundins aufgegeben. Natürlich war man ein wenig angeschlagen, wie es in Ringerkreisen hieß. Natürlich sah es schlecht aus, oder?

Wäre da nicht jeder normale Mensch schon vor langer Zeit zusammengeklappt? In der Tat. Hätte sich ins Krankenhaus von Mellringe einweisen lassen oder wäre zur Polizei gegangen, um sein Gewissen zu erleichtern, oder?

»Oder?«, fragte Elonsson nach. »Verdammt, habe ich Recht? Du kannst mich gern korrigieren, wenn ich mich irre.«

Wir diskutierten die Sache eine Weile und waren uns im Großen und Ganzen einig. Es *war* merkwürdig.

Dass sie sich gewissermaßen überhaupt nicht aufregte, die Ester Bolego.

Dass sie den Kopf hoch erhoben und den Bauch stolz vor sich hertrug, ohne sich zu schämen. Ohne den Blicken auszuweichen, wenn sie Leuten auf der Straße oder in den Geschäften begegnete.

Sich in so einer Situation zumindest ein wenig zu schämen, das war eine Tugend, die Elonsson und ich schon mit der Muttermilch aufgesogen hatten.

Ohne es ihm gegenüber zu erwähnen, erinnerte ich mich wieder daran, was mein Vater gesagt hatte:

»Alles ist relativ, außer Ester Bolego.«

Dann sprachen wir über Mystifikationen. Die vom Mörder hinterlassene Botschaft im Hals des Opfers. Der merkwürdige Schachzug und der mögliche Zusammenhang mit diesem deutschen Buch, das ich über Sigge van Hempel zu fassen bekommen hatte. Ich hatte keine Ahnung, wie die Ermittlungen der Polizei in dieser Frage weitergegangen waren – aber mangels wirklicher Ideen waren Elonsson und ich uns einig, nachdem wir eine Weile alles Mögliche diskutiert und wieder verworfen hatten, dass es sich möglicherweise um eine so genannte Sackgasse handelte. Eine falsche Spur, etwas, das der Mörder gemacht hatte, um der Polizei Flausen in den Kopf zu setzen.

Wir widmeten uns auch eine Zeit lang dem Dichter Olsson, seinem plötzlichen Auftauchen auf der Bühne während einiger Sommerwochen und seinem ebenso plötzlichen Verschwinden – aber auch hier fanden wir keinen fruchtbaren Einfallswinkel.

»Es ist ein verfluchtes Rätsel«, sagte Elonsson zum Schluss. »Ich bin nur froh, dass ich nicht in der Haut von Kommissar Vindhage stecke. Apropos, wie geht es denn eigentlich der schönen Signhild?«

Er zeigte bedeutungsvoll zu Kattas Zimmer hin. Ich erklärte, dass es an der Zeit sei, einen Strich unter die Debatte zu ziehen und wir uns lieber ein paar erbärmliche Minuten lang dem Cotangensproblem widmen sollten.

Elonsson glotzte mich an und kaute auf seinem Bleistift.

* * *

Nach zwei mehr oder minder schlaflosen Nächten sah ich etwas ein.

Die neue Nähe war dabei, sich in eine Art Abstand zu verwandeln. Auf eine sonderbare Art und Weise hatte Signhild sich dadurch, dass sie bei uns eingezogen war, weiter von mir entfernt. Das war natürlich ein vollkommen unakzeptables Paradox, und eines Sonntagvormittags packte ich mich selbst beim Schlafittchen und ging zu ihr.

»Du weichst mir aus«, erklärte ich.

»Was?«, fragte Signhild.

»Ausweichen«, wiederholte ich. »Du. Mir.«

Sie saß auf dem Bett und sah nachdenklich aus. Schwedische Schlagerparade im Radio. Hootenanny Singers.

»Mach aus«, sagte ich.

Sie schaltete das Radio aus.

»Ich weiß nicht.«

»Was weißt du nicht?«

Sie seufzte und schaute mich mit traurigen Augen an.

»Ich will dich nicht reinlegen.«

»Reinlegen?«

»Ja.«

»Was meinst du damit?«

»Das ist so ... das ist alles so viel. Es wäre so einfach, wenn ich nur ...«

Sie verstummte.

Rede Klartext, Weib!, dachte ich. Du klingst wie meine Mutter. Gleichzeitig dachte ich, dass es wohl das erste Mal war, dass ich auf sie wütend wurde.

»Ich weiß nicht mehr, was ich wirklich fühle«, fuhr sie nach einer langen Pause fort. »Ich habe so ein Gefühl, als müsste ich all meine Gefühle von mir fern halten, um nicht kaputt zu gehen. Kennedy sagt, das ist nur natürlich, und es ist schon in Ordnung, wenn ich versuche, sie von mir fern zu halten.«

»Wen?«

»Die Gefühle. Es ist in so kurzer Zeit so viel passiert, dass ich mich ganz einfach nicht ... enga ...?«

»Engagieren?«

»Ich kann mich auch nicht in einer Beziehung engagieren.«

Ich dachte nach. Leck mich am Arsch, Kennedy, dachte ich.

»Ich liebe dich, Signhild«, sagte ich.

»Ich weiß. Ich liebe dich wohl auch, aber im Augenblick bin ich mir einfach nicht sicher ... das musst du doch verstehen?«

Ich hatte während des ganzen Gesprächs in der Tür gestanden. Jetzt setzte ich mich aufs Bett und nahm ihre Hand.

»Das verstehe ich. Ich werde nicht um dich werben, Signhild, aber wir können doch trotzdem ein bisschen zusammen sein, oder? Ich bin ja nicht bescheuert.«

Sie lachte. Tatsächlich, sie lachte.

»Nein, Mauritz«, sagte sie. »Du bist wirklich nicht bescheuert.«

Ich hatte plötzlich das Gefühl, als wäre der Nobelpreis in Reichweite, und ich gratulierte mir dazu, dass ich mich endlich einmal getraut hatte, etwas mutiger vorzugehen.

Ich werde so langsam ein Mann, dachte ich. Das stand wohl dahinter.

»Kommst du heute Nachmittag mit nach Hallsberg?«, fragte ich.

»Nach Hallsberg?«, erwiderte sie verwundert. »Warum das denn?«

»NuTeMo«, antwortete ich. »In der Grotte. Es geht einige Stunden lang, du brauchst nicht so früh da zu sein.«

Sie zögerte einige Sekunden lang. Dann nickte sie und stellte wieder die schwedische Hitparade an.

* * *

NuTeMo war die praktische Abkürzung des zu erwartenden Publikums beim Sonntagspopkonzert in der Grotte.

Es gab nämlich zu der Zeit drei Sorten Menschen.

Die *Mods*, zu denen Elonsson und ich uns ganz selbstverständlich zählten. Nicht in der ursprünglichen englischen Bedeutung der Kleidersnobs, aber wir hatten lange Haare, waren ganz normal cool und wussten, was sich in der Welt und in der Musik so tat. Vietnam, Martin Luther King und Carlos Castaneda befanden sich in dem geistigen Gepäck, das wir gut verwahrten.

Ein *Teddy* zu sein bedeutete, zumindest in Närke, einfach ausgedrückt, dass man Pomade im Haar hatte, Auto fuhr und Elvis mochte.

Wenn man aus beiden Kategorien herausfiel, so war man laut Definition eine *Null.* Der Urtyp für eine Null war beispielsweise Urban Urbansson.

Auch wenn also NuTeMo vom Namen her eine Art Sammelplatz für alle Arten von Menschen darstellte, so sah die Wirklichkeit etwas anders aus. Zweihundert Mods, fünfzig Nullen und sieben Teds, das war die übliche Mischung, und so war es auch an diesem Sonntag.

Die Rockband, die spielte, hieß The Dogs und kam aus Katrineholm. Innerhalb von drei Stunden wurde dreimal *Road Runner* gespielt, und überhaupt war es insgesamt ein ganz guter Sound. Nach einer ersten etwas nervigen halben Stunde, in der wir die meiste Zeit in einer Ecke standen, jeder mit seiner Cola in der Hand, gelang es mir, Signhild auf die Tanzfläche zu locken. Sie hatte offenbar noch nie vorher

Shake getanzt, und ich selbst sah wohl wie üblich eher wie eine Giraffe mit Krämpfen aus, aber mit der Zeit merkte ich, dass es ihr gefiel.

Und wenn es Signhild gefiel, dann gefiel es mir auch. Gegen Ende, als The Dogs *As Tears Go By* und *I Wanna Hold Your Hand* spielten, versuchten wir so eine Art Engtanz, von dem ich aber nicht sagen kann, ob er uns gelang. Signhild behauptete zumindest hinterher, ich würde gut tanzen, was mir bisher noch niemand gesagt hatte.

Während wir auf den Zug nach Kumla warteten, kauften wir am Bahnhofskiosk eine Wurst, und dann standen wir lange Zeit auf dem Bahnsteig, umarmten und küssten uns. Wir waren natürlich nicht die Einzigen dort, es gab reichlich bekannte und halbbekannte Gesichter, aber wie unten in der Grotte ignorierten wir sie. Ich glaube, an diesem Abend lernte ich, dass man zu zweit nicht doppelt so stark wie ein Einzelner ist, sondern hundert Mal so stark.

Man muss sich irgendwie nicht die ganze Zeit in der Welt spiegeln, sondern nur in den Augen der Geliebten.

Auch diese tiefschürfenden Beobachtungen merkte ich mir und beschloss, ein Gedicht darüber zu schreiben.

Song for S on a platform, oder so etwas.

* * *

Aber weder im Dunkel der Grotte noch auf dem Bahnsteig von Hallsbergs Bahnhof geschah das Wunder an diesem Septembersonntag im Jahre des Herrn 1967, sondern später.

Irgendwann so um Mitternacht, wie ich annehme, oder vielleicht noch später, aber der exakte Zeitpunkt war natürlich von untergeordneter Bedeutung. Von einer gewissen Bedeutung war hingegen die Tatsache, dass ich die Initiative ergriff.

»Ich werde heute Nacht bei dir schlafen«, sagte ich, als wir gerade an der Stavaschule vorbeigekommen und in die Fabriksgatan eingebogen waren.

Signhild blieb stehen und ließ meine Hand los. Es hatte angefangen zu nieseln, die Dämmerung war dabei, ganz und gar in Dunkelheit überzugehen, und der Schatten der Fichtenhecke legte weiteres Dunkel auf ihr Gesicht. Es war unmöglich zu sehen, was sie dachte. Ein paar Ewigkeiten lange Augenblicke schlichen vorbei. Plötzlich hatte ich das Gefühl, nicht mehr in meinem eigenen Körper zu sein.

Was sage ich da?, dachte ich überrascht. Bist du noch ganz gescheit, Mauritz Målnberg? Jetzt haut sie mir eins aufs Maul und verlässt mich für alle Zeiten.

Ich wollte schon hinzufügen, dass ich nur Spaß gemacht hätte, als sie meine Hand wieder nahm und mir einen leichten Kuss auf die Wange gab.

»In Ordnung«, sagte sie. »Abgemacht.«

Mehr nicht. *Abgemacht.*

Ich eilte zurück in meinen Körper und war kurz davor, in Ohnmacht zu fallen.

* * *

Ich verbrachte eine ganze Weile in meinem Zimmer, bis ich fand, dass es an der Zeit war, zu Signhild hinüberzuschleichen – ich hatte ihr geschworen, dass meine Eltern niemals abends die Treppe hoch kamen, Signhild hätte die Schande nicht überlebt, wenn sie uns im gleichen Bett entdecken würden, wie sie behauptete – und während dieser Zeitspanne widmete ich mich in erster Linie einer Interpretationsfrage.

*Schlafen bei.* Ich hatte gesagt *schlafen bei.* Und zu dieser Formulierung hatte Signhild ihre Zustimmung gegeben.

Aber was bedeutete »schlafen bei«?

War es ganz sicher, dass es eine Umschreibung von »schlafen mit« war?

Wie interpretierte Signhild das?

Was hatte ich selbst gemeint, als ich fragte?

Und was meinte ich jetzt, während ich auf meinen vier

Quadratmetern Zimmerfläche herumwanderte und dabei war, vor Anspannung und Nervosität zu krepieren?

Schlafen bei?

Schlafen mit?

Auf was ließ ich mich da eigentlich ein? Wäre es nicht das Beste, wenn ich einen Migräneanfall oder eine Gürtelrose bekam und das Angebot ausschlagen müsste? Canceln – Nisse von Sprackman und der Vretstorps-Karlsson wetteiferten darum, wer dieses Wort am häufigsten am Tag benutzte –, die Veranstaltung einfach *canceln,* und dabei trotzdem die Ehre behalten?

Du feiges Schwein!, dachte ich. Hier wird gar nichts gecancelt! Lieber bereuen, was du getan hast, als das, was du dich nicht getraut hast.

Aber was sollte ich anziehen?

Sollte ich in einem blauweiß gestreiften Pyjama antreten?

Oder wäre es besser, nackt zu erscheinen? (Nie im Leben!)

Anzug und Krawatte?

Unterhose und Polohemd?

Ich zog mich zehnmal um und verglich im Spiegel auf der Schrankinnenseite. Verdammte Scheiße, dachte ich, ich sehe besser aus, je mehr Klamotten ich anhabe.

Schließlich entschied ich mich für Pyjamahose und ein cooles T-shirt mit Alfred E. Neuman drauf. Das war ein guter Kompromiss, wie ich mir einredete, irgendwo zwischen Anzug und Adamskostüm, und falls es ihr nicht gefallen sollte, konnte ich ja jederzeit zurückgehen und mich umziehen.

Ich holte auch eine Weile den Daumen des deutschen Fähnrichs hervor, saß da und starrte ihn an. Aber diesmal, vor dieser Mutprobe, schien es, als könne er mir keine Kraft schenken. Fast war mir, als würde er mich stattdessen ein wenig verächtlich angrinsen – mit dieser Hautfalte direkt über dem Gelenk –, und ich verfrachtete ihn schleunigst wieder zurück an seinen Platz in der Schreibtischschublade.

Löschte das Licht und rauchte eine Pfeife am offenen Fenster. Die Kastanie stand da, sicher, schweigend und wie immer in sich ruhend, und ich erinnere mich, dass ich dachte, dass ich in meinem nächsten Leben weder Rocksänger noch Miss Universum oder Claudia Cardinale werden wollte, sondern eben eine Kastanie.

Als ich fertig geraucht hatte, holte ich die beiden Kondome heraus, die ich seit meinem fünfzehnten Geburtstag in meiner Brieftasche verwahrte, und schob sie in die Gesäßtasche des Pyjamas. Putzte mir die Zähne, rieb mir eine extra dicke Schicht Mum unter die Achseln und trottete zu Signhild hinüber.

Drückte die Klinke, ohne anzuklopfen, herunter und trat ein.

* * *

Sie lag im Bett und tat, als würde sie lesen.

Sie hatte eine Kerze in einer Flasche auf dem Nachttisch angezündet, nicht einmal ein Falke hätte bei diesem Schummerlicht lesen können.

»Hej«, sagte ich. »Da bin ich.«

»Ja«, flüsterte sie und legte das Buch hin. »Aber wir müssen leise sein.«

Ich nickte. Sie hob einen Zipfel der Bettdecke hoch, ich sah, dass sie ein kurzes sahneweißes Nachthemd trug. Es hatte keine Ärmel und sah aus, als würde es ein halbes Gramm wiegen.

Ich kroch mit der Eleganz eines Esels, der zum ersten Mal Schlittschuh läuft, zu ihr hinein.

»Ja«, flüsterte ich. »Wir müssen still sein wie die Mäuse. Das ist wohl am besten.«

Sie wandte sich mir zu. Ich spürte, wie ich zitterte. Es war ein sehr enges Bett, zumindest, wenn man zu zweit war, und als wir so Seite an Seite lagen, waren wir gezwungen, uns wie zwei freikirchliche Eishockeyschläger zu platzieren, um uns nicht zu nahe zu kommen.

Und einige atemlose Sekunden lang lagen wir tatsächlich so da. Zwei Fremde, die im gleichen Fahrstuhl gelandet sind und versuchen, so zu tun, als wären sie irgendwo anders. Obwohl der Fahrstuhl zwischen zwei Stockwerken festsitzt und keine Hilfe in Sicht ist.

Aber dann streiften Signhilds Finger meinen Arm.

»Ich fühle mich ein bisschen unsicher.«

»Ja?«, fragte ich. »Warum denn?«

»Weil ich noch nie mit einem Jungen im Bett gelegen habe.«

»Ach, wirklich?«, fragte ich.

»Und du?«

»Was und ich?«

»Warst du schon mal mit einem Mädchen im Bett?«

Ich überlegte.

»Nein«, sagte ich dann. »Ich glaube nicht.«

Signhild kicherte.

»Du glaubst nicht? Soll das heißen, dass dein Leben so … so inhaltsschwer ist, dass du dich nicht daran erinnerst, ob du schon mal mit einem Mädchen geschlafen hast oder nicht?«

Der Esel zog die Schlittschuhe aus und wurde zum Mann. Strich ihr zärtlich mit dem Handrücken über die Wange. Dachte, dass sie ganz einfach – schon in wenigen einleitenden Sekunden – diese Frage entschieden hatte, über die er so lange gegrübelt hatte.

Schlafen oder lieben.

»Mir ist heiß«, sagte sie. »Komm, lass uns die Sachen ausziehen.«

* * *

Es war schon nach vier, als Signhild mich wegschickte. Freundlich, aber entschieden.

»Wir müssen noch ein paar Stunden schlafen«, erklärte sie. »Und es kommen doch noch mehr Nächte, oder?«

»Auf jeden Fall, meine Geliebte«, versprach ich ihr. »Tausend mal tausend Nächte. Aber warum müssen wir schlafen?«

»Musst du denn nicht morgen in die Schule?«

»Kann schon sein.«

»Ich muss auch früh aufstehen.«

»Du? Warum?«

»Ein Job«, erklärte Signhild und ließ einen kleinen Seufzer in die Dunkelheit entweichen. »Ich kann ja nicht die ganze Zeit nur herumlaufen und Löcher in die Luft starren.«

Ich setzte mich auf den Bettrand und suchte nach meiner Pyjamahose und Alfred.

»Du hast einen neuen Job?«

»Schon möglich. Jedenfalls muss ich morgen in die Stadt zu einem Gespräch.«

»Nach Örebro?«

»Ja. Wieder Verkäuferin. Aber diesmal für Damenbekleidung ... Bei Fallgrens in der Engelbrektsgatan. Wenn die mich haben wollen, werde ich gleich anfangen.«

»Natürlich wollen sie dich haben. Ich will dich die ganze Zeit haben.«

»Na, da gibt es wohl noch einen Unterschied.«

»Das will ich doch hoffen. Wollen wir nicht ...?«

»Mauritz, geh jetzt rüber in dein Zimmer. Ich verspreche dir auch, dass ich morgen komm und bei dir schlafe.«

Ich hätte fliegen können, begnügte mich aber mit einem vorsichtigen Biss in eine Brustwarze und vier Meter Plastikfußbodenbelag.

# 23

Es war an dem Montag nach dem magischen Sonntag, dass Greta-Fjolla verschwand.

Ich bin mir vollkommen der Tatsache bewusst, dass dieser merkwürdige Vorfall wohl kaum mit dem Mord an Kekkonen oder mit mir selbst zusammenhängt – aber ich kann nicht von damals berichten, ohne dieser Sache zumindest ein paar Zeilen zu widmen. Und außerdem: Wer kann denn letztendlich sagen, was womit zusammenhängt?

Greta-Fjolla hieß eigentlich Anna-Greta Follander und wohnte in der Linnégatan in meiner Welt. Ihr Spitzname, der die alberne Greta bedeutete, hing ihr seit dem Kindergartenalter an, aber nach dieser geheimnisvollen Septemberwoche kam niemand mehr auf die Idee, ihn noch zu benutzen. Ich hatte nie zu ihrem Freundeskreis gehört, weder vorher noch hinterher, aber ich erinnere mich, dass auch ich schließlich zu einem äußerst respektvollen A-G mit einer Art fast obligatorischer Selbstverständlichkeit überging.

Greta-Fjolla war, laut Terminologie der Zeit und ihrer Umgebung, eine ausgeprägte weibliche Null. Sie rauchte und trank nicht, sie trug die gleiche Art von Kleidung wie ihre Mutter und ihre Tanten, sie hatte rattenfarbenes Haar, das sie in einem oder zwei Zöpfen trug, und sie kannte höchstwahrscheinlich nicht den Unterschied zwischen Van Morrison und Gunnar Wiklund.

Am Montag, dem 25. September, hatte sie an der nordöstlichen Ecke des Brandstationsparks mit ihrem Fahrrad, einem zweiundzwanzig Jahre alten Damenveloziped der Marke Hermes, einen Platten – und verpasste den 7.47-Uhr-Zug nach Hallsberg um eine halbe Minute. Zwei Zeugen im letzten Wagen, Svante Halling aus der RIIIb und Kristina Karlman aus der LIIIa, sahen sie auf den Bahnsteig laufen, die historische Authentizität ist somit ausreichend gesichert.

Was auch für die folgende halbe Stunde gesagt werden kann. Laut der Zeugen Emmanuel Simgren, Totte Gökberg und Jimmy »Nacka« Pettersson – die beiden Erstgenannten in meine und Elonssons Parallelklasse gehörend, der Letztere ein Windei, der in irgend so eine Klempnerklasse der Berufsschule ging und einen DKW 53 sowie einen gefälschten Führerschein auf den Namen Staffan Brando besaß –, laut Aussage dieser junger Herren also, stand besagte Greta-Fjolla Follander an der Straße am Rande von Kumla und versuchte zu trampen, als sie kurz nach acht Uhr vorbeikamen, es scheint eine kürzere Debatte stattgefunden haben, ob man sie mitnehmen sollte, aber der Vorschlag wurde mit drei zu null Stimmen abgelehnt – und laut Kronzeuge Karl-Gustav Druggy, Lehrer für Physik und Mathematik in der Bryléschule, war sie vier, fünf Minuten später dabei, in einen roten Mercedes Benz einzusteigen.

Die Schülerin Anna-Greta Follander kam aber nie zur ersten Stunde an – Englisch mit der bereits erwähnten Frau Rubenstråle. Sie kam auch nicht zur folgenden Doppelstunde Schwedisch mit Angelo Grönkvist (Analyse von Frödings Gedicht »Gråbergssång« sowie kurze Betrachtung zum Thema »Überlegungen im Irrenhaus«). Überhaupt erschien sie den ganzen Tag nicht in der Bryléschule, und als ihre beste Freundin Karin Pallgren sie gegen sechs Uhr zu Hause anrufen wollte, war sie auch dort nicht aufgetaucht.

Da begannen ihre Eltern, Unrat zu wittern.

Anna-Greta gehörte nicht zu den Mädchen, die aus dem Rahmen fielen. Ganz und gar nicht. Sie war das einzige Kind des Baptistenehepaars Sixten und Selma, hatte in den ersten beiden Gymnasialjahren bei keiner Arbeit schlechter als drei abgeschnitten und war seit ihrem vierten Lebensjahr Führerin bei den Pfadfindern. Eine Stütze der Gesellschaft und der schwedischen Jugend. Wenn sie nicht in der Schule erschien, ohne krank gemeldet zu sein, und nicht um halb sieben zum Abendessen daheim war, dann musste etwas passiert sein.

Das war so sicher wie das Amen in der Kirche. Pastor Follander startete umgehend einen Rundruf, und ein paar Stunden später waren sie im Besitz der Informationen, von denen ich bereits berichtet habe. Anna-Greta hatte nach dem schicksalhaften Platten zum ersten Mal seit viereinhalb Schulsemestern den Zug verpasst. Hatte sofort das Problem beim Schopfe gepackt, war lieber zur Kirche gelaufen und zum alten Hallbergsvägen, um zur Schule zu trampen, statt den 8.37-Uhr-Zug abzuwarten und Zweidrittel der Englischstunde zu versäumen.

Und sie war – wie gesagt und nach allem, was bekannt war – ungefähr zehn Minuten nach acht von einem roten Mercedes mitgenommen worden.

Das war alles.

Bereits am folgenden Morgen – als Greta-Fjolla nicht im 7.47-Uhr-Zug saß – war sie in aller Munde. Es wurde über nichts anderes geredet. Wo war sie? Was war passiert? Wer verdammt noch mal und was zum Teufel?

Karin Pallgren wusste ein bisschen, was los war: Anna-Greta war nicht nach Hause gekommen, Tatsache war, dass einen ganzen Tag lang kein Schimmer von ihr zu finden war, nicht, seit sie von dem roten Mercedes mitgenommen worden war. Eine Suchmeldung sollte jetzt morgens und abends im Rundfunk verlesen werden, und am Abend sollte bei den Ebenezern ein Bittgebet gesprochen werden.

Es nützte nichts. Nichts half. Anna-Greta Follander wurde am Dienstag, Mittwoch und Donnerstag in Rundfunk, Fernsehen und den Zeitungen gesucht, und wie viele Bittgebete abgehalten wurden, das wissen die Götter – aber alles war ebenso vergeblich wie um ein intelligentes Frauenzimmer zu freien, wie sich die Bauern in Brändåsen auszudrücken pflegen. Das arme Mädchen war und blieb verschwunden. Achtundzwanzig Besitzer eines roten Mercedes in ganz Mittelschweden wurden von allen möglichen Urban Urbanssons verhört und auf einer Liste potenzieller Verdächtiger zusammengestellt.

Alles schien vergeblich. In der Religionsstunde bei Studienrat Pettersson am Donnerstagnachmittag besprachen wir das Geschehene in ernsten, ethischen Formen, es war offensichtlich die Absicht des guten Mannes, uns auf das so genannte Schlimmste vorzubereiten, vielleicht hatte er eine diesbezügliche Anweisung von der Schulleitung erhalten, und als er so mit übereinander geschlagenen Beinen an seinem Pult saß und an seinem Bart auf alttestamentarische Art und Weise zupfte, da wurden nicht wenige von uns von einem Gefühl übermannt, das ein wenig feierlich und ein wenig jenseitig war.

Doch es gab auch Tränen und Zähneknirschen.

Aber als Anna-Greta am Freitagmorgen wieder auftauchte, war all das wie weggeblasen. Es dauerte eine Weile, bis alle begriffen, dass es tatsächlich Anna-Greta war – dass es sich wirklich um das gleiche Mädchen handelte, das seit Montag spurlos verschwunden gewesen war –, aber nach und nach konnte wirklich keiner mehr daran zweifeln.

Im Großen und Ganzen verhielt sie sich wie immer – als wenn nichts Besonderes passiert wäre –, aber nicht das war das Merkwürdige. Es war ihr Aussehen, das uns den Atem raubte.

Denn von außen betrachtet war A-G die Kröte, die zur

Prinzessin geküsst worden war, das hässliche Entlein, das zum Schwan wurde, wenn man so will. Sie trug enge Wranglerjeans, braune Wildlederstiefel und eine eng anliegende Bluse, die weiter von den Ebenezern entfernt war als der Mond.

Und Haare, von denen Elonsson zunächst annahm, es handle sich um eine Perücke, die aber natürlich ihre eigenen waren – veredelt mit Kamm und Schere und einer Haarfarbe, die an Bernstein und Rubin erinnerte. Mascara, rote Lippen und eine zwei Nummern größere Brust. Das war eine Metamorphose, die Ovid hätte erbleichen lassen.

»Wenn das Greta-Fjolla Follander ist, dann bin ich Frank Zappa«, stellte Åsbro-Bengtsson fest, als wir während der ersten Pause draußen auf der Treppe eine rauchten.

»Das ist sie«, sagte Meandersson. »Kannst dich lieber gleich dran gewöhnen. Weiß der Teufel, wo sie gesteckt hat, aber das werden wir wohl noch erfahren.«

Doch damit irrte Meandersson sich. Niemand erfuhr nämlich, was Anna-Greta Follander erlebt hatte oder was ihr während dieser vier Tage zugestoßen war.

Weder ihre Eltern.

Noch Karin Pallgren.

Noch irgendeine ihrer anderen Freundinnen aus der Klasse.

Anna-Greta war um acht Uhr an einem neblig-grauen Montagmorgen im September in einen roten Mercedes gestiegen, und sie war nach sechsundneunzig Stunden als ein neuer Mensch zurückgekehrt.

So war es.

So kann es gehen.

Später im Herbst ging A-G mit Simon Kavheden, einem ziemlich attraktiven Jüngling aus einer der Lateinklassen, aber ich glaube, auch er erfuhr nichts von ihrem Geheimnis – und als sie kurz danach ihr Abitur gemacht hatte, irgend so ein Stipendium bekam und nach Los Angeles zog, da wunderte das eigentlich niemanden.

Aber jetzt genug von Fräulein Follander. Mit ihrem Beispiel hat sie bewiesen, dass faktisch alles möglich ist, dass man nicht ohne weiteres die Menschen da pflücken kann, wo man sie in die Närkische Erde gepflanzt hat, und ich fand zumindest, dass in ihrem Schicksal ein gewisser Trost lag.

* * *

»Wir können nicht jede Nacht miteinander schlafen«, erklärte Signhild gähnend.

»Nein?«, fragte ich. »Warum nicht?«

»Weil … weil ich nicht will, dass deine Eltern uns überraschen. Und außerdem brauche ich auch ein bisschen Schlaf. Und du auch.«

Ich nickte widerstrebend. Es war an dem Mittwochabend in der Greta-Fjolla-Woche, und ich begann, mich nach drei Liebesnächten nacheinander langsam etwas zerknautscht zu fühlen. Vielleicht muss man ja nicht die ganze Zeit das Tempo beibehalten?, dachte ich.

»Ich bin tatsächlich in der Geschichtsstunde bei Hedbalk heute Nachmittag eingeschlafen«, gab ich zu. »Vielleicht hast du also Recht, wir müssen nicht jede Nacht zusammen sein. Aber ich liebe dich, und wenn du mich verlässt, dann sterbe ich.«

Signhild lachte. »Ich denke gar nicht daran, dich zu verlassen. Aber ich glaube, ich gehe jetzt ins Bett. Und schlafe.«

Ich schaute auf die Uhr. Es war Viertel nach sieben Uhr abends. Signhild hatte tatsächlich den Job bei Fallgrens Damenoberbekleidung in Örebro bekommen, und sie musste morgens ganz früh aufstehen, um ihren Zug zu erreichen und bei Geschäftsöffnung an Ort und Stelle zu sein. Natürlich brauchte sie ihren Schlaf. Wenn man es genau betrachtet, wirft die Liebe nicht alles über den Haufen.

Nur fast.

»In Ordnung«, sagte ich. »Ich muss auch für die Franzarbeit pauken, aber ich komme später noch zu dir rein und gebe dir einen Gute-Nacht-Kuss.«

»Das tust du nicht«, widersprach Signhild. »Sonst fangen wir sowieso nur wieder an. Ich bin auch ein bisschen wund ... ja, da unten, meine ich.«

Ich wurde rot und versprach ritterlich, meine Geliebte in keiner Weise in der Nacht zu stören. Sie verließ mich, und ich sank am Schreibtisch zusammen und fing an, Verben zu beugen.

Das Leben ist jedenfalls hübsch abwechslungsreich, dachte ich.

* * *

Am Samstagabend in der gleichen Woche waren meine Schwester Katta und ihr Urban zum Mittagessen bei uns in der Fimbulgatan. Ich weiß nicht mehr, ob es sich um irgendeine Art von besonderem Tag handelte oder ob nur meine Mutter uns gerne alle um sich versammelt sehen wollte. Es war jedenfalls ein klein wenig feierlich. Wir saßen um den Esstisch im großen Zimmer, und er war mit Großmutterporzellan und Weingläsern gedeckt. Wir tranken tatsächlich auch Wein, sogar ich bekam ein paar Gläser Valpolicella, und zum Kaffee schenkte mein Vater sich und Dubbelubbe Cognac ein.

Wahrscheinlich lag es am Alkoholkonsum, dass Dubbelubbe etwas redseliger wurde als sonst. Er konnte sich auch einen genehmigen, weil Katta in der Woche den Führerschein gemacht hatte und zu erwarten war, dass sie den Saab zurück nach Örebro zum Markbacken fahren würde. Zumindest hatte ich das Gefühl, dass es so abgesprochen war. Als wir die Tafel aufhoben, kümmerten Mutter und Katta sich um den Abwasch, während die Männer sich im Wohnzimmer vor dem Fernseher niederließen. Ich schaltete den Apparat ein und schaute mir Simon Templar an, mein Vater und Dubbelubbe auch, zumindest anfangs, aber dann behauptete mein Vater, das wäre doch der reinste Entendreck, stand auf und schenkte sich und seinem Schwiegersohn einen Grog ein.

Und dann unterhielten sie sich über den Mord.

»Ich bin jetzt auch hinzugezogen worden«, sagte Dubbelubbe.

»Wer?«, fragte mein Vater.

»Ich«, sagte Dubbelubbe, »zu den Mordermittlungen.«

»Du arbeitest da mit?«, fragte mein Vater.

»Zum Teil.«

»Hm. Das ist ja ein Ding. Na, dann prost.«

»Prost«, sagte Dubbelubbe.

Mein Vater zündete sich eine von seinen Ritz an.

»Na so was. Und womit beschäftigst du dich da genauer?«

Mir war klar, dass mein Vater im Augenblick in seiner Eigenschaft als Zeitungsmann sprach. Er hatte seit mehreren Wochen nichts mehr über den Fall geschrieben, und das hatte auch sonst niemand, aber wenn er jetzt die Möglichkeit hatte, ein wenig Insiderinformationen von einem leicht angeschickerten Polizeianwärter zu bekommen, so sagte er dazu natürlich nicht Nein. Schwiegersohn hin oder her.

»Nun ja«, sagte Dubbelubbe und streckte sich ein wenig auf dem Sofa aus. »In erster Linie Material sichten. Da gibt es jede Menge, Kommissar Vindhage ist nicht einer, der etwas dem Zufall überlässt.«

»Nein?«, warf mein Vater ein.

»Nein, ganz und gar nicht«, bestätigte Dubbelubbe.

Mein Vater zog an seiner Zigarette und dachte nach.

»Nun ja, wenn man es genau betrachtet, dann wird er ja auch dafür bezahlt. Aber ich denke, es geht mit den Ermittlungen gar nicht so schlecht voran. Sie bräuchten nur ein paar kompetentere Leute.«

»Hrmpff!«, stieß Dubbelubbe aus und stellte sein Glas hart auf den Tisch. »Es dauert nicht mehr lange, bis wir ihn haben.«

»Holla! Und welche Anzeichen gibt es dafür?«

Mein Vater schien fast amüsiert zu sein.

»Jede Menge. Es ist ja trotz allem so einiges in der letzten Zeit passiert.«

»Wirklich?« Mein Vater klang immer noch verwundert. »Und was denn zum Beispiel?«

Dubbelubbe zögerte. Starrte auf den Fernsehbildschirm. Simon Templar zog gerade den Revolver und warf sich durch eine Tür, aber ich hatte inzwischen den Faden verloren.

»Alles Mögliche. Ester Bolego zum Beispiel. Ihre Schwangerschaft und dass ... ja, dass Signhild bei euch eingezogen ist.«

Ich schaute auf die Uhr. Es war kurz vor halb zehn; Signhild war mit der blöden Mona im Kino und würde ungefähr in einer Stunde zurück sein. Plötzlich war ich dankbar dafür, dass sie dem Essen fern geblieben war. Ich fand das Gespräch interessant, und es wäre wohl kaum zu Stande gekommen, wenn die Tochter des Mordopfers zur Stelle gewesen wäre. Nie im Leben.

»Es deutet alles darauf hin, dass ...«, sagte Dubbelubbe und trank einen Schluck Grog.

»Was deutet worauf hin?«, fragte mein Vater.

»Dass ein Liebhaber mit im Spiel ist. Dass Ester Bolego mit einem anderen Mann zusammen war.«

»Wärst du das nicht, wenn du mit diesem Kekkonen verheiratet gewesen wärst?«, brummte mein Vater, aber Dubbelubbe gab keine Antwort.

Dann saßen beide eine Weile schweigend da. Templar streckte einen Gangster zu Boden und strich sich die Haare glatt.

»Und welche Schlussfolgerung zieht die Polizei aus dieser

Hypothese?«, fragte mein Vater weiter. »Das wäre interessant zu erfahren.«

»Äh ...«, sagte Dubbelubbe. »Ich sollte wohl nicht ...«

»Ach, Schnickschnack«, widersprach mein Vater.

Dubbelubbe starrte wieder auf den Fernseher. Mr. Templar hatte sich jetzt neben einer vollbusigen Blondine am Swimmingpool niedergelassen. Ich überlegte, ob ich den Fernseher lieber ausschalten sollte.

»Wir haben ...«, setzte Dubbelubbe an, »äh, ich meine ... Vindhage wollte mich erst irgendwie ausnutzen ... mit Hinblick auf Katta und dass ... ja, dass ihr sozusagen Nachbarn seid.«

»Ich verstehe«, sagte mein Vater. »Aber dann ist es doch nicht dazu gekommen?«

»Nein, jetzt benutzen wir die Fredrikssons stattdessen.«

»Die Fredrikssons?«

»Ja.«

»Und wie?«

Dubbelubbe zögerte erneut. Mein Vater schenkte die Gläser nach.

»Ach, ist ja auch egal«, sagte Dubbelubbe. »Wir haben dort einen Mann platziert.«

»Ihr habt einen Polizisten bei Fredrikssons platziert?«

»Ja.«

»Warum um alles in der Welt denn das?«

Dubbelubbe räusperte sich.

»Das war sogar mein Vorschlag«, erklärte er mit nur schwer verstecktem Stolz in der Stimme. »Ich habe ihn mal eingeworfen, und der Kommissar hat sofort zugebissen. Wir haben seit letzter Woche ein Zimmer im ersten Stock gemietet ... ständige Überwachung, bis jetzt hat es noch nichts gebracht, aber es ist nur eine Frage der Zeit.«

Mein Vater saß eine Weile gedankenverloren da.

»Du meinst«, sagte er dann, langsam und nachdenklich,

»du meinst also, dass ihr glaubt, der Mörder werde kommen und sie früher oder später besuchen? Willst du das damit sagen?«

»Hm«, sagte Dubbelubbe, »ja, genau … oder … ja, auf jeden Fall kann es doch nicht schaden, sie unter Beobachtung zu haben, oder?«

»Ja, kann schon sein«, meinte mein Vater. »Aber es ist keine geheimnisvolle Person aufgetaucht oder so?«

Dubbelubbe kratzte sich nervös am Schenkel und zog die Bügelfalte gerade.

»Nein«, antwortete er. »Wie gesagt. Noch nicht.«

Dann hatte er zweimal einen Schluckauf.

Dann ging er auf die Toilette.

Dann kam meine Mutter ins Zimmer und fragte, was das denn sein sollte, hier zu sitzen und den Jungen …

»Ja, ja«, sagte mein Vater, »früh krümmt sich, was ein Häkchen werden will.«

# 24

Am Dienstag, dem 3. Oktober, fand die Regionalmeisterschaft in Leichtathletik für Gymnasiasten am Grenadjärvallen in Örebro statt. Da der Bryléschule in einigen Disziplinen Teilnehmer fehlten, hatten Elonsson und ich uns als Kugelstoßer gemeldet.

Es war nicht so, dass wir irgendwelche Ambitionen hegten, aber wenn man ein oder zwei Fehlsprünge absolvierte und dann den Wettkampf abbrach – und auf diese Art und Weise einen ganzen Schultag umging –, so war es kein Problem, klein beizugeben.

Warum der Sportbereichsleiter Flodin uns mitgehen ließ, das ist eine andere Frage, vielleicht hoffte er, dass wir es doch zu der ein oder anderen verirrten Kugel bringen würden.

Auf jeden Fall kam Elonsson etwas von der Bahn ab. Zwar befiel ihn bereits beim Aufwärmen eine eigentümliche Daumenverletzung, aber dafür wurde er zum kurzen Staffellauf zwangsrekrutiert (am späten Nachmittag angesetzt), da einer der aufgestellten Läufer sich beim Probelauf den Fuß verdreht hatte.

Was mich betraf, so lief alles nach Plan. Ich verließ den Grenadjärvallen nach wohlverrichteten Würfen bereits um elf Uhr vormittags (Übertreten – sechsfünfundvierzig – Übertreten, Verletzung, ausgeschieden … wenn ich mich richtig erinnere, dann lag der Siegerstoß in der Gegend von vierzehn Metern), und trottete frohgemut Richtung Stadt, um in irgendeiner Konditorei mit Signhild die Mittagspause zu verbringen.

Nach einer kleinen Debatte entschieden wir uns für Die Drei Rosen, saßen dann dort jeweils bei unserer Limonade und unserem Krabbensandwich, und plötzlich war da wieder dieser Hauch von Trauer über ihr.

Eine Wolke der Hoffnungslosigkeit, es war fast unmöglich, irgendein Gesprächsthema zu finden. So versuchte ich sie beispielsweise ein wenig in Gegenwartsmusikgeschichte zu unterweisen – sie kannte weder Pink Floyd noch The Who oder Velvet Underground, wie sich herausstellte –, aber nicht einmal das griff so recht. Ihre Arbeit bei der Damenbekleidung bei Fallgrens war so stumpfsinnig, dass sie sie innerhalb von zehn Sekunden beschreiben konnte, und als ihre Mittagspause endlich zu Ende ging, war ich fast erleichtert.

Hatte aber natürlich gleichzeitig ein schweres Herz. Wenn es kein besseres Gefühl sein sollte, mit seiner Geliebten in einem mondänen Café zu sitzen und ein scheißteures Krabbenbrot zu essen, ja, was hatte es dann noch für einen Sinn, weiterzumachen? Mit dem Leben an sich.

Aber vielleicht war es auch nur gerecht, eine Strafe zu bekommen, wenn man als falscher Kugelstoßer aufgetreten war, dachte ich. Das Leben konnte so sein, und vielleicht lag eine gewisse Gerechtigkeit darin. Zumindest eine Art von Ausgewogenheit.

Ich dachte an die Betrachtung, die ich für Angelo Grönkvist geschrieben hatte, und ich dachte an Eric Burdon: When I think of all the good times, that's been wasted havin' good times.

So war es ja nun nicht. Das Leben sah nicht so aus, Mr. Burdon. Love hurts like a furnace inside, das schon eher. Ich versuchte, mich daran zu erinnern, wohin diese Textzeile eigentlich gehörte, aber es fiel mir nicht ein. Vielleicht war das eben so ein Tag, an dem im Großen und Ganzen nichts klappen wollte. Zumindest schien es so.

Mit ähnlich deprimierten Gedanken im Kopf begab ich mich zur Södra Station. In der nächsten halben Stunde ging kein Zug, wie ich feststellen musste, ich kaufte ein Aftonblad und ließ mich auf einer der Bänke im Wartesaal nieder, und da hatte ich gerade mal zehn Sekunden gesessen, als Ester Bolego hereinkam.

Ich erblickte sie kurz, bevor sie mich sah, und mein erster Impuls war zu fliehen. Das ist nicht zu leugnen, obwohl ich weiß, dass ich genau das natürlich hinterher tat.

Leugnen, meine ich. Warum um alles in der Welt sollte ich denn weglaufen und mich vor Signhilds Mutter verstecken? Dazu gab es doch wohl bitte schön keinen Grund.

Oder aber ich wollte nur nicht zugeben, dass es den sehr wohl gab.

»Hej«, sagte sie. »Sitzt du hier?«

Ich gab zu, dass dem so war.

»Willst du nach Kumla?«

Auch das gab ich zu.

»Wie schön. Dann habe ich ja Gesellschaft.«

»Ja.«

Ich schluckte. Betrachtete sie verstohlen und faltete meine Zeitung zusammen. Sie setzte sich mir gegenüber. Sie trug eine lange rote Jacke und eine schwarze Hose. Eine glänzende, schwarz-rot-gestreifte Schultertasche. Sie sah ungefähr aus, als käme sie gerade von Dreharbeiten, das dichte Haar trug sie offen, sogar ihr hervorstehender Bauch war schön.

Wenn ich zwanzig Jahre älter wäre, dachte ich plötzlich, dann würde ich wahrscheinlich ...

»Musst du heute nicht in die Schule?«

»Ne ... Nein ...«, stotterte ich und spürte, wie ich rot wurde. »Ich war bei den Leichtathletikwettkämpfen.«

»Leichtathletik?«, wiederholte sie und sah dabei etwas

verwundert aus. »Ich wusste gar nicht, dass du das machst …«

»Mittlere Strecke«, unterbrach ich sie schnell. »Fünfzehnhundert Meter und so.« Es erschien mir einfach zu absurd, ihr zu erzählen, dass ich Kugelstoßer war. Wenn man ein epileptischer Hänfling ist, dann muss man dazu stehen.

Sie nickte und blieb eine Weile schweigend sitzen.

»Und Sie?«

Ich war ganz einfach gezwungen zu fragen, es hätte merkwürdig ausgesehen, wenn ich es nicht getan hätte. Sie sah mich mit ernster Miene an, so, wie ich es von früher von ihr kannte, bevor alles drunter und drüber ging in diesem merkwürdigen Sommer. Sie sog die Wangen ein wenig ein, so dass ihre Gesichtszüge noch schöner wurden, noch deutlicher, und schielte ein ganz klein wenig.

»Und ich, ja?«, sagte sie dann mit einem kurzen selbstironischen Lächeln. »Ja, es gibt wohl viele, die sich fragen, was ich so mache.«

»Ja?«, sagte ich dumm.

»Du brauchst nicht so zu tun. Ich weiß, wo der Hund begraben liegt. Man lernt, es zu ertragen, und ich gehöre nicht zu denen, die sich darüber aufregen.«

»Ja, ja, ich weiß nicht …«

»Es gibt Dinge, die scheuen nicht das Tageslicht, und es gibt andere, die bleiben lieber im Keller.«

»Ja …?«

Fünf Sekunden Schweigen. Ich umklammerte mein Aftonblad und starrte auf einen hellgelben Fleck an der hellgelben Wand.

»Was die Leute in Kumla meinen und sagen, das ist nicht immer das, was man meinen und sagen sollte. Ich möchte, dass du das weißt. Das ist wie mit der Wahrheit in Athen und anderswo und so …«

Ich wusste nicht, was ich dazu sagen sollte. Fühlte mich

immer mehr wie ein Dorftrottel, der dasaß und seine Gedanken mit einer Philosophin austauschte. Oder mit einer Göttin. Oder einer Mischung aus beidem.

»So ist es nun wohl«, sagte ich. »Übrigens, ich habe Signhild getroffen ...«

Das hatte ich gar nicht sagen wollen. Nicht, dass es irgendeine Rolle spielte, aber ich hatte keine Lust, mit ihrer Mutter über Signhild zu reden. Mit ihrem Röntgenblick würde sie sicher innerhalb von wenigen Minuten herausfinden, wie es eigentlich zwischen uns stand. Dass wir eine Beziehung miteinander hatten.

Und ich wollte nicht, dass sie das wusste. Ganz und gar nicht. Und das wollte Signhild auch nicht, das hatte sie nicht nur einmal gesagt. Dass wir einen Kontakt hatten, wie gute Freunde ihn eben haben, das war natürlich kein Geheimnis, aber dass ... Nein danke, dachte ich. Noch nicht. Nicht heute.

Ich glaube, das hatte auch etwas mit den anvertrauten Dingen zu tun. Dass ich von Dingen wusste, von denen Ester Bolego nicht wusste, dass ich sie wusste. Als wäre ich fast so eine Art Betrüger.

»Ich auch«, sagte sie.

»Was?«

»Ich habe Signhild auch getroffen. Habe heute Morgen bei ihr im Laden vorbeigeschaut.«

Davon hatte Signhild während unserer düsteren halben Stunde in den Drei Rosen nichts erzählt. Ich hätte gern gewusst, warum nicht.

»Wahrscheinlich werde ich bald ganz in ihrer Nähe arbeiten.«

»Ach? Und wo?«

»In dem großen Hotel. Die brauchen für ein paar Monate jemanden für die Rezeption, und ich glaube, das werde ich übernehmen.«

Ich sah ein, dass es keine Frage war, inwieweit der Arbeitgeber Ester Bolego haben wollte oder nicht, wenn sie sich eine Stelle suchte, sondern ob sie selbst bereit war, die Bedingungen zu akzeptieren.

Sogar in so einer Lage wie dieser. Mein Einblick in die Hotelwelt war zwar begrenzt, aber ich hegte dennoch die Vermutung, dass es ein wenig ungewöhnlich war, eine hochschwangere Frau in der Rezeption zu haben. Zumindest eine *neu eingestellte* hochschwangere Frau.

»Wie schön«, sagte ich. »Ich meine ...«

Ich wusste nicht so recht, was ich eigentlich meinte. Etwas in der Richtung, dass es doch schön für sie sei, von Kumla und all den giftigen Mäulern wegzukommen wahrscheinlich, aber offenbar fiel es mir an diesem Tag außergewöhnlich schwer, mich auszudrücken.

»Ich habe natürlich auch bei der Polizei vorbeigeschaut.«

»Bei der Polizei?«

»Kommissar Vindhage möchte mich gern hin und wieder für ein Gespräch sehen.«

»Warum denn das?«

Mein Gott, dachte ich. Die Worte rutschen mir ja wie trivialer Dünnpfiff raus. Bringt mich weg von hier! Schmeißt mich auf die Müllhalde oder begrabt mich im Torfmoor oder wo auch immer ... nur macht, dass ich hier nicht länger sitzen und wie ein Idiot plappern muss!

»Das verstehst du doch wohl, Mauritz. Du brauchst dich nicht dümmer zu geben, als du bist. Wie ging es denn meiner geliebten Tochter, als du sie getroffen hast? Du musst gut auf sie aufpassen, sonst kriegst du es mit mir zu tun.«

Sie lächelte, als sie das sagte, aber es war ein eiskaltes Lächeln, und in ihren Worten lag mehr Ernsthaftigkeit, als mir lieb war.

»Ja, natürlich«, brachte ich heraus. »Ich werde nie ... das werde ich nie.«

Ich sah, dass sie auf eine Fortsetzung oder genauere Erklärung wartete, während sie mit dem Daumennagel einen winzig kleinen Flecken auf ihrem Jackenärmel wegkratzte, aber ich bekam nicht das kleinste Wort zu fassen.

»Du redest schon wie deine Mutter«, sagte sie schließlich. »Doch, das tust du wirklich. Ich glaube, wir sollten jetzt aber lieber auf den Bahnsteig gehen, sonst verpassen wir noch unseren Zug.«

Ich warf einen Blick auf die Uhr, die über dem Fahrkartenschalter hing. Es waren noch fast zehn Minuten bis zur Abfahrt, aber ich war dankbar für jede Veränderung der Lage.

Und als ich ihr die Tür aufhielt – genau in dem Moment, als ich dastand und einen plötzlichen kalten Herbstwindstoß im Nacken spürte –, da kam mir der Gedanke, dass Ester Bolego wahrscheinlich genau die innere Stärke besaß, die notwendig war, um jemandem den Kopf abzuschlagen.

Ich weiß, das war das erste Mal, dass ich diesen Gedanken ernsthaft dachte.

* * *

Mein Vater nutzte niemals Dubbelubbes zufällige Redseligkeit aus, er schrieb keine Zeile in der Länstidningen über den Dunkelmann bei Fredrikssons, aber vielleicht hätte er es doch getan, wenn die Entwicklung im Fall Kekkonen nicht eine neue, überraschende Wendung genommen hätte, gerade in diesen Tagen Anfang Oktober.

Übrigens sah ich bei unseren Nachbarn niemals auch nur den Schatten ihres neuen Untermieters, vielleicht hatte man ihn also aus Kostengründen abgezogen, da er sowieso keine Resultate brachte. Oder aber Vindhage hatte sich letztendlich doch nicht für Ubbes Idee erwärmt, ich weiß es nicht, und soweit ich es beurteilen kann, spielte das auch keine Rolle.

Was hingegen von beträchtlicher Bedeutung war – und was die Gerüchteküche von neuem zum Kochen brachte –, das war der anonyme Brief, der in zwei Exemplaren aus

Hallsberg mit dem Datum des Poststempels vom 5.10.67 abgeschickt wurde. Der eine war adressiert an Kommissar Vindhage im Polizeirevier von Örebro, der andere, eine Kopie, ging an meinen Vater bei der Lokalredaktion der Länstidningen in Kumla.

Der Inhalt war – ebenso wie die Adressen auf dem Umschlag – maschinengeschrieben, laut späteren Untersuchungen auf einer altmodischen Schreibmaschine der Marke Halda, und unterzeichnet mit *Herr P.*

Was dieser Herr P behauptete, das war vielleicht nicht hundertprozentig sensationell, aber es führte dennoch dazu, dass die Ermittlungen, die inzwischen in ihren vierten zähen Monat gekommen waren, eine Art frischen Wind unter die Flügel bekamen.

Zumindest war das die Formulierung, die mein Vater benutzte – und die Hoffnung, die er damit aussprach –, als er den Text in ganzer Länge in der Samstagsnummer der Länstidningen veröffentlichte.

Natürlich erst, nachdem er die Zustimmung von Kommissar Vindhage eingeholt hatte, wie er betonte. Es war selbstverständlich von höchster Bedeutung, dass bei einem so kniffligen und erschreckenden Fall wie diesem alle wohlmeinenden gesellschaftlichen Kräfte am gleichen Strang zogen.

Und die Allgemeinheit hatte, wie immer, das Recht, die Wahrheit zu erfahren.

Also, das stand in dem Brief:

*Meine hochverehrten Herren!*
*Ich bin nur ein einfacher Mitbürger, der auf diese Weise seine Pflicht tun möchte.*
*Und ich möchte anonym bleiben.*
*Ich habe über diesen schauderhaften Mord in der Zeitung gelesen, da mag man ja seinen Ohren nicht trauen. Aber nun verhält es sich so, dass ich*

*denke, ich kann der Polizei von Nutzen sein, wenn es um die Aufklärung dieser schauderhaften Tad geht.*
*Letzte Woche besuchte ich das Hospital, da ein Bekannter von mir dort liegt, und ich verbrachte auch eine Zeit lang im Café im Erdgeschoss.*
*Da habe ich sie gesehen, diese Ester Bolego, die Frau des Ermordeten, und sie unterhielt sich auf die intimste Art und Weise, die man sich denken kann, mit einem Kerl. Sie hielten einander bei der Hand und flüsterten sich die ganze Zeit etwas zu, ich habe sie von dem Foto in der Zeitung wiedererkannt, ich saß ja nur einen Meter hinter ihr. Und sie trug am rechten kleinen Finger einen Ring mit ein roten und ein grünen Stein, wenn Sie mir nicht glauben, und der Mann trug ein kariertes Flannellhemd. Mir ist auch noch aufgefallen, dass er ziemlich dunkle Haut hatte, einen Schnurrbart und mit schonischem Akzent sprach. Ich denke, es könnte der Mörder sein, aber das müssen Sie herauskriegen.*

*Hochachtungsvoll*
*Herr P*
*der anonym bleiben möchte.*

*P. S. Es ist ja schrecklich, dass er immer noch frei herumläuft, meine Nachbarin traut sich nicht mehr abends auf die Straße. P*

* * *

»Und warum um alles in der Welt veröffentlicht ihr so einen Brief?«, rief meine Mutter am gleichen Nachmittag aus, als mein Vater gerade von der Redaktion nach Hause kam.

»Wie bitte?«, fragte mein Vater.

»Er kann ja nicht mal richtig schreiben.«

»Wie schön, dass dir das aufgefallen ist«, erwiderte mein Vater.

»Er ist ja ... er kann ja nicht ganz bei Verstand sein, das kann ja ein Kind ...«

»Quatsch«, widersprach mein Vater. »Du willst doch nicht behaupten, dass er, nur weil er die Rechtschreibung nicht beherrscht, auch auf allen anderen Gebieten unfähig ist?«

»Nein«, sagte meine Mutter und sah sogar noch wütender aus als damals, als meine Schwester vor langer, langer Zeit den Kühlschrank mit Nagellack angemalt hatte, »das will ich natürlich nicht. Ich meine nur, dass es einfach erfunden sein kann, und das sollte man überlegen, bevor man ...«

»Kommissar Vindhage ist nicht der Meinung, dass es erfunden ist«, erwiderte mein Vater mit säuerlicher Stimme. »Und ich auch nicht. Herr P mag weit von den Fähigkeiten eines Nobelpreisträgers entfernt sein, aber das disqualifiziert ihn ja noch nicht als Zeugen.«

Meine Mutter schnaubte verächtlich.

»Und was sagt Ester selbst zu der Sache?«

Mein Vater probierte den lauwarmen Kaffee, den er sich gerade eingeschenkt hatte, und verzog das Gesicht.

»Nach allem, was Vindhage behauptet, leugnet sie. Sie sagt, dass sie nie im Krankenhauscafé saß, weder allein noch in Gesellschaft eines Mannes ... aber schließlich haben wir ja den Brief veröffentlicht, um Klarheit zu bekommen.«

»Worüber Klarheit?« Ich konnte meine Frage nicht mehr zurückhalten.

Mein Vater betrachtete mich einen Moment lang verwundert, dann räusperte er sich und wurde ganz pädagogisch.

»Zum Ersten«, sagte er, »habe ich einen eindringlichen Appell an Herrn P geschrieben, mit der Polizei Kontakt aufzunehmen. Schon in der Einleitung. Wenn er dieser Bitte nachkommt, können Vindhage und seine Männer bestimmt beurteilen, wie viel an der Sache überhaupt dran ist. Zum Zweiten hat die Länstidningen mindestens hunderttausend Leser, da ist es ja nicht undenkbar, dass der eine oder andere von ihnen auch an diesem Tag im Krankenhaus war. Hm.«

Meine Mutter wusch laut klappernd das Geschirr ab.

»So langsam habe ich genug von dieser Geschichte«, sagte sie. »Die Leute sollten sich lieber ... oder so widmen.«

Wieder überlegte ich, welches Wort sie wohl ausgelassen hatte.

*Klöppeln? Ihrem eigenen Leben? Der Politik?*

»Soweit ich weiß, verjährt in unserem Land ein Mord noch nicht nach vier Monaten«, sagte mein Vater und verließ die Küche.

* * *

An diesem Abend diskutierten wir, Signhild und ich, sogar den Fall.

Oder in der Nacht besser gesagt; nach einigen Tagen Pause hatten wir uns wieder geliebt (ich hatte mich am vergangenen Abend im Schutz von Dunkelheit und Regen hinausgetraut und neue Kondome aus dem Automaten an der Johannes-Kyrkogata gezogen), und als wir fertig waren, fragte sie, was ich von diesem Herrn P hielte.

Es wunderte mich etwas, dass Signhild das Thema anschnitt. Wir hatten diese Mordgeschichte seit Wochen kaum noch erwähnt, und ich überlegte ziemlich lange, was ich denn eigentlich davon hielt.

»Ich weiß nicht«, sagte ich. »Mir erscheint er ziemlich glaubwürdig, aber er kann sich ja dennoch geirrt haben. Und was hältst du selbst davon?«

Signhild blieb mindestens eine Minute schweigend und bewegungslos liegen.

»Das kann an dem Tag gewesen sein«, erklärte sie dann,

»als wir Krabbensandwich in den Drei Rosen gegessen haben. Sie ist zu Fallgrens gekommen und hat mit mir gesprochen, und irgendwas war mit ihr.«

Darauf erwiderte ich erst einmal nichts. Ich hatte ihr nicht erzählt, dass ich Ester Bolego auch an der Södra Station getroffen hatte, und ich wollte es ihr auch jetzt nicht sagen. Strich stattdessen vorsichtig mit den Fingerspitzen über Signhilds wunderbar flachen Bauch und spürte, wie sie leicht zitterte. Ich fühlte eine merkwürdige Mischung aus Ruhe und Erregung in mir. Was hatte Signhild da gesagt? Was meinte sie?

»Du glaubst, deine Mutter kann in dem Krankenhaus gewesen sein, wenn man es recht überlegt?«

»Ich weiß nicht, was ich glaube. Streichle mir auch noch die Brust, lieber Mauritz, ich fühle mich so einsam.«

»Du bist nicht einsam, Signhild. Ich bin bei dir. Ich liebe dich, ich würde mir für dich den Kopf amputieren lassen.«

»Danke, Mauritz, aber das ist wirklich nicht nötig.«

Ich strich ihr über die Brust.

»Das Krankenhaus?«, nahm ich das Stichwort auf.

»Da ist dieser Ring«, sagte sie. »An den denke ich. Sie trägt ihn sonst nie. Ich weiß nicht, von wem sie den hat, aber er liegt immer in einer kleinen Schachtel in der Schublade mit Unterwäsche. Mit einem grünen und einem roten Stein, so etwas habe ich noch nie gesehen. Woher kann er das wissen, dieser Herr P ...?«

Ich überlegte.

»Einer aus Skåne in kariertem Hemd?«, sagte ich. »Darf ich dir ganz offen eine Frage stellen, Signhild?«

Ich hörte an ihrem Atem, dass sie das eigentlich nicht wollte.

»Ja.«

Ich nahm all meinen Mut zusammen.

»Könnte es ... könnte es so sein, dass deine Mutter etwas

mit einem dunkelhäutigen Schachspieler aus Skåne hatte und dass sie … dass sie gemeinsam auf irgendeine Art deinem Vater den Kopf abgeschlagen haben? Hast du Angst, dass es so gewesen sein könnte?«

Signhild lag lange vollkommen unbeweglich da.

»Gibt es etwas, was du mir nicht erzählt hast?«, fügte ich hinzu.

Da fing sie vollkommen hemmungslos an zu weinen.

# 25

Ein paar Nächte später hatte ich einen der merkwürdigsten und gleichzeitig deutlichsten Träume, die ich jemals gehabt hatte. Vielleicht war es sogar so, dass ich zwei Nächte nacheinander geträumt habe, ich hatte das Gefühl, mich in dem Traum ungewöhnlich gut auszukennen – konnte mich aber erst nach dem zweiten Mal richtig daran erinnern. So ist es ja eigentlich immer mit Träumen, meine ich, die meisten bleiben auf der Innenseite des Unterbewusstseins, und wir kommen ihnen mit unserem wachen Verstand nie wirklich nahe. Ich weiß, dass ich mit Tante Ida ein paar Jahre vor dem Kekkonen-Mord schon einmal darüber geredet hatte – und dass sie ganz meiner Meinung war, aber noch hinzufügte, dass man viel besseren Kontakt mit seinen Träumen und seiner inneren Landschaft hat, wenn man blind ist.

Seine innere Landschaft, der Ausdruck gefiel mir.

Auf jeden Fall, der Traum verlief folgendermaßen.

Ich war vollkommen nackt und befand mich auf einem riesigen Marktplatz. Es war Nacht, und der Regen prasselte mit einer Macht herunter, dass mir klar war, dass Gott über alle Ideen und das Treiben der Menschen sehr erzürnt sein musste.

Auch wenn der Markt ganz menschenleer zu sein schien, so versuchte ich dennoch, meine Nacktheit so gut es ging zu verbergen, aber das Einzige, was ich in der Hand hatte, das war eine Axt. Sie war scharf geschliffen und glänzte, und während ich zu einer dunklen Gebäudereihe hastete, die ich in weiter Ferne erkennen konnte, hielt ich mir die Axt vor die Genitalien, ein Wort, das ich gerade für einen bevorstehenden Englischtest gelernt hatte. Genitals. Genitals. Genitals … in der Entfernung konnte ich hören, wie Frau Rubenstråle der Klasse die Vokabel rhythmisch vorsprach und wie sie sie alle aus Herzenslust wiederholten, alle außer mir, denn ich war damit beschäftigt, mit meiner Axt über den nassglänzenden Markt zu kommen.

Und als ich mich endlich ein wenig den Häuserfassaden zu nähern schien, da bog ein Wagen vor mir auf den Platz, beide Vordertüren wurden aufgerissen, ich sah, dass es ein dunkler Amazon war und dass Kommissar Vindhage auf dem Fahrersitz saß. Er trug ein rotes Kleid, das ich von irgendwoher kannte, und er betrachtete mich verkniffen, während er seine Fingernägel mit einem langen Messer mit dünner Klinge reinigte. Außerdem nagelte er mich an dem Punkt fest, an dem ich gerade in dem strömenden Regen stand, ich konnte mich nicht bewegen, aber das war nicht das Einzige, was die Situation so kompliziert machte; vielmehr war es die Frage, wie ich Vindhage dazu bringen konnte, nicht die Axt zu entdecken, ohne gleichzeitig meine vollkommene Nacktheit zu enttarnen, die meine Gedanken beschäftigte, da gab es irgendeinen logischen Fehler in der Gleichung, wie ich einsehen musste, doch bisher hatte er seinen Blick noch nicht auf meine Genitalien gesenkt.

Aber es war natürlich nur eine Frage von Sekunden, bevor er das tun würde, und ich begann verzweifelt, *Bring it on home to me* zu singen, um ihn zu verwirren und seinen Blick weiter auf mein Gesicht und meine Lippen gerichtet zu halten, aber nach den ersten Strophen hatte ich den Text vergessen, und der Beifahrer neben ihm beugte sich über ihn und schaute mich mit seinen schönen Augen an. Es war Ester

Bolego, sie schüttelte leicht den Kopf über meinen lächerlichen Versuch, und plötzlich tauchte ein Hund auf, der die beschlagene Scheibe vorm Rücksitz mit seiner Nase blank rieb – als hätte es auch im Auto geregnet –, und jetzt presste Signhild ihr Gesicht gegen das Glas, und es war unmöglich zu sagen, wer von den Dreien am meisten von mir enttäuscht war.

Lange Zeit geschah gar nichts, zäh dahinfließende Minuten lang befanden wir uns auf diesem menschenleeren, dunklen Marktplatz, ich, Kommissar Vindhage, Ester Bolego und Signhild. Sie starrten mich ununterbrochen an, alle drei trocken und warm in ihrem Amazon, also regnete es offenbar da drinnen doch nicht, und ich fing immer und immer wieder mit meinem Lied von Neuem an: *If you ever change your mind, about leaving, leaving me behind, oh oh, bring it to me, bring your sweet lovin', bring it on home to me* … bis mir plötzlich Elonsson auf die Schulter klopfte. Ich drehte mich um, er saß vor einem Schachbrett, auf dem nur zwei Spielfiguren standen, ein weißer Bauer und eine schwarze Dame, und das halbe Spielbrett lag im Sonnenschein, die andere Hälfte im Schatten, der weiße Bauer stand auf der Sonnenseite und die Dame im Schatten, aber so nahe an der Scheidegrenze, dass ihre Krone und ihr Kopf noch im Licht lagen.

Und anschließend kam ein Motorrad mit Beiwagen angefahren, ich hob meine Axt und schlug es in der Mitte durch, so dass das Motorrad und der Beiwagen jeweils auf einer Seite von Elonsson vorbeifuhren, und es war mein Vater, der im Beiwagen saß, und meine Mutter fuhr, und in dem Augenblick rief Kommissar Vindhage: »Bravo!«, und ich wachte auf.

Ich war in Schweiß gebadet, und die Uhr zeigte zehn nach fünf am Morgen. Der Regen fiel auf den Kastanienbaum.

* * *

Herr P wurde tatsächlich nach der Veröffentlichung seines Briefs in der Länstidningen zum allgemeinen Gesprächsthema. Tage-, ja wochenlang. Nach allem, was ich hörte, teilte Kumla (und vielleicht der Rest der Welt ja auch) sich schnell in zwei Lager: in diejenigen, die Herrn P für vertrauenswürdig hielten, und die, die meinten, er würde nur Blödsinn reden.

In letzterer Gruppe herrschten zwei Richtungen: die, die meinten, dass Herr P einfach nur ein Dummkopf sei, der meinte, er hätte etwas Wichtiges gesehen, obwohl dem gar nicht so war – und diejenigen, die glaubten, dass er bewusst gelogen habe, um der Polizei einen Streich zu spielen oder wichtig zu tun.

Was für einen Sinn es nun haben sollte, wichtig zu tun, wenn man es anonym tat, sei dahingestellt.

Soweit zu beurteilen war, schienen jedoch die Glaubwürdigkeitsanhänger in der Majorität zu sein. Es schien gute Gründe zu geben, um zu glauben, dass Ester Bolego wirklich vor einiger Zeit mit einem fremden Mann in kariertem Hemd im Café des Krankenhauses gesessen und sich unterhalten hatte, und es war natürlich außerdem so, dass die Leute es glaubten, weil sie es gern glauben wollten. Und ebenso logisch war es natürlich auch, dass sie sich an Rut Lind und an Olle Möller erinnerten.

In diesem Fall, einem der meistdiskutierten in der gesamten schwedischen Kriminalgeschichte, war »der Mann im Hemd« ein Begriff im frühen Stadium des Falls gewesen, und damals wie heute war er im Krankenhaus von Örebro aufgetaucht.

Nur Stunden bevor Frau Lind in Dylta umgebracht worden war. Oder im Dreieck des Todes oder wie es nun genannt wurde.

Der Unterschied war nur, dass in der Rut-Lind-Geschichte Möller sich selbst an die Presse gewandt und zugegeben hatte, dass er mit dem »Mann im Hemd« identisch war. Etwas Ähnliches geschah diesmal, acht Jahre später, nicht. Kein »Mann im Hemd« tauchte auf, und auch kein Herr P – trotz erneuter Ermahnung der Polizei in allen möglichen Medien und Zusammenhängen. Man bat Herrn P sogar, seine Beobachtungen durch einen neuen Brief zu bestätigen, ohne seine wahre Identität preisgeben zu müssen, aber nicht einmal so weit kam er der Polizei entgegen. Zwar bekam die Polizei zwei Briefe von Personen, die behaupteten, sie wären Herr P, aber beide wurden schnell als Fälschungen entlarvt und beiseite gelegt. Vindhage hatte gefordert, dass eventuelle neue Briefe den gleichen Poststempel wie das Original tragen sollten – eine Information, die man aus taktischen Gründen zurückgehalten hatte, wie mein Vater mir vertraulich unter vier Augen erklärte –, aber keiner der beiden Briefe kam aus Hallsberg.

Dennoch waren also die meisten, deren Meinung ich hörte, dazu geneigt, Herrn P zu glauben. Sowohl der Tatsache, dass er existierte, als auch der, dass er etwas gesehen hatte.

Und ganz gleich, was das für Konsequenzen nach sich zog, auf jeden Fall wurde dadurch Ester Bolegos Schicksal nicht einfacher. Es hieß, dass sogar Leute, die nie im Leben mit dem Gedanken gespielt hatten, im Stora Hotel in Örebro zu übernachten, jetzt jede Gelegenheit nutzten, dorthin zu fahren, nur um sie eventuell einmal kurz in der Rezeption zu erblicken.

Aber es wird natürlich viel geredet in der Mitte der Welt. Wurde es immer schon.

* * *

An einem Freitag machte ich mich erneut auf zu Vindhage in das Polizeirevier von Örebro. Wir hatten den Tag mit Rücksicht auf meinen Stundenplan ausgesucht: Eine ganztägige Prüfung in Mathematik in der Aula der Bryléschule – neunzehn Punkte von vierundzwanzig erreichbaren, wie sich später herausstellen sollte, meine beste Note seit Menschengedenken – führte dazu, dass ich den Zug um 12.25 Uhr von Hallsberg nehmen und um Viertel nach eins im Zimmer des Kommissars sein konnte.

Er sah aus wie beim letzten Mal. Vielleicht ein wenig verhärmter, etwas dunklere Schatten unter den Augen. Aber der gleiche graubeige Anzug, die gleiche graugrüne Haut und der gleiche Schlips.

»Setz dich«, sagte er. »Möchtest du etwas zu trinken?«

»Nein, danke.«

Einen Augenblick lang überlegte ich, wie er wohl reagiert hätte, wenn ich ihn um einen Whisky on the rocks gebeten hätte.

»Ist die Arbeit gut gelaufen?«

»Ich denke schon.

»Mathematik?«

»Ja.«

»Wichtiges Fach.«

»Das findet Lindmos auch.«

»Wer ist Lindmos?«

»Unser Mathelehrer.«

»Ach so. Ja, er wird schon wissen, wovon er redet. Aber ich habe dich natürlich nicht hierher gebeten, um über deine schulische Situation mit dir zu reden.«

»Das habe ich mir gedacht.«

Ich fand, ich hätte schon bessere Einleitungen zu einem Verhör gehört. Aber vielleicht handelte es sich hier ja nicht wirklich um ein Verhör. Auch diesmal nicht.

Das Telefon klingelte, Vindhage ging jedoch nicht ran. Er drückte nur auf einen gelben Knopf, so dass der Apparat verstummte, irgendwie imponierte mir das, und ich wollte mir merken, dass ich mir irgendwann in der Zukunft genau so einen Apparat auch anschaffen wollte.

»Wie gesagt«, begann er, »jede Information ist von Bedeutung, und letztes Mal hattest du so einige Beobachtungen gemacht ...«

»Ach«, wehrte ich ab.

»Seit wir das letzte Mal miteinander gesprochen haben, ist ja einiges passiert.«

Ich drehte den Kopf und betrachtete Olle Sääw auf dem Foto. Überlegte, wie es wohl kam, dass er beim Eishockey im Angriff und beim Fußball in der Verteidigung spielte. Und dass er viel besser war, wenn er Schlittschuhe unter den Füßen hatte.

»Wir haben da einiges im Fokus, wenn du den Ausdruck verstehst – Fokus?«

»Ich verstehe«, versicherte ich. »Im Fokus.«

»Dir ist auch klar, von wem ich rede?«

»Ich ... ich denke schon.«

»Gut.« Er zog einen Stift aus der Brusttasche und legte ihn vor sich auf den Tisch. Es vergingen ein paar Sekunden.

»Steht sie unter Verdacht? Ich meine ...«

»Wir wollen lieber nicht weiter darüber reden, ob Ester Bolego unter irgendeinem Verdacht steht oder nicht. Ich bin allerdings an Informationen über sie interessiert. Alle möglichen Arten von Informationen.«

»Ich glaube nicht, dass ...«

»Es kann darum gehen, sie zu entlasten, oder aber, sie mit irgendetwas zu verknüpfen, vergiss das nicht. Beobachtungen. Aber auch Meinungen und Ansichten, und da du zu denen gehörst, die ein wenig Einsicht in die Verhältnisse haben ... sozusagen ... so möchte ich gern, dass du mir ganz offenherzig berichtest, was du weißt.«

»Ich weiß gar nichts«, versicherte ich aufgebracht. »Sie verstehen doch wohl, dass ...«

»Quatsch«, schnitt Vindhage mich ab. »Die Tochter ist zu euch gezogen. Du wohnst Wand an Wand mit ihr, es würde mich nicht wundern, wenn du ein Verhältnis mit ihr hast.«

Das fühlte sich an wie ein Pistolenschuss. Ich öffnete den Mund und schloss ihn gleich wieder. Es vergingen fünf Sekunden. Kommissar Vindhage rührte keinen Muskel und ließ mich nicht aus den Augen.

»Was wollen Sie wissen?«, fragte ich schließlich.

Er zog eine Augenbraue um zwei Millimeter hoch.

»Ich will alles wissen«, sagte er. »Aber zu allererst möchte ich wissen, wer der Kerl ist, mit dem Ester Bolego zusammen war.«

»Sind Sie denn sicher, dass es ihn wirklich gibt?«, versuchte ich einzuwenden, worauf Vindhage nur verächtlich schnaubte.

»Du brauchst sie nicht in Schutz zu nehmen. Ich begreife nur zu gut, dass da unklare Loyalitäten lauern, aber ich versichere dir, dass du dich auf mich verlassen kannst. Du willst doch nicht einen Mörder decken?«

Erst ab diesem Augenblick, erst als er die Anklage so deutlich formulierte und sie mir ins Gesicht warf, da war mir klar, dass ich genau das tat. Und es schon eine ganze Weile getan hatte. Einen Mörder gedeckt. Während ich das aufzeichne, fünfunddreißig Jahre später, finde ich, dass dieser Vorwurf etwas ungerecht erscheint, aber ich erinnere mich, dass mir die Tatsache damals mit unbarmherziger Klarheit bewusst wurde. Genau in dem Moment. Genau dort in dem warmen Dienstzimmer von Vindhage ganz oben im Polizeirevier.

Ich arbeitete für einen Henker.

Ich glaube, er sah es mir auch an, denn seine Gesichtszüge wurden etwas sanfter, und er nickte ein paar Mal vor sich hin – als erinnere er sich plötzlich meiner relativen Jugend und meiner Wehrlosigkeit.

»Ich kann da nicht so viel beitragen«, sagte ich. »Aber ich habe natürlich auch in der Richtung nachgedacht. Mit Signhild habe ich aber nie darüber geredet, sie weiß wahrscheinlich auch nicht mehr als ich ...«

»Bist du dir da sicher?«

»Ja ...«

»Du klingst nicht so vollkommen überzeugt.«

»Jedenfalls hat sie nichts gesagt.«

»Wenn du jetzt mal ein halbes Jahr zurückdenkst, kannst du dich dran erinnern, damals Signhilds Mutter mit irgendeinem fremden Mann gesehen zu haben?«

»Nein, glaube ich nicht.«

»Kennst du den Bekanntenkreis der Familie? Wer so zu Besuch kam? Verwandte? Freunde? Welche Männer kommen da überhaupt in Frage? Bevor es passierte, meine ich.«

»Da fällt mir keiner ein. Außer dem Dichter Olsson natürlich.«

»Den lassen wir erst mal aus dem Spiel.«

»Ja, dann glaube ich nicht, dass ...«

Und dann tauchte der Traum wieder in meinem Kopf auf.

»Sannahed«, sagte ich. »Ich habe sie im Mai in einem Auto in Sannahed gesehen.«

»Ester Bolego?«

»Ja.«

»In einem Auto in Sannahed?«

»Ja.«

»Mit einem Mann?«

»Ich denke schon.«

Er presste die Lippen zu einem schmalen Strich zusammen und blieb einen Augenblick lang schweigend sitzen.

»Warum um alles in der Welt hast du das nicht früher gesagt?«

Ich gab keine Antwort.

»Wie sah er aus?«

»Ich weiß es nicht. Es hat geregnet. Ich habe ihn nicht deutlich sehen können, ich habe irgendwie nur sie gesehen ...«

Vindhage zog eine Schublade aus der Schreibtischseite heraus und holte ein Tonbandgerät hervor. Fischte ein Band aus einer anderen Schublade und fummelte eine Weile an Knöpfen und Rädern herum. Schließlich war er zufrieden.

»So«, seufzte er. »Das Band läuft. Jetzt fangen wir richtig an. Dein vollständiger Name bitte, der Form halber.«

Ich seufzte und bat um ein Glas Wasser.

* * *

»Ich weiß nicht, was mit meinen Gefühlen los ist, Mauritz. Und ich kann mich nicht auf das konzentrieren, was ich machen soll. Heute habe ich versucht, einer Kundin einen Slip für vierhundertfünfundneunzig Kronen zu verkaufen.«

»Das klingt ziemlich teuer«, sagte ich.

Ich weiß nicht, das wie vielte Mal Signhild ihre Bedenken gegenüber der Situation und unserer Beziehung äußerte. Ich fand es natürlich etwas nervig, dass sie es tat, aber gleichzeitig war es schon so normal geworden, dass es mich nicht mehr besonders beunruhigte. Seit der ersten Liebesnacht war inzwischen fast ein Monat vergangen, wir hatten uns sechs oder sieben Mal geliebt, das kommt darauf an, wie man es rechnet, Signhild hatte vier heftige Nächte mit Weinkrämpfen gehabt, und sie hatte erklärt, dass wir mit dem, was wir da taten, aufhören müssten ... ja, ich weiß wie gesagt nicht so genau, wie oft, aber ein paar Mal in der Woche mindestens.

Ich hatte außerdem festgestellt, dass ich mich gegenüber ihren Tränen eigenartig gespalten verhielt.

Einerseits war es ein männliches, schönes Gefühl, ihr Trost spenden zu können – dass sie sich mir anvertraute und wirklich den Mut fand, sich ordentlich in meinen Armen auszuweinen.

Andererseits war es ziemlich trübsinnig, wenn sie so Stunde um Stunde vor sich hin schluchzte. Es kam vor, dass wir dann bis drei Uhr nachts wach lagen, und irgendwie fühlte ich mich nicht so recht reif, solche Situationen zu meistern. Und wenn sie nun verrückt geworden ist?, kam mir in den Sinn. Und wenn ich das nicht merkte, bevor es zu spät ist?

Und wie soll man es überhaupt feststellen?

Sie ging nicht mehr zu diesem Kennedy, da sie nicht verraten wollte, was sie über die Schwangerschaft ihrer Mutter wusste. Zu einem Psychologen zu gehen und gezwungen zu sein, ihn anzulügen, das erschien auf lange Sicht nicht besonders sinnvoll, da war ich ganz ihrer Meinung, aber dennoch hätte ich gewünscht, es hätte noch einen anderen Menschen gegeben, der ein wenig die Verantwortung für Signhild übernommen hätte. Jemand anders neben dem wohlwollenden, aber hilflosen Mauritz Bartolomeus Målnberg.

Aber vielleicht begriffen die anderen gar nicht, wie schlecht es ihr ging. Nur nachts erlaubte sie es sich, sich fallen zu lassen, möglicherweise nur in den Nächten, in denen ich bei ihr war, aber das kann ich natürlich nicht beschwören. Sie ging quer über die Fimbulgatan und besuchte ihre Mutter fast jeden Tag, blieb oft ein oder zwei Stunden dort, und ich fand es ehrlich gesagt doch etwas merkwürdig, dass sie zuerst das Lundbomsche Haus unter dramatischen Umständen verlassen hatte – und sich dann doch gezwungen sah, mehrmals in der Woche dorthin zurückzukehren. Doch ich brachte das nie zur Sprache. Ich weiß auch nicht, worüber sie so redeten, Signhild und ihre Mutter, aber es war wahrscheinlich nicht das, worüber sie eigentlich hätten reden müssen.

Aber das lag wahrscheinlich in der Natur der Sache.

»Ich brauche dich so viel mehr als du mich«, erklärte Signhild in einer dieser Nächte. »Das kann nicht richtig sein, und eines Tages wird alles ganz anders aussehen.«

Das hatte ich noch nie von ihr gehört. Vielleicht etwas in dieser Richtung, aber nicht mit diesen Worten.

»Du und ich, wir werden nie anders werden«, widersprach ich. »Das Leben um uns herum, das wird sich verändern. Ich bin Mauritz, ich liebe dich, du bist Signhild, du liebst mich.«

»So einfach ist das nicht«, widersprach Signhild und putzte sich die Nase. »Ich weiß, dass deine Eltern mich mögen und dass du mich liebst, aber vielleicht funktioniert es trotzdem nicht. Wahrscheinlich muss ich mit dem hier allein klarkommen, sonst werde ich es nie auf die Reihe kriegen.«

»Du irrst dich«, sagte ich. »Wenn ich so traurig wäre wie du, dann würde ich mich freuen, dass du mich tröstest.«

»Das tue ich doch auch«, versicherte Signhild und gab mir einen Kuss auf die Wange. »Ich bin so dankbar, dass du dich um mich kümmerst. Und du darfst nicht glauben, dass ich dich nicht liebe. Aber ...«

»Aber – was?«

Sie zögerte eine Weile und knetete das Taschentuch zu einem Ball. »Ich habe einmal einen Bericht in ›Meine Geschichte‹ gelesen, ich glaube, er hieß ›Die schwerste Entscheidung‹. Er handelte von einer Frau, die ihren Mann verließ, gerade weil sie ihn liebte.«

»Sie hat ihn verlassen, *weil* sie ihn liebte?«

»Ja.«

Ich seufzte.

»Was für ein Quatsch«, sagte ich. »Du solltest solche Zeitschriften nicht lesen, Signhild.«

»Ich darf ja wohl lesen, was ich will?«

»Natürlich darfst du das«, beruhigte ich sie. »Ich meine nur, dass du ... nun ja, du bist im Augenblick etwas labil.«

»Sage ich doch. Ich bin vollkommen durcheinander.«

Ich überlegte eine Weile. Schaute auf die Uhr, es war zehn Minuten nach zwei in der Nacht, nicht einmal sieben Stunden bis zur Physikarbeit.

»Weißt du, was ich denke?«, fragte ich. »Ich denke, du solltest versuchen, einmal ein richtiges Gespräch mit deiner Mutter zu führen. Ein offenes, richtiges Gespräch … wie man es auch dreht und wendet, da drückt doch der Schuh.«

»Meinst du wirklich?«, murmelte Signhild düster.

»Ja«, bestätigte ich. »Nicht, weil ich weiß, dass es etwas bringen wird, aber du musst es auf jeden Fall versuchen. Stell sie ruhig ein wenig zur Rede, man kann doch nicht die ganze Zeit der Wahrheit gegenüber die Augen verschließen.«

Ich fand, der letzte Satz klang sowohl poetisch als auch weise, und es dauerte so lange, bis Signhild antwortete, dass ich schon dachte, sie wäre eingeschlafen.

Aber dann flüsterte sie: »In Ordnung, wenn du meinst, dann werde ich es mal versuchen.«

Nach diesem schicksalsschwangeren Versprechen dauerte es nur noch wenige Minuten, bis ich an ihrem Atem hören konnte, dass sie zur Ruhe gekommen war. Ich blieb noch eine Weile wach liegen und atmete im gleichen Takt, und das war fast ein Gefühl, als wären wir nur ein Körper und nicht zwei. Ich wünschte, wir könnten einen Monat lang schlafen – ich erinnere mich noch, dass ich das dachte.

Dann stahl ich mich aus dem Bett und schlich zurück in mein Zimmer.

# 26

Ab und zu kam es vor, dass wir für Tante Ida einkaufen gingen. Meistens meine Mutter, die sich an eine Liste hielt, die sie per Telefon bekam, und dann brachte mein Vater den Proviant mit dem Auto hinüber.

Aber es kam auch vor, dass ich mich um die Tüten kümmerte, ich radelte dann zu ihrem Haus in der Mossbanegatan, schließlich handelte es sich nicht um mehr als fünfhundert Meter.

Eine Stunde oder zwei musste ich einplanen, und da hatte ich nichts dagegen. Nicht die Warenablieferung selbst war schließlich wichtig, sondern das Gespräch. Wenn ich es recht überlege, so lernte ich eigentlich erst durch Tante Ida, was mit dem Wort *Gespräch* wirklich gemeint ist. Oder gemeint sein kann, wenn man es richtig angeht.

Es sprechen zwei Menschen, die zusammensitzen. Die vielleicht auch zusammengehören.

Und die zuhören und denen auch zugehört wird. Das klingt etwas feierlich, aber so war es, und so ist es. Vielleicht war es wieder einmal Tante Idas Blindheit, die gewissermaßen den Worten ihre Schärfe gab, die einen dazu brachte, wirklich zu überlegen und nicht nur das Erstbeste herauszuplappern.

Auch wenn wir ziemlich freimütig werden konnten.

Auf jeden Fall hielt ich mich äußerst gern in diesen Gesprächen auf. Wenn ich manchmal überlegte, dass Tante Ida eines Tages nicht mehr sein würde, dann schien mir, als würde sich eine kalte Hand um meine Seele schließen.

»Mauritz«, sagte sie an diesem Tag. »Es scheint mir, als würdest du im Augenblick in großer Unruhe leben. Wie kommt das?«

Wir hatten uns mit Kaffee und Heißwecken, die sie am Vormittag gebacken hatte, an ihrem Küchentisch niedergelassen. Sie hatte sich ein wenig am Herd verbrannt, das tat sie jedes Mal, und ich half ihr, ein Pflaster draufzukleben.

»So ist das nun mal mit der Liebe«, sagte ich, nachdem ich eine Weile nach Worten gesucht hatte.

»Mit der Liebe?«, wiederholte Tante Ida. »Ja, wie sollte es denn sonst sein? Da wollen wir doch nur hoffen, dass es sich um das junge Fräulein Signhild handelt und nicht um irgend so eine Zufallsbekanntschaft, von der du dir den Kopf hast verdrehen lassen.«

»Es ist Signhild«, gab ich zu und biss in eine Heißwecke.

»Aha«, sagte Tante Ida. »Und wie weit seid ihr gekommen?«

»Ein Stückchen«, sagte ich.

»Ein Stückchen? Was ist denn das für eine Antwort? Hast du sie geküsst oder nicht?«

»Ich habe sie geküsst.«

»Gut. Warst du mit ihr im Bett?«

Ich drehte den Kopf und schaute durch das Fenster in den Garten hinaus. Auf dem Fensterbrett saß eine Wacholderdrossel und betrachtete uns. Oder zumindest mich.

Es sah aus, als würde sie auch zuhören, als wartete sie interessiert auf meine Antwort.

»Schweigen kann ziemlich beredt sein«, sagte Tante Ida.

»Wir waren zusammen im Bett«, sagte ich.

Sie nickte und schaute zufrieden drein.

»So richtig? Ja, ich habe auch mit meinem Helmut geschlafen, dass du es nur weißt, Mauritz. Das eine oder andere Mal in jenem Sommer. Es war herrlich.«

»Ich finde es auch herrlich«, sagte ich. »Das ist irgendwie ... ja, das ist das Wichtigste, was es gibt.«

»Das stimmt«, bestätigte Tante Ida. »Aber du hast doch wohl nicht geglaubt, dass du das Wichtigste, das es gibt, ganz umsonst bekommst?«

»Wie meinst du das?«

»Deine Unruhe. Ist es das nicht wert, mit ein bisschen Unruhe bezahlt zu werden?«

Ich kaute meine Heißwecke und überlegte.

»Ich kenne mich da nicht so aus«, sagte ich. »Muss das, was gut und schön ist, immer auch etwas Schlechtes in sich haben, nur damit ... ja, nur wegen irgend so einer blödsinnigen Gerechtigkeit? Kann nicht das Gute einfach in Ruhe gelassen werden?«

»Da verlangst du nicht gerade wenig, Mauritz«, lachte Tante Ida. »Natürlich muss es eine Art Ausgewogenheit geben. Sonst würde die Welt doch umkippen, und die Hölle würde zu Grunde gehen. Und – bist du dir denn so sicher, dass die Unruhe etwas Schlechtes ist?«

»Nicht in Maßen«, stimmte ich zu. »Bist du nie unruhig?«

Sie überlegte.

»Nein«, stellte sie dann fest. »Ich habe stattdessen mit Unglück bezahlt. So ist nun einmal mein Leben, ich muss wohl diese Wahl irgendwo auf dem Weg einmal getroffen haben. Oder vielleicht schon ganz am Anfang ... ja, so war es wohl.«

»Aber du bist doch nicht unglücklich?«

»Nein«, antwortete sie langsam, wobei sie den Kopf drehte und zur Wacholderdrossel hinauszuschauen schien, obwohl sie sie doch gar nicht sehen konnte. »Aber ich war es. Und seitdem habe ich es vermieden, mich dem Risiko auszusetzen. Vergiss nicht, dass ich eine Zeit lang ganz schrecklich glücklich gewesen bin. Die Hauptsache dabei ist nur, keine Angst zu haben. Du darfst nie Angst vor dem Leben haben, Mauritz, vergiss das nicht. Dann hat man alle seine Rechte verloren.«

»Welche Rechte?«

»Das Recht, ein Mensch zu sein. Jeder kann ein Abwaschbecken oder eine Rhabarberpflanze sein. Findet Signhild es genauso herrlich wie du?«

»Ja. Zumindest manchmal.«

»Manchmal?«

»Ja.«

Sie kicherte. Ich erinnere mich, dass ich dachte, wie angenehm es doch ist, wenn eine zweiundachtzigjährige Blinde immer noch kichern kann.

»Ja, ja, wir Frauen sind da ja irgendwie ein bisschen komplizierter als ihr Männer. Und deine Mutter und dein Vater, die wissen natürlich nichts davon?«

»Nein. Ich finde, es gibt keinen Grund, sie da mit reinzuziehen.«

»Das finde ich auch. Und Signhilds Mutter? Die schöne Ester Bolego?«

»Ob sie weiß, dass Signhild und ich …?«

»Ja.«

»Nein, sie weiß auch nichts.«

»Nicht einmal, dass ihr zusammen seid?«

»Nein.«

Tante Ida nickte erneut. »Gut. Ich hoffe, dass du begreifst, wie außerordentlich wichtig es ist, dass Ester Bolego nichts davon erfährt, dass du mit ihrer Tochter zusammen bist. Noch nicht, das Geheimnis kann gelüftet werden, wenn die Zeit reif dafür ist.«

Ich fand, das war eine merkwürdige Formulierung und ein merkwürdiger Rat, aber gleichzeitig war es schön, dass eine Erwachsene einen nicht ermahnte, die ganze Zeit so lächerlich ehrlich und offen zu sein. Eine Weile blieben wir schweigend sitzen.

»Und der Mord an dem Uhrmacher«, sagte Tante Ida dann, »der wird natürlich bis zur Götterdämmerung nicht aufgeklärt werden.«

Vielleicht war ein kleines Fragezeichen am Satzende zu hören – als würde sie andeuten, dass ich ja mit einer Art Antwort aufwarten könnte –, aber ich tat so, als hätte ich es nicht gehört. Es war das Beste, das Thema zu wechseln.

»Du hast doch nicht vor, in nächster Zeit zu sterben, Tante Ida?«, fragte ich. »Ich wünsche mir jedenfalls, dass wir uns noch viele Jahre so unterhalten können.«

»Sterben?«, schnaubte sie. »Ich plane, hundertundfünf zu werden. Nein, sterben sollte man erst, wenn man alt geworden ist.«

Das klang beruhigend, und ich beschloss, aufzubrechen und nach Hause zu radeln. Bedankte mich bei ihr für den Kaffee und bekam zwei Heißwecken zugesteckt.

Genau betrachtet wurde Tante Ida nicht älter als sechsundneunzig, aber wenn sie nicht während eines Wintersturms Anfang der Achtziger Jahre vor einen Schneepflug geraten wäre, dann hätte sie ihr Vorhaben sicher ausführen können. Blinde alte Weiber finden den Friedhof so schlecht, wie sie immer zu sagen pflegte.

* * *

Am Samstag, dem 14. Oktober, hatten wir ein Klassenfest bei Solveig zu Hause.

Solveig hieß mit Nachnamen Bramseståhl, ihr Papa war eine Art Direktor bei Bolinder-Munktell, der Mähdrescher-Fabrik und sie nagten nicht gerade am Hungertuch. Wohnten in einer großen Villa, nahe beim Volkspark in Hallsberg, und da sollte das Klassenfest stattfinden. In der Villa meine ich, nicht im Park. Obwohl Pålsboda-Karlsson ein paar Stunden an letzterem Ort zusammen mit Ingrid aus Askersund verbrachte, Freiluftaktivitäten fanden also auch statt.

Wir waren neunundzwanzig Personen. Nur drei fehlten aus der Klasse (plus Runkén natürlich) – darunter A-G, die offenbar mit Adonis Kavheden irgendwohin gefahren war –, und irgendwie war es eine richtig elegante Gesellschaft. Zumindest zu Anfang. Wir bekamen Schnittchen und eine Art Blubberwasser mit Früchten drin, das Solveigs Mutter gemacht hatte, bevor sie mit Direktor Bramseståhl zur Hütte am Vättern aufgebrochen war, wo sie die ganze Nacht verbringen wollten, um nicht zu stören. In der Originalmischung des Getränks war wahrscheinlich kein Alkohol vorhanden, aber nachdem von Sprackman seine mitgebrachten Flaschen hineingegossen hatte, änderte sich das.

Nach den Schnittchen bekamen wir drei verschiedene Sorten sättigender Salate und Baguette, man lief mit dem Teller in der Hand herum und unterhielt sich, und das erschien uns etwas albern. Die Mädchen trugen Kleider und Pumps und alles Mögliche sonst noch, und ich war nicht der Einzige, der sich anfänglich wie ein Bauerntrampel fühlte.

Aber das ging vorüber. Es gab zwar keine Unmengen alkoholischer Getränke, die uns zur Verfügung standen, der Direktor hatte alle diesbezüglichen Stoffe aus dem Weg geschafft, aber ein Teil war dennoch mitgebracht worden. Unter anderem hatte Kilsmo-Lundberg zwölf Flaschen selbstgebrauten Stachelbeerwein von seinen Eltern geklaut – der sollte zwar mindestens sechs Monate lagern, bevor er trinkbar war, aber scheiß drauf, wie Lundberg sagte, so ein bisschen Hefe konnten wir ja wohl ab, oder?

Und natürlich hatten wir ein paar Biere. So ungefähr hundert oder so.

Als die Salate aufgegessen waren, begann der Tanz. Oder zumindest die Musik, und da begannen die Formen, ein wenig lockerer zu werden. Das Rauchverbot wurde ignoriert, die Mädchen zogen sich ihre Pumps aus, wir zündeten Kerzen an und machten das elektrische Licht aus. Solveig hatte eine gute Plattensammlung, wer hätte das gedacht, sowohl The Doors als auch Jimi Hendrix und Dylan.

»Saustark«, sagte Elonsson, und ich glaube, nach zehn Uhr hörten wir die ganze Nacht hindurch nur noch The Doors. Immer und immer wieder. Obwohl mich mein Gedächtnis da täuschen kann.

Als alle neunundzwanzig so ziemlich blau waren, gab es unglücklicherweise nichts mehr zu trinken, und wir diskutierten verschiedene Möglichkeiten, wie wir den Segen des Vollrauschs erlangen könnten. Ich glaube wirklich, dass niemand in der Klasse Haschisch rauchte, das war wie schon gesagt in unserem abgeschiedenen Winkel der Welt noch eine ziemlich neue Sache, aber es gab natürlich hausgemachte Möglichkeiten.

Die Bananenschalenmethode beispielsweise. Glücklicherweise stellte sich heraus, dass die Bramseståhls an diesem Oktobersamstag im Besitz von nicht weniger als achtzehn Bananen waren, und wir schritten sofort zur Tat. Schälten alle achtzehn, zogen die dünnen Streifen zwischen der Schale und der Banane selbst ab und trockneten sie im Backofen. Das dauerte eine Weile, während der Zeit probierten einige die Coca-Cola-Aspirinmethode – zwei Tabletten Aspirin in ein Glas Cola, das sollte die richtige Dosis sein, warme Cola natürlich –, aber es ist nicht erwiesen, dass es irgendeinen Effekt hatte. Ein paar der Mädchen liefen zwar raus und übergaben sich, aber das kann natürlich auch an den Salaten gelegen haben.

Wir waren drei Pfeifenraucher in der Klasse. Von Sprackman, Åsbro-Bengtsson und ich, und in unseren Pfeifen mischten wir Tabak mit den ofengetrockneten Bananenstreifen. Zündeten das Ganze an und rauchten. Wir saßen wie um ein imaginäres Lagerfeuer, die ganze Bande, auf dem Boden im Wohnzimmer, und ließen die Pfeifen kreisen – und alle machten mit, da rede noch einer über fehlenden Klassenzusammenhalt, eines der Mädchen hielt eine Rede auf Solveig, wir sangen mit Jim Morrison im Chor – Break on through to the other side, Come on baby, light my fire, Please show me the way to the next whisky bar –, und wenn wir nicht vom Rauchen high wurden, dann von der Stimmung an sich. »Das ist fast wie ein Love-in«, erklärte Schyman feierlich, und er musste es ja wissen.

Das ging eine ganze Weile so weiter. Wir rauchten und stopften nach, Jim Morrison leitete den Chorgesang, die Kerzen brannten herunter und wurden immer weniger, ab und zu ging jemand hinaus, um sich zu übergeben, aber das lag sicher in erster Linie daran, dass sie das Tabakrauchen nicht gewohnt waren. Das eine oder andere Paar bildete sich und begann zu knutschen, und ich weiß, dass sich die ganze Stimmung für mich fast ein wenig magisch ausnahm.

Ich muss irgendwann so gegen ein Uhr eingeschlafen sein, nehme ich an, aber um halb drei wurde ich von Elonsson geweckt, der mir erklärte, dass es Zeit sei, nach Hause zu gehen.

Wir hatten das so miteinander verabredet, Elonsson und ich – dass wir gemeinsam die lange Nachtwanderung heim nach Kumla auf uns nehmen wollten –, aber gerade in dem Augenblick fand ich das keine gute Idee. Ich lag eingezwängt hinter einem Plüschsofa, wo noch vier, fünf andere halb schliefen, unter anderem Otto, der einen roten BH über seinem Polohemd trug, ich hatte einen schön parfümierten Angorapullover als Kopfkissen ergattert und litt keinerlei Not. Vielleicht abgesehen von leichten Kopfschmerzen.

»Lass uns drauf scheißen«, sagte ich. »Nehmen wir lieber morgen ganz früh den Zug.«

»Ihre Eltern kommen um acht Uhr zurück«, erklärte Elonsson. »In der Küche hat es ein bisschen gebrannt. Verdammt, es ist besser, wenn wir uns davonmachen!«

»Gebrannt?«, fragte ich.

»Nur ein bisschen«, sagte Elonsson. »Aber es sieht ziemlich verwüstet aus. Verdammt, lass uns abhauen! Steh endlich auf!«

Ich betrachtete meine Kopfschmerzen eine Weile und gab dann nach.

»Wir müssen was zu trinken mitnehmen«, sagte ich. »Ich bin durstig wie ein Kamel.«

»Kein Problem«, versicherte Elonsson. »Die ganze Speisekammer ist voll mit Limonade. Sieht so aus, als hätten sie für besondere Anlässe eingekauft.«

* * *

Wir nahmen den Weg über Björka, und es dauerte ein Menschenalter.

Als wir uns an der beleuchteten Wanduhr der Stavaschule vorbeikämpften, zeigte diese fünf Minuten nach fünf, und ich schwor mir, nie wieder im Leben acht Kilometer in engen Halbschuhen zu wandern. Jedenfalls nicht bei Gegenwind und ohne eine in einer Direktorenvilla am Stocksätersvägen in Hallsberg vergessene Pfeife.

Obwohl ich mich mehr tot als lebendig fühlte, schlich ich mich zu Signhild, sobald ich meine Kleider losgeworden war.

Umso größer war meine Verwunderung, als ich entdeckte, dass sie nicht in ihrem Bett lag.

## 27

Am Sonntag nach dem Klassenfest schlief ich bis drei Uhr am Nachmittag.

Als ich aufwachte, blieb ich noch eine Weile liegen und überprüfte, ob auch noch alles dran war, dann stand ich auf. Spürte eine kurze Dankbarkeit dafür, dass ich nicht in einer Familie lebte, in der die Älteren zu jeder passenden und unpassenden Zeit ihre Nase in die Schlafgewohnheiten der Jüngeren stecken. Es schien insgesamt menschenleer im Haus zu sein, ein aufmerksamer Lauscher hört das deutlich an dem Knacken der Wände und des Fußbodens, und im Laufe der Jahre hatte ich so ein feines Ohr entwickelt.

Während ich unter der Dusche stand, erinnerte ich mich an den gestrigen Abend. Ich erinnerte mich an die Schnittchen und den Stachelbeerwein, an Jim Morrison und das Bananerauchen und an die unendliche Wanderung über das Land, und zum Schluss erinnerte ich mich daran, dass Signhild nicht in ihrem Zimmer gewesen war, als ich nach Hause kam.

Um Viertel nach fünf an einem Sonntagmorgen.

Ich drehte das Wasser ab. Spürte einen plötzlichen Schwindel, wie vor einem Anfall – es musste mehr als drei Monate her sein, seit ich das letzte Mal so ein Gefühl gehabt hatte –, aber ich kriegte mich in den Griff. Lief in mein Zimmer hoch und zog mich an.

Lief dann weiter über vier Meter Flurboden mit Plastikbelag. Beschloss aus irgendeinem Grund anzuklopfen und tat das dann auch.

Wartete.

Klopfte noch einmal.

Wartete.

Drückte die Klinke hinunter und trat ein.

Das Zimmer war leer.

* * *

Mehr als leer. Es war verlassen.

Ich blieb auf der Stelle stehen und starrte das verlassene Bett, den verlassenen Schreibtisch, den verlassenen stummen Diener, eine halbe Minute lang an.

Zwickte mich am Arm, um sicher zu gehen, dass ich nicht irgendwo lag und träumte. In meinem Zimmer oder hinter einem Sofa in Hallsberg oder sonst irgendwo auf der Welt.

Zwickte mich noch einmal, ein wenig fester, aber es nützte nichts. Ich war hellwach wie ein Sonnenaufgang.

Dann lief ich wieder ins Erdgeschoss hinunter, um nach meinen Nächsten zu suchen. Nach meinem Vater, meiner Mutter oder Signhild. Wem auch immer.

Aber es gab niemanden dort, wie schon gesagt. Nur mein eigenes Knacken in Latten und Fugen.

Etwas ist passiert, dachte ich.

Alles ist verändert.

Ich habe einen Anfall gehabt und war fünf Jahre lang weg. So muss es gewesen sein.

Und bin dann in meinem eigenen Bett mit Blasen an den Füßen aufgewacht?

Wohl kaum.

Aber ich hatte so eine Vorahnung. Eine schreckliche Vorahnung.

Ich machte mir Tee und Brote, setzte mich an den Küchentisch und versuchte, mich zu beruhigen. Das war gar nicht so einfach.

Das war überhaupt nicht möglich.

* * *

Meine Eltern kamen um halb sieben Uhr abends zurück. Sie waren auf einem Empfang zu einem sechzigsten Geburtstag in Mosås gewesen – bei dem Chef meiner Mutter, dem Direktor Weiler.

»Öde«, sagte mein Vater. »Spannend wie eine Leichenwache in Finspång.«

Ich weiß nicht, was er gegen Finspång hatte, aber es war nicht das erste Mal, dass er den Ort als Beispiel für eine Stelle, von der man sich lieber fern halten sollte, aufs Tapet brachte.

»Jedenfalls waren viele Leute da«, sagte meine Mutter.

»Die ganze verfluchte Fabrik, ja«, bestätigte mein Vater.

»Wo ist Signhild?«, fragte ich.

Mein Vater ging zum Kühlschrank und holte sich ein Bier.

Meine Mutter ging auf die Toilette.

»Hm«, sagte mein Vater. »Signhild, ja, die. Die ist ausgezogen.«

»Ausgezogen?«, wiederholte ich.

Mein Vater setzte sich an den Küchentisch und schenkte sich das Glas ein.

»Ja, so ist es«, sagte er. »So ist es beschlossen worden.«

»Wann?«, fragte ich. »Warum ...?«

»Setz dich«, sagte mein Vater.

Ich setzte mich. Er trank einen Schluck. Lockerte den Schlipsknoten und betrachtete mich mit einer Miene, die ich nicht so recht deuten konnte. Ernst und gleichzeitig ein wenig bedauernd. Aber vielleicht lag da noch etwas anderes darin, was ich auf Grund meiner Jugend noch nicht begreifen konnte.

»Sie hatte gestern mit ihrer Mutter ein Gespräch«, erklärte er. »Frag mich nicht, welche Weltprobleme sie gelöst haben, aber wir haben jedenfalls gemeinsam beschlossen, dass es das Beste für das Mädchen ist, wenn sie von hier fort kommt. Ihr ist es nicht so gut ergangen. Du warst ja nicht zu Hause, wir haben ihre Sachen gestern Abend rübergebracht.«

»Dann ist sie jetzt bei sich zu Hause?«

Ich drehte den Kopf leicht zum Lundbomschen Haus hin. Mein Vater saß ein paar Sekunden lang schweigend da.

»Das glaube ich nicht.«

»Was? Wo ist sie dann?«

»Ich weiß es nicht.«

Am liebsten hätte ich mir wieder in den Arm gezwickt, aber das war in der Situation nicht unbemerkt möglich, also ließ ich es lieber bleiben.

»Warum denn?«, wiederholte ich. »Warum weißt du es nicht?«

»Nun ja«, sagte mein Vater.

Nun ja?, dachte ich. Was zum Teufel meint er damit? Es vergingen weitere Sekunden.

»Du musst doch wissen, wo sie hin ist?«, versuchte ich es noch einmal.

»Nein, das weiß ich nicht. Danach musst du ihre Mutter fragen.«

»Sie kann doch nicht so einfach ...?«

Mir fehlten die Worte. Ich schluckte und bemerkte, dass mein Vater plötzlich einen ziemlich verkniffenen Gesichtsausdruck bekommen hatte. Als hätte die Geduld ihn verlassen, und es begann wieder, nach Finspång zu riechen.

»Stell keine Fragen mehr, dann werde ich auch keine stellen«, sagte er. »Ich denke, du würdest gut daran tun, wenn du die Übereinkunft mit unterschreibst.«

»Ich verstehe nicht ...«

»Das tust du wohl.«

Plötzlich bildete ich mir ein, dass ich es doch täte. Ich stand auf und verließ die Küche.

»Sie lässt dich grüßen«, sagte meine Mutter, die soeben aus der Toilette kam. Als ob sie gehört hätte – oder zumindest wüsste –, worüber mein Vater und ich gerade gesprochen hatten.

»Grüßen?«, fragte ich. »Was hat sie denn gesagt?«

Meine Mutter blieb mit hängenden Armen stehen und schien nachzudenken.

»Nichts Besonderes«, sagte sie. »Sie hat nur ... ja, dich grüßen lassen.«

»Danke«, sagte ich und stürzte zur Tür hinaus.

Ja, ich *stürzte* tatsächlich.

* * *

Natürlich muss sie zu Hause sein, das war der erste Gedanke, der mir kam, als ich mich draußen auf der Straße bremste. Klar wie Kloßbrühe. Die haben nur beschlossen, dass wir uns nicht mehr sehen sollen.

Ich blieb einen Moment lang stehen und überlegte, ob ich nicht einfach rüberrennen und mit der Tür ins Haus fallen sollte, beschloss dann aber, ein wenig abzuwarten. Besser, vorher zu versuchen, sich ein wenig zu besinnen, dachte ich. Einen Spaziergang machen und vielleicht eine Art von Plan aufstellen, es konnte nichts schaden, ein wenig vorbereitet zu sein.

Ich ging zum Marktplatz. Kaufte im neuen Zeitschriftenkiosk ein kleines Päckchen John Silver und bei Törners eine Bratwurst mit Kartoffelbrei, ging dann weiter den Hagendalsvägen hinauf bis zum Kungsvägen. Es war ziemlich kalt und windig, der Kumlasjö sah ungewöhnlich düster in der zunehmenden Dunkelheit aus. Genau genommen erschien mir die ganze Welt düster, und die Dohlen flogen krächzend um den Wasserturm.

Verdammter Scheiß, dachte ich. Warum hat sie nicht den Mund halten können? Warum musste sie von uns erzählen?

Denn so musste es gewesen sein. Signhild hatte ernsthaft mit ihrer Mutter geredet, aber statt sie zur Rede zu stellen, wie ich es vorgeschlagen hatte, war es genau andersherum gelaufen. Ester Bolego hatte ihre Tochter entlarvt.

Entlarvt, dass sie ein ausgeprägtes Liebesverhältnis mit diesem bleichgesichtigen Mauritz vom Nachbarhaus hatte. Das war klar wie Kloßbrühe, das war der Inhalt der von meinem Vater angedeuteten Absprache gewesen. Keine Fragen, kein Kommentar. Gentlemen's agreement. Perkele aber auch, um es auf Finnisch zu sagen.

Zu der Zeit durfte man sich in Kumla nicht der physischen Liebe und dem Bumsen widmen, wenn man erst siebzehn Jahre alt war. Vielleicht ja an anderen Orten auch nicht, und schon gar nicht, wenn man zum weiblichen Geschlecht gehörte. Dann bekam man einen schlechten Ruf, so war es nun einmal. Signhild gehörte ganz offensichtlich zum weiblichen Geschlecht, und mir war klar, dass ich in diesem Fall nicht viel dagegen zu setzen hatte. Da hätte ich mindestens zehn Tanten Ida als Rückenstärkung gebraucht, bevor ich mich auf eine derartige Debatte einließ, da brauchte ich gar nicht drum herum reden.

Ich wanderte den ganzen Kungsvägen Richtung Norden entlang, über das Viadukt, bis zur großen Kreuzung. Rauchte das halbe Päckchen Zigaretten auf und wurde von einem Regenschauer vollkommen durchnässt, der ohne jede Vorwarnung eingesetzt hatte. Aber das interessierte mich nicht. Ich ging weiter, jetzt wieder Richtung Stadt, die Mossbanegatan entlang, und überlegte tatsächlich, ob ich bei Tante Ida vorbeischauen sollte, als ich an ihrem Haus vorbeikam, verwarf den Gedanken aber gleich wieder. Ich muss jetzt erst einmal bei Ester Bolego klingeln, dachte ich.

Ich musste einfach. Da gab es kein Entrinnen.

* * *

»Ja?«, sagte sie und versperrte die Türöffnung mit ihrem grandiosen Bauchumfang.

»Signhild«, sagte ich. »Ich möchte mit ihr sprechen.«

»Sie ist nicht hier.«

»Wo ist sie dann?«

»Tut mir Leid, Mauritz, aber das kann ich dir nicht sagen.«

»Lassen Sie mich rein. Ich weiß, dass sie da ist.«

»Nun sei nicht albern, aber bitte schön.«

Sie machte einen Schritt zur Seite, und ich trat in den Flur.

»Du kannst gern das ganze Haus durchsuchen, aber ich würde es begrüßen, wenn du in einer Viertelstunde damit fertig bist. Ich erwarte nämlich so gegen acht Uhr eine Freundin.«

Ich verließ das Lundbomsche Haus zehn Minuten später. Es war sinnlos. Signhilds Zimmer war ebenso leer wie ein geplündertes Grab, und es war offensichtlich, sogar einem plattfüßigen Epileptiker wie mir, dass sie sich zumindest nicht hier befand, wo immer sie sonst auch sein mochte.

»Warum wollen Sie mir nicht sagen, wo sie ist?«, fragte ich, als ich wieder an der Tür stand.

»Ich dachte, deine Eltern hätten es dir erklärt?«

Ich schüttelte etwas hoffnungslos den Kopf. »Wann kommt sie zurück?«

Ester Bolego produzierte etwas, das ein Zwischending zwischen einem Lachen und einer Fratze war.

»Warum sollte sie überhaupt hierher zurückkommen?«

Genau in dem Moment, in der Sekunde, als sie die Tür

schloss, hätte ich ihr am liebsten eins in die Fresse gegeben. Mein Blut rief nach Taten – aber ein junger, guterzogener Gentleman schlägt einer schwangeren Frau keins aufs Maul, also ballte ich stattdessen die Fäuste in der Tasche. Es erschien mir wie eine ungewöhnlich sinnlose Handlung.

* * *

Es war ungefähr vier Stunden später, kurz vor Mitternacht, dass ich den Brief fand.

Er steckte in meinem Bücherregal, zwischen Hemingways »The Sun Also Rises«, das ich noch nicht gelesen hatte, und Steinbecks »Früchte des Zorns«, das ich zweimal angefangen hatte, und wenn ich nicht vor Verwirrung und Verzweiflung so blind gewesen wäre, dann hätte ich ihn natürlich schon viel früher entdeckt.

Auf jeden Fall muss er sich ja schon dort befunden haben, als ich nach dem Klassenfest in der Morgendämmerung hereingetaumelt war. Er hatte seit mehr als einem Tag da gelegen, und das machte die Sache nicht gerade besser.

Der Inhalt war kurz und bündig:

*Lieber Mauritz!*
*Alles hat sich verändert, ich kann nicht sagen, wie. Aber ich muss dich jetzt verlassen. Ich werde solange in dem Haus eines Bekannten wohnen, du darfst nicht glauben, dass meine Mutter mich gegen meinen Willen wegschickt, das war viel mehr mein Beschluss als ihrer.*
*Verzeih mir, wenn ich dich enttäusche, aber es gibt keine andere Lösung, glaube es mir.*
*Sei so lieb und suche nicht nach mir, ich bin weit fort.*
*Danke für alles.*
*Signhild*

Wenn ich in die Hölle kommen werde und der Teufel eine Nacht aus meinem Leben herauspicken will, die er mir in die Ewigkeit mitgibt, dann denke ich, er wird diese Nacht nehmen.

# III

# 28

Der Herbst verging.

Der Schah von Persien ließ sich selbst und Farah Diba zu Kaiser und Kaiserin ausrufen, in Kapstadt in Südafrika führte Doktor Christiaan Barnard die erste geglückte Herztransplantation der Welt aus, und in Kumla erhängte sich ein Schachspieler.

Letzterer hieß Jaan Kogel. Er war nach Kriegsende als Flüchtling mit einem Boot aus Estland gekommen und allgemein bekannt als ein Mann des Friedens. Er war allein stehend, dreiundvierzig Jahre alt und wohnte seit einem knappen Jahrzehnt in einer kleinen Zwei-Zimmer-Wohnung am Franzénsväg in Prästgårdsskogen.

Ich weiß nicht, wie das Gerücht entstand, aber zwei oder drei Tage nach seinem Tod war Kogel das Hauptgesprächsthema in der ganzen Stadt. Nicht nur an seinem Arbeitsplatz in Yxhult und im Schachclub, was ja ganz normal gewesen wäre, sondern überall. Es war, als wäre ein Feuer ausgebrochen.

Kogel spielte Schach.

Er besaß mindestens drei verschiedene karierte Flanellhemden.

Er hatte Sveas Konditorei mehrmals wöchentlich aufgesucht.

Und er hatte sich erhängt.

Mehr war nicht nötig. Weiß Gott nicht.

»Das ist er«, sagte mein Vater. »Die Sache ist geritzt.«

Aber das konnte er nicht in der Zeitung schreiben. Natürlich nicht. Man redet nicht schlecht über einen Toten, wie sehr er wegen wie vieler Crimes passionels auch immer verdächtigt wird. Und man schreibt schon gar nichts darüber, wenn man sich der Sache nicht vollkommen sicher ist. Die Länstidningen war immer noch die Länstidningen.

»Warum soll er es denn gewesen sein?«, fragte meine Mutter. »Ausgerechnet er?«

»Indizien«, sagte mein Vater. »Eine überwältigende Menge von Indizien.«

»Jeder Mensch hat ja wohl ein kariertes Flanellhemd«, sagte meine Mutter. »Und mindestens jeder Zehnte spielt Schach.«

»Ich habe kein Flanellhemd«, widersprach mein Vater. »Habe noch nie in meinem Leben eins gehabt. Und Kogel hat sich nun einmal erhängt. An der Krawatte am Lüftungsgitter.«

»Das führt dazu, dass er tot ist«, entgegnete meine Mutter. »Nicht dazu, dass er ein Mörder sein muss. Du willst doch nicht auch noch behaupten, er hätte einen Skåne-Akzent?«

»Ach was«, sagte mein Vater.

Ich glaube, das war eine der glaubwürdigsten Argumentationen, die ich jemals von meiner Mutter gehört habe. Mein Vater empfand es wahrscheinlich auch so, aber er konnte sich natürlich nicht so schnell geschlagen geben. Er trank eine halbe Tasse Kaffee und holte tief Luft.

»Wir können ja Urban fragen, wenn er das nächste Mal kommt«, beschloss er. »Er hat immer noch seine Finger im Spiel.«

»Kogel hat nie einer Fliege etwas zu Leide getan«, sagte meine Mutter. »Frau Santesson hat fünf Jahre mit ihm im gleichen Treppenaufgang gewohnt. Er war höflich und hat immer seinen Hut gezogen, wenn er sie gegrüßt hat.«

»Ja, wenn das so ist«, sagte mein Vater. »Ja, dann kann er es natürlich nicht gewesen sein.«

* * *

Es gab in diesem Herbst einen, der sich nicht erhängte, und das war ich. Mauritz Bartolomeus Målnberg, siebzehnjähriger Pseudoepileptiker aus der Fimbulgatan unten am neuen Wasserturm.

Aber es fehlte nicht viel.

Die ersten Wochen, nachdem Signhild fortgegangen war, wollte ich nicht mehr leben. Andererseits hatte ich auch nicht explizit den Wunsch zu sterben, wahrscheinlich ist das der große Unterschied.

Zwischen denen, die es tun, und denen, die es sein lassen, meine ich.

Während der schlaflosen Stunden in der Nacht saß ich oft am Fenster und starrte zu ihrem Zimmer hinüber, so wie ich es auch vorher immer getan hatte. Manchmal stellte ich mir auch bildlich vor, wie ich tatsächlich Kogels Beispiel folgen würde – aber nicht an einem Lüftungsgitter. Nein, in dem Kastanienbaum erhängte ich mich. Mein bleicher Körper würde das Mondlicht zurückwerfen, während er langsam schaukelte und sich ab und zu in dem kalten Herbstwind drehte, und auf meine entblößte Brust hatte ich mit einer Messerspitze die blutrote Frage geritzt: Signhild, warum?

Ich begann sogar ein Gedicht mit diesem finsteren Inhalt, aber ich erinnere mich an kein einziges Wort mehr davon, vermutlich kam ich also über ein paar lächerliche Zeilen nicht hinaus.

Tagsüber verhielt ich mich wie ein Roboter. Ich stand auf, fuhr in die Schule, ging in den Unterricht. Fuhr wieder nach Hause, schloss mich in meinem Zimmer ein, starrte aus dem Fenster oder an die Wand. Zweimal saß ich bei Tante Ida und schüttete ihr mein Herz aus, sie war der einzige Mensch, dem ich mich anvertrauen konnte, und vielleicht war das sogar so etwas wie Balsam auf meine Wunde.

Aber in allererster Linie wartete ich.

Wartete auf eine Nachricht von Signhild. Einen Brief. Ein Telefongespräch. Jedenfalls einen Bescheid darüber, wo sie sich befand.

Doch es kam nichts. Nicht das kleinste Zeichen. Einmal fasste ich Mut und rief bei Ester Bolego an, es war sechs Uhr morgens, ich schrie sie an, sie solle mir endlich sagen, wo Signhild sich aufhielt, sonst hätte sie bald noch ein Leben auf dem Gewissen.

Das war natürlich erfolglos. Ich konnte ihrer rauen Stimme anhören, dass sie nie, unter keinen Umständen, etwas verraten würde, und da warf ich den Hörer hin und weinte.

Ja, wenn ich jemals im Tal der Todesschatten gewandert bin, dann in diesen Wochen. An den Daumen des deutschen Fähnrichs mochte ich nicht denken, und so sehr ich Tante Ida auch schätzte, so wünschte ich mir ja dennoch nicht ein Lebensschicksal wie ihres.

Nach zehn, zwölf Tagen konnte ich langsam wieder nachts schlafen, und gleichzeitig tauchten neue Gedanken und Fragen in meinem Kopf auf, mitten in dem trostlosen Trauerbrei.

Einigermaßen rationale Fragen, zumindest schätzte ich sie so ein.

Was war eigentlich passiert?

Warum war Signhild so überstürzt abgereist?

War es möglich, sich auszurechnen, wo sie war?

Ich zog ihren Brief aus dem Gewühl auf meinem Schreibtisch hervor und begann, ihn zu analysieren.

*Alles hat sich verändert, ich kann nicht sagen, wie.*

Was zum Teufel hatte das zu bedeuten? Was hatte sich verändert?

*Alles*? Das erschien mir absurd. Offensichtlich hatte Signhild also dieses besagte Gespräch mit ihrer Mutter geführt, und dabei war etwas zur Sprache gekommen, was dazu geführt hatte, dass sie Hals über Kopf geflohen war.

Aber was? *Was?*

Es konnte doch wohl nicht so schrecklich gefährlich sein, wenn sie erzählt hatte, dass sie und ich zusammen im Bett gewesen waren? Leute machten so etwas, sogar in Kumla zu der Zeit. Ihre Mutter sollte doch wohl die Erste sein, die das verstand.

Nichts, um Himmel und Hölle in Bewegung zu setzen. Also musste es noch etwas anderes geben.

Wie ich es auch drehte und wendete, ich konnte es in keinem anderen Licht sehen. Nach allem, was geschehen war, war schließlich Signhilds und mein kleines Abenteuer ziemlich erbärmlich, oder etwa nicht? Von außen betrachtet, meine ich. Von innen war es größer als alles andere.

Und dann die nächste merkwürdige Formulierung: *Du darfst nicht glauben, dass meine Mutter mich gegen meinen Willen wegschickt, das war viel mehr mein Beschluss als ihrer.*

Wie sollte ich das interpretieren?

Und: *Es gibt keine andere Lösung, glaube es mir.*

Was um alles in der Welt war geschehen und hatte dazu geführt, dass es nur eine einzige Lösung gab? Und dann noch so eine Lösung?

Oder log sie?

War es so simpel? Schummelte sie einfach nur ein bisschen mit der Wahrheit, einfach um mir nicht ins Gesicht sagen zu müssen, dass sie unsere Beziehung beenden wollte? Signhild, dachte ich verzweifelt. You break just like a little girl.

Aber ehrlich gesagt, und auch wenn ich verwundbar und empfindlich wie ein gebrochenes Fußgelenk war, so fiel es mir doch schwer, so eine Erklärung zu schlucken.

*Ich kann nicht sagen, wie.*

Warum nur? Warum um alles in der Welt ließ sie mich ohne auch nur die Andeutung eines Grunds für ihr Weggehen zurück? Sie musste doch wissen, dass alles andere weniger schmerzhaft für mich wäre als das.

Oder wollte sie mir bewusst wehtun? Und zwar extrem weh. Aus irgendeinem obskuren Grund, der weit über mein Fassungsvermögen hinausging?

Wenn dem so war, dann war es ihr jedenfalls geglückt. Zu hundert Prozent. Nichts war schwerer zu verkraften als das. Dieses Sich-plötzlich-in-Luft-auflösen. Signhild, beschloss ich, wenn du nicht innerhalb eines Monats etwas von dir hören lässt, so werde ich dich vergessen und verleugnen! So geht man nicht mit einem Menschen um, der einen liebt. So geht man überhaupt mit keinem Menschen um.

Am dreißigsten Tag nach Signhilds Verschwinden war sie immer noch mein erster Gedanke, wenn ich morgens erwachte, und der letzte, bevor ich abends einschlief.

Liebeskummer und Mücken, hatte Tante Ida gesagt.

Lasst alle Mücken der Welt in mein Zimmer, dachte ich. Wenn ich nur den Liebeskummer los werde.

* * *

»Wir arbeiten weiterhin auf breiter Linie«, erklärte Dubbelubbe und suchte sich das größte Kotelett aus.

»Auf breiter Linie?«, fragte meine Schwester. »Was bedeutet das?«

»Das bedeutet, dass die Ermittlungen sich nicht auf eine spezielle Person ausrichten.«

»Ach ja?«, meinte meine Schwester. »Ja, das ist bestimmt gut.«

»Ich hoffe, es ist nicht versalzen«, sagte meine Mutter. »Ich denke aber ...«

Wir saßen am Küchentisch. Es war der 19. November, ein Sonntag.

»Du bist also immer noch mit dem Fall beschäftigt?«, fragte mein Vater. »Ich dachte eigentlich, ihr hättet die Ermittlungen eingestellt.«

»Ich arbeite an vielen verschiedenen Dingen«, sagte Dubbelubbe. »Der Kekkonenfall ist nur einer. Warum sollten wir denn die Ermittlungen eingestellt haben?«

»Urban hat eine neue Uniform gekriegt«, berichtete Katta. »Richtig toll. Gibt es noch Zwiebeln?«

»Ja, gibt es«, sagte meine Mutter. »Sie stehen direkt vor deiner Nase. Ich hoffe nur ...«

»Hm«, sagte mein Vater. »Sagt dir der Name Kogel etwas, Urban?«

Dubbelubbe schien zu zögern. Er kratzte sich nervös am Hals, wo er eine Art Ausschlag hatte. Vielleicht von der neuen Uniform.

»Ich weiß nicht, ob ich eigentlich ...«, setzte er an.

»Ach, Quatsch«, warf mein Vater ein. »Ich habe letztes Mal, als wir uns unterhalten haben, keine Zeile darüber geschrieben, das weißt du doch wohl noch. Das hier ist nur eine kleine Tischkonversation, um die Sonntagskoteletts zu würzen.«

»Sind sie nicht genug gewürzt?«, wollte meine Mutter beunruhigt wissen. »Dabei hätte ich eher gedacht ...«

»Natürlich haben wir die Sache Kogel untersucht«, sagte Dubbelubbe. »Kommissar Vindhage überlässt nichts dem Zufall.«

»Nein, das hast du ja schon ein paar Mal gesagt«, nickte mein Vater. »Und zu welchem Schluss seid ihr also gekommen?«

»Wir überlegen uns, einen Hund anzuschaffen«, sagte Katta.

»Einen Hund?«, fragte meine Mutter. »Warum um Himmels willen denn ...?«

»Nichts Konkretes«, konstatierte Dubbelubbe. »Es ist uns nicht gelungen, eine Verbindung zwischen Frau Bolego und Kogel herzustellen. Kogel und Kekkonen kannten sich natürlich, er war auch an dem Abend, als es passiert ist, im Schachclub.«

»Aha?«, sagte mein Vater. »Und du weißt nicht zufällig, ob er Deutsch konnte?«

»Doch«, bestätigte Dubbelubbe. »Das haben sie offenbar da drüben in der Schule gelernt. Aber das muss ja nichts zu bedeuten haben.«

»Natürlich nicht«, versicherte mein Vater.

»Urban hatte einen Hund, als er ein Kind war«, erklärte Katta. »Einen Pudel.«

»Kogel war höflich und lebte zurückgezogen«, sagte meine Mutter. »Er würde nie ...«

»Ein Pudel?«, fragte mein Vater. »Wenn ihr einen Hund haben wollt, dann doch wohl einen richtigen Köter? Nein, ich nehme an, die sicherste Art, seiner Strafe zu entgehen, ist, den Löffel abzugeben. Also, zumindest konnte er Deutsch?«

»Den Löffel?«, fragte Katta.

»Wir wollen keinen Pudel haben«, sagte Dubbelubbe. »Aber einer meiner Kollegen hat Welpen gekriegt. Ich meine natürlich, dass sein Hund Junge hat. Dobermann.«

»Und der ›Mann im Hemd‹ ist immer noch aktuell?«, fragte mein Vater.

»Er ist nicht gestrichen«, sagte Dubbelubbe. »Aber Herr P hat nie wieder von sich hören lassen. Das mag schon merkwürdig erscheinen, aber bei der Polizeiarbeit stößt man auf viele merkwürdige Menschen.«

»Das kann ich mir denken«, nickte mein Vater. »Was für ein Glück, dass du so normal bist, Urban.«

»Dieser Ring ...«, sagte ich, aber als ich den Mund geöffnet hatte, stellte ich fest, dass ich gar keine Lust hatte, zu erzählen, was Signhild über den rot-grünen Stein gesagt hatte. Ich hatte keine Lust, an irgendetwas zu denken, das mit Signhild zu tun hatte. Und noch weniger, darüber zu sprechen.

»Es gibt viele Ringe auf der Welt«, sagte Dubbelubbe.

»Ich glaube, ich habe sieben, acht Stück«, informierte Katta uns.

»Wäre es nicht besser, wenn ihr euch ein Kind anschafft?«, schlug meine Mutter vor. »Ein Dobermann kann riesig werden, wie ich gehört habe ...«

Ich dankte fürs Essen und entschuldigte mich mit einer wichtigen Arbeit in Politik, für die ich üben müsste.

## 29

Die Schule ging ihren gewohnten Gang.

Nach dem Klassenfest bei Solveig Bramsesthål gab es keine weiteren. Wir sammelten, um die Kosten für die Küchenrenovierung bezahlen zu können, es reichte wohl für die Selbstbeteiligung bei der Versicherung, aber den Rest des Schuljahrs war Solveig dennoch etwas reserviert.

Der Mathematikstudienrat Lindmos wurde wie immer Ende November krankgeschrieben. Runkén tauchte überraschenderweise eines Tages auf und hielt einen zweistündigen Vortrag über die Jagdmethoden der Aborigines, ein Thema, das er den ganzen Herbst über daheim bearbeitet hatte – unter anderem warf er einen Bumerang durchs Fenster und traf einen Ersatzlehrer in Latein so übel am Kopf, dass eine Vertretung für die Vertretung eingesetzt werden musste. Aber ansonsten lief alles wie immer. Die Zusatzfranzösischstunden bei Mlle. de Trebelguirre waren der Höhepunkt der Woche, zumindest vom ästhetischen Gesichtspunkt, aber nicht einmal ihre kühle Erscheinung und ihr schön rollendes Zungenwurzel-R konnten mich aus meiner Lethargie erwecken. Sie, ebenso wie alle anderen jungen Frauen, diente als eine Art Zerstreuung, mehr nicht.

»Es sieht aus, als hättest du den Biss verloren, junger Mann«, stellte Angelo Grönkvist fest, als er meinen Aufsatz über das Thema »Einige Ratschläge für den, der lebendig begraben wird« zwei Tage vor Totensonntag zurückgab. »Hast du den Kontakt zu deiner schriftstellerischen Ader verloren?«

»Ich weiß nicht«, antwortete ich. »Kann schon sein.«

»Ich hatte schon gedacht, dir eine Eins zu geben, aber dieses Geschreibsel verdient wohl doch eher eine Zwei.«

»Das ist schon in Ordnung mit einer Zwei«, sagte ich.

»Gut, dass du keine zu großen Ambitionen hast«, sagte Angelo Grönkvist und schob sich gedankenverloren eine Mentholzigarette hinters Ohr. »Ambitionen sind etwas für Laufburschen und Liftboys. Geht es dir nicht gut?«

Ich musste zugeben, dass es mir nicht besonders gut ging.

»Das ist keine Entschuldigung«, sagte er. »Vergiss nicht, dass Seelenqualen mit das Fundament des westlichen Kulturkreises bilden. Du glaubst doch nicht, Strindberg hätte ›Inferno‹ geschrieben, wenn es ihm gut gegangen wäre?«

»Ich habe ›Inferno‹ noch nicht gelesen.«

»Sieh zu, dass du das tust«, schloss Angelo Grönkvist das Gespräch ab. »Dann wird es vielleicht zum Frühjahr doch noch eine Eins.«

* * *

Sigge van Hempel traf ich einmal in diesem Herbst. Es war ein nebliger Abend Ende November, und sonderbarerweise traf ich ihn an der gleichen Stelle wie beim letzten Mal. Vor der Bibliothek.

Obwohl – was weiß ich –, vielleicht hatte er ja festere Gewohnheiten, als man ahnte. Auf jeden Fall war er dieses Mal sowohl mit Bier als auch mit Zigaretten ausgerüstet, so dass ich nicht Gefahr lief, dass er mich um das eine oder andere anpumpen würde.

»Hallo, hallo«, sagte er. »Es ist Herbst geworden, verdammt noch mal.«

Da musste ich ihm Recht geben.

»Man sollte in wärmere Gegenden fahren.«

»Nach Tübingen vielleicht?«, schlug ich vor.

»Ja, genau. Woher weißt du das?«

»Das hast du letztes Mal gesagt, als wir uns getroffen haben.«

»Ach, wirklich? Äh … da magst du Recht haben, ja. Wie ist es eigentlich mit dem Henker letztendlich gelaufen, sie haben ihn nie geschnappt, oder?«

»Jedenfalls bis jetzt nicht.«

»Ich habe gehört, dass Kogel auch den Löffel abgegeben hat. Aber selbst sozusagen. So ein Mist, es wird langsam knapp mit Schachspielern hier im Ort.«

»Ist vielleicht an der Zeit, dass du ernsthaft anfängst zu spielen?«

»Ernsthaft?«, wiederholte Sigge. Leerte sein Bier und rülpste. »Ich habe doch nie anders als ernsthaft gespielt. e2–e4 schachmatt! Verdammte Scheiße, das hat etwas Hinterhältiges an sich.«

»Wie meinst du das?«

»Na, der ganze Kram hat etwas Hinterhältiges an sich. Und dieser Hemdenmatz da im Krankenhaus! Verdammt gerissen, wenn du mich fragst.«

»Was meinst du mit gerissen?«, fragte ich wieder.

»Mit gerissen meine ich gerissen«, sagte Sigge und schaute geheimnisvoll drein. »Ach, vergiss es. Man sollte lieber auf einer sonnigen Wiese auf Hawaii oder sonst wo liegen. Und nicht hier rumlaufen und verschimmeln.«

Ich nickte. So ist es nun einmal, dachte ich. Einige bleiben hier, und andere fahren weg. Und ich zweifelte keine Sekunde daran, dass Sigge van Hempel auch in dreißig oder vierzig Jahren noch in Kumla mit einer Bierdose in der Hand herumlaufen würde.

Wenn die Gesundheit mitspielte.

»Das Leben ist insgesamt ziemlich gerissen«, sagte ich und verließ ihn.

»Was meinst du damit?«, rief er mir im Nebel hinterher. »Was zum Teufel meinst du damit?«

Aber ich kümmerte mich nicht weiter um ihn.

* * *

Am 4. Dezember brachte Ester Bolego im Krankenhaus von Örebro ein gesundes Mädchen zur Welt, und ein paar Tage später kam sie mit ihr nach Hause in die Fimbulgatan.

Es war ein Samstag, Schnee lag in der Luft, sie kamen in einem schwarzen Taxi. Ich saß in meinem Zimmer mit Jack Kerouacs »On the Road« und sah, wie sie aus dem Auto stieg, den Fahrer bezahlte und den kleinen Korb mit dem Neugeborenen trug. Meine Mutter war nicht zu Hause, aber mein Vater ging hinüber und blieb eine Weile dort. Das Mädchen sei süß, teilte er mit. Es sollte Maria heißen.

Ein paar Stunden später, als es wirklich angefangen hatte zu schneien, hörte ich das Geräusch eines Motorrads. Wieder schaute ich aus dem Fenster und sah den Dichter Olsson auf seiner Enfield heranknattern. O Sole Mio saß im Beiwagen, und eigentlich war es genau so wie beim letzten Mal.

Aber inzwischen war ein halbes Jahr vergangen, und alles hatte sich verändert. Es schneite, es war kalt statt Sommer und Sonnenschein, und wenn ich auf die sechs Monate, die vergangen waren, zurückschaute, so konnte ich kaum glauben, dass es wahr war. Kalevi Kekkonen war tot. Signhild war verschwunden. Im Lundbomschen Haus wohnte ein eine Woche altes Baby ... Hätte mir jemand erlaubt, in die Zukunft zu schauen, damals Anfang Juni, ich hätte nur den Kopf darüber geschüttelt.

Aber so ist offensichtlich, das Leben. Man lebt jede Menge von Jahren, und es passiert nichts Besonderes. Dann zieht jemand den Korken, und der Inhalt der ganzen Ketchupflasche fließt heraus. Es ist eigentlich merkwürdig, dachte ich, während der Dichter Olsson den Motor ausstellte und O

Sole Mio die Wollmütze abnahm, merkwürdig, dass man die ganze Zeit der gleiche Mensch bleibt.

Aber vielleicht bleibt man es ja auch nicht.

Vielleicht ist man genau genommen jeden Morgen, wenn man aufsteht, ein neues Individuum, mit einer Ansammlung von Eigenschaften, Erinnerungen und Träumen, die man nicht so recht einordnen kann. Soweit ich es beurteilen konnte, gab es nichts, was dagegen sprach, dass es auch so sein könnte. Im Prinzip jedenfalls.

Ester Bolego trat auf die Treppe heraus. Sie blieb dort einen Augenblick lang unbeweglich stehen, genau wie beim letzten Mal, und dann ging sie hinunter und umarmte ihren Bruder herzlich.

O Sole Mio hob das Bein am Briefkastenpfosten. Ich blieb sitzen und sah, wie sie alle drei hineingingen, dann widmete ich mich wieder Kerouac.

* * *

Es war in diesem Jahr ein ziemlich kalter Dezember, aber nach Lucia gab es ein paar mildere Tage, und da gingen sie mit dem Neugeborenen spazieren.

Immer gemeinsam, Ester Bolego und der Dichter Olsson. Manchmal hatten sie O Sole Mio dabei, manchmal nicht.

Meistens gingen sie untergehakt, und mir kam der Gedanke, dass Leute, die es nicht besser wussten, sie natürlich für ein echtes Paar halten mussten, ein Paar, das mit seinem neuen Baby spazieren ging.

Und dann würde man sicher meinen, dass es ein hübsches Paar war. Er war einen halben Kopf größer als sie, immer schwarz gekleidet, mit langem Mantel und breitkrempigem Hut. Sie in rotem oder grünem Mantel, das kastanienbraune Haar offen auf die Schultern fallend. Der Kinderwagen war eine große, weinrote Geschichte, er sah bequem und stromlinienförmig aus.

Es war natürlich unvermeidlich, dass ich früher oder später mit ihnen zusammenstieß, und eines Nachmittags, nur wenige Tage vor Heiligabend, begegneten wir uns auf der Järnvägsgatan in Höhe von Rozetskys Schuppen. Ich hatte bei OP Weihnachtsgeschenke für Katta und ihren Urban gekauft, wie ich mich noch erinnere, ein Paar rosa und weiße Teetassen, die meine Schwester mir detailliert am Telefon beschrieben hatte.

»Sieh an, unser junger Freund!«, rief der Dichter aus. »Und Kollege. Wie läuft es mit der Dichtkunst?«

»Nicht schlecht«, erklärte ich. »Sie sind zurückgekommen?«

»Wie du siehst«, sagte der Dichter. »Kreise werden gebrochen, und Kreise schließen sich.«

»Willst du dir nicht die kleine Maria ansehen?«, fragte Ester Bolego.

Ich schaute unter das Verdeck. Da war ein halber Quadratzentimeter eines schlafenden Babygesichts zu sehen, und es sah wirklich ziemlich niedlich aus.

»Hallo«, sagte ich. »Dir geht es gut, nicht wahr?«

»Ja, ihr geht es ausgezeichnet«, sagte Ester Bolego.

»Das Kindesauge ist der Spiegel der Menschlichkeit«, fügte der Dichter Olsson hinzu.

Ich nickte und überlegte schnell, ob ich es wagen sollte. Beschloss dann, es zu tun.

»Kommt Signhild über Weihnachten nach Hause?«, fragte ich.

Ester Bolego betrachtete mich ein paar Sekunden lang mit einem leichten, schwer zu deutenden Lächeln auf den Lippen.

»Nein«, sagte sie. »Das tut sie nicht.«

Wieder nickte ich.

»Haben Sie von ihr gehört?«

»Natürlich habe ich das. Es geht ihr ganz ausgezeichnet.«

»Sie können sie ... wohl von mir grüßen?«

»Wenn ich es nicht vergesse«, sagte Ester Bolego. »Nein, jetzt müssen wir aber sehen, dass wir weiterkommen.«

Genau in dem Moment geschah etwas mit ihrem Gesicht. Zumindest hatte ich den Eindruck. Die Augen wurden plötzlich rund und bekamen einen Ausdruck der Trauer oder des Mitleids, oder von etwas anderem sehr Weichem und Nacktem, und ich sah, dass sie kurz davor war, etwas ganz anderes zu sagen ... Es zuckte leicht in einem ihrer Mundwinkel, aber dann zogen sich ihre Gesichtszüge wieder zusammen, und sie wandte sich von mir ab.

Das dauerte höchstens eine Sekunde, und fast sofort begann ich, mir einzureden, dass alles nur Einbildung gewesen sei. Dass ich nicht gesehen hätte, was ich gesehen hatte. Ich weiß eigentlich nicht, warum es mir so wichtig erschien, das zu leugnen, aber so war es.

Der Dichter Olsson zündete sich eine dünne Zigarre an und spähte zum Himmel hinauf. Der sah ziemlich dunkel aus: bedrückte, bleifarbene Wolken, die Schnee enthalten mochten. Es lag so gut wie kein Schnee, und die Leute machten sich schon Sorgen, dass es wieder keine weißen Weihnachten geben könnte.

»Bedrohliche Wolken«, sagte er und blies eine Rauchwolke über den Kinderwagen. »Da sitzt ein Herr im himmlischen Saal, hält in seinen alterszittrigen Händen gebündelt ...«

Ich erkannte die Worte.

»... das Knäuel von Fäden, Tausende an der Zahl, von Menschenleben, die er entzündet«, ergänzte ich.

»Bravo«, sagte der Dichter. ›Die Marionetten‹ von Bergman. Passt gut zu der Jahreszeit. Passt eigentlich immer gut. Aber jetzt müssen wir an das neue kleine Leben denken. Schöne Weihnachten für dich!«

»Ihnen auch schöne Weihnachten«, sagte ich, und dann gingen wir jeweils unserer Wege.

Als wir einen entsprechenden Abstand zwischen uns gelegt hatten, blieb ich stehen. Drehte mich um und schaute ihnen nach. Er hatte ihr jetzt den Arm um die Schulter gelegt, und es war genau so, wie ich es mir vorher gedacht hatte. Niemand würde auf die Idee kommen, dass hier nicht Mann und Ehefrau spazieren gingen. Mit ihrem neugeborenen Kind.

Und während ich dastand und ihre Gestalten ihre Konturen langsam zu verlieren schienen und sich in der graulila Winterdämmerung auflösten, tauchte der Gedanke in mir auf, dass ich Kommissar Vindhage anrufen sollte. Und ihn fragen, woher er eigentlich die Information hatte, dass sie Geschwister waren – aber dann sah ich von selbst ein, dass er das natürlich aus einer so genannten sicheren Quelle hatte, und ließ den Gedanken fallen.

Es interessierte mich ja nicht mehr, das war die einzige Möglichkeit der Heilung.

Stattdessen machte ich auf dem Absatz kehrt. Ging nach Hause, um die Teetassen unter den Tannenbaum zu stellen.

# 30

Es wurde Weihnachten, und es wurde Neujahr. Silvester fuhren Elonsson und ich nach Örebro und feierten dort ohne feste Pläne. Zum Schluss landeten wir bei einem Privatfest draußen in Almby, wo Elonsson zum ersten Mal in seinem Leben mit einem Mädchen zusammenkam. Sie hieß Conny, was wir beide für einen typischen Jungsnamen hielten, aber ihr Papa war Amerikaner oder so, und es spielte ja wohl verdammt noch mal keine Rolle, wie sie hieß, meinte Elonsson.

Ich stimmte ihm zu, dass sie wirklich niedlich war, und wenn ich mich recht erinnere, so hielt die Sache mit ihnen fast einen Monat lang.

Am Dreikönigstag zählte ich meine Plattensammlung und konnte erfreut feststellen, dass sie inzwischen auf dreiundvierzig LPs (Jim Reeves nicht mitgezählt und weggeworfen) und sechzehn Singles und EPs angewachsen war. Das war trotz allem nicht schlecht, und auch mein Bücherregal sah langsam ganz ordentlich aus. Ich war sehr sorgfältig vorgegangen, als ich meine Wunschliste für Weihnachten geschrieben hatte und hatte Stig Dagerman, William Faulkner wie auch Scott Fitzgerald eingesackt. Strindbergs »Inferno« auch, Angelo Grönkvists Fingerzeig hatte ich noch in guter Erinnerung.

Größere Teile der Ferien verbrachte ich damit, auf dem Bett zu liegen und zu lesen oder Musik zu hören. Was verdammt noch mal sollte man sonst tun, das war zumindest eine Möglichkeit, sich am Leben zu halten. Modus vivendi, glaube ich, nannte ich es.

Von Signhild nicht ein Wort.

Und dann begann das letzte Gymnasiumshalbjahr. Inzwischen war es 1968, aber erst Januar. Alexander Dubček und die Pariser Revolution und die sowjetischen Panzer auf Prags Straßen standen noch vor der Tür und stampften ungeduldig, und gegen Ende des Monats traf das ein, was ich – als es denn eine Tatsache war – schon lange hätte voraussehen können.

Ester Bolego zog aus. Als ich an einem Donnerstagnachmittag auf dem Fahrrad nach Hause kam, stand ein großer Lastwagen auf der Straße, und der Dichter Olsson und zwei Möbelpacker waren dabei und beluden ihn mit Möbeln.

Aha, dachte ich. Der Nagel zu meinem Sarg. Das war's also, ich brauche mich nicht weiter drum zu kümmern.

Aber es war nicht so einfach, andere Gedanken im Kopf zu haben. Als daran zu denken, wie sie geradezu einer nach dem anderen verschwanden, die Bewohner des Lundbomschen Hauses. Anfang des Sommers hatten vier Menschen und ein Hund dort gewohnt, und alles hatte normal ausgesehen, zumindest mehr oder weniger.

Und dann, in nur einem halben Jahr:

Kalevi Oskari Kekkonen, der cholerische Uhrmacher und Schachspieler. Geköpft und mit den Füßen zuerst herausgetragen.

Signhild Kristina Kekkonen-Bolego. Weggezogen an einen unbekannten Ort aus unbekannter Ursache.

Der Dichter Olsson und O Sole Mio. Den ganzen Herbst verschwunden, aber jetzt zurückgekehrt, um sich um Ester Bolego und Klein-Maria zu kümmern. Wohin, wusste ich nicht, und ich fragte auch nicht. Ich hatte keine Worte mehr, und mein Herz war während der vergangenen Monate zu Beton erstarrt.

Ich werde sie vergessen, dachte ich. Ich werde von hier wegziehen und nicht eine Bohne von diesen Ereignissen und diesen Menschen mehr im Gedächtnis behalten.

London oder Paris oder wohin auch immer. Mindestens Stockholm.

Ich stand am Fenster und rauchte, als sie abfuhren. Ich hoffe, ihr rutscht in Mosås von der Straße, dachte ich. Ist doch alles ein verdammtes Gesindel!

Ich wusste nicht so recht, was Gesindel war, aber mein Vater benutzte diesen Ausdruck gern, und ich fand, ich konnte ihn ebenso gut verwenden. Als der Möbelwagen hinter Fredrikssons Silbertanne verschwunden war, machte ich das Licht in meinem Zimmer aus, legte mich aufs Bett und ballte die Fäuste.

* * *

In der Nacht zum 8. Februar brannte Kumlas Kirche.

Ein erschossener Mann lag oben im Turm, und das war ein Ereignis, das bei weitem alles übertraf, was in der Mitte der Welt in den letzten hundert Jahren passiert war.

Die Leute wallfahrten an diesem graunebligen Februarsamstag zur Kirche. Wenn es irgendeine Art von Statistik gegeben hätte, hätte man feststellen können, dass sie an diesem einen Tag mehr Besucher hatte als während der gesamten Gottesdienste im vergangenen Jahr.

Ich traf Klapp-Erik auf dem Weg dorthin. Es war ungefähr halb eins.

»Die Scheißkirche hat gebrannt«, sagte er. »Da sind mehr Leute als damals, als wir Brage im Stadion fertig gemacht haben.«

Ich nickte. Begriff, dass er auf das Einweihungsmatch nach der Renovierung des Stadions anspielte. 1962. Zwei zu null für den IFK, zu der Zeit gab es noch Fußballkultur in Kumla.

»Ach«, sagte ich. »Und wie sieht's aus?«

»Schwarz und elendig«, antwortete Klapp-Erik. »Ich muss nach Hause, andere Schuhe anziehen. Man kriegt kalte Füße, wenn man da nur so rumsteht. Ich war ja schon um neun da, habe es im Radio gehört.«

»Ich auch«, sagte ich. »Ich meine, ich habe es auch im Radio gehört.«

Er grüßte und klapperte weiter zum Solbacka.

Als ich angekommen war, machte ich das Gleiche wie alle anderen. Ich stellte mich hin und starrte den vom Feuer übel zugerichteten Kadaver an, den kohlrabenschwarzen Turm, und versuchte mir vorzustellen, dass es Realität war. Hatte dabei ungefähr das gleiche Gefühl im Körper wie beim Mord an Kennedy ein paar Jahre zuvor.

Oder als Olof Palme achtzehn Jahre später erschossen wurde. Das gibt's doch gar nicht, dachte ich. So etwas passiert nicht. Aber jetzt haben sie wenigstens andere Dinge, über die sie sich unterhalten können.

Und ich musste einsehen, dass in den letzten zehn Jahren tatsächlich einige Gräueltaten in unserer Gegend passiert waren. Die Rut-Lind-Geschichte. Der nicht aufgeklärte Mord an Berra Albertsson oben beim Möckeln. Kalle Kekkonen.

Und jetzt das hier mit der Kirche.

Eine ganze Menge, wie gesagt.

Ich merkte bald, dass es mir nicht gut tat, hier zu stehen und zu glotzen. Aber auch nicht, so einfach wegzugehen, es erschien mir irgendwie respektlos, nicht einmal ein wenig Zeit für den Kirchenbrand zu opfern. Man musste ja nicht gleich wie Klapp-Erik den ganzen Tag in der ersten Reihe verbringen, aber wenigstens eine Stunde oder eineinhalb, das erschien mir angemessen.

Wie eine Art Kompromiss schlenderte ich daraufhin ein wenig ziellos über den Friedhof und betrachtete die Gräber, und da fiel mir plötzlich ein, dass Signhild mir erzählt hatte, dass ihr Vater hier begraben lag. Warum nicht?, dachte ich und machte mich auf zu dem neueren Teil des Friedhofs. Für Leute, die kein Familiengrab hatten oder nicht vor 1950 gestorben waren, so ungefähr.

Ich brauchte eine Weile, um ihn zu finden, aber zum Schluss gelang es mir. Ich stellte mich davor und betrachtete ein paar Minuten lang den grauschwarzen, frostigen Stein, ohne irgendwelche Gedanken neben dem üblichen Flimmern in den Kopf zu kriegen. Ich zuckte mit den Schultern und ging weiter.

War aber keine fünfzehn Meter weit gekommen, als mein Blick auf einen anderen Stein fiel. Er war klein und unscheinbar und sah eigentlich aus, als stünde er schon ganz lange hier, obwohl es sich doch nur um ein paar Monate handeln konnte. Ich blieb stehen und las die einfache Inschrift.

Jaan Kogel<br>1924 – 1967<br>Puhka rahus

Ich überlegte, was *Puhka rahus* wohl bedeuten konnte. Ruhe in Frieden oder etwas Ähnliches wahrscheinlich. Jedenfalls musste das Estnisch sein, er stammte ja von dort. Wenn ich es richtig verstanden hatte, dann hatte Kogel einen Bruder in Eskilstuna gehabt, sie waren vor gut zwanzig Jahren gemeinsam über die Ostsee hergekommen, und der war es wohl gewesen, der sich um die Beerdigung gekümmert hatte.

Jaan Kogel?

War er ein Mörder? Abgesehen davon, dass er ein Selbstmörder war?

Das konnte ich nicht glauben. Aber wenn dem wirklich so war, dann hatten sie ihn fast Seite an Seite mit seinem Opfer begraben. Das erschien mir fast anstößig. Wer war eigentlich für die Platzverteilung auf dem Friedhof von Kumla zuständig?

Und während ich da in der feuchtkalten Februarluft stand und versuchte, mir die Jahreszahlen und die estnischen Worte zu merken, kam es plötzlich wieder über mich.

Das Gleiche, was mich an jenem Junitag draußen im Wald nach dem Gespräch mit dem Dichter Olsson überkommen hatte.

Das Dasein zog sich um mich zusammen. Plötzlich war mir alles gleichzeitig ganz nah. Alle Menschen, Ereignisse und Gedanken – und die Zeit. Alle diese Tage, Wochen und Monate wurden zu einem riesig großen Augenblick zusammengepresst, und ich fühlte, dass ich mich nicht bewegen konnte. Meine Eltern und Katta und Dubbelubbe waren da. Elonsson und das Torfmoor mit Dick und Prick, und die Bryléschule und jeder verdammte Meter der Eisenbahnschienen zwischen Kumla und Hallsberg. Sigge van Hempel. Und Tante Ida und der Kastanienbaum im Regen. Ich schloss die Augen und sah Signhild. Sah sie und fühlte sie. Wie es war, des Nachts mit ihr Haut an Haut in dem engen Bett zu liegen und im gleichen Rhythmus zu atmen, wie wir uns gegenseitig berührten und wie wir die Liebe draußen im Viaskogen erfanden.

Und wie sie aus Skåne zurückkam.

Ich habe dich vermisst.

Und ich dachte, dass die Zeit ein Dieb ist. Sie stiehlt uns alles. Zuerst gibt sie uns alles, aber dann müssen wir alles wieder abliefern. Menschen, Begegnungen, Momente. So einfach ist das. So grausam ist das.

Aber als Letztes kam nicht Signhild zu mir. Als Letztes sah ich Ester Bolegos Gesicht, wie ich es durch das regennasse Autofenster am Finkvägen in Sannahed gesehen hatte. Und es saß ein Mann neben ihr, ich sah seine Hand auf dem Lenkrad liegen, aber das war alles, und ich öffnete die Augen.

Ich kann nicht sagen, wie lange das anhielt, wahrscheinlich nicht länger als ein paar Minuten, und ich brauchte mich deshalb nicht hinzulegen oder so. Ich stand einfach nur da, an Jaan Kogels einfachem Grab, ließ es kommen und ließ es wieder verschwinden.

Dann verließ ich den Friedhof und die geschändete Kirche, das war mein letzter Kontakt überhaupt mit der heiligen Krankheit, im Monat Mai machte ich Abitur, und kurz darauf zog ich aus in die weite Welt.

## *Viel später*

Und da steht sie.

Ich erkenne sie natürlich nicht wieder, aber ihre Art zu warten, während sie hastig ihren Blick über die Ankommenden huschen lässt, gibt mir Gewissheit. Es gibt auch keine große Auswahl. Nicht für mich, nicht für sie. Ich habe absichtlich ein wenig getrödelt und steige als einer der Letzten aus dem Zug.

Hej, sagt sie. Du bist doch …?

Ich nicke unbeholfen und reiche ihr die Hand.

Woher hast du es gewusst?

Dein Hemd. Dein Zögern. Du hast gesagt, dass du ein gelbes Hemd anziehen wirst, hast du das vergessen?

Ach so, ja …

Ich habe es nicht vergessen. Eigentlich wäre ich gern eine Weile auf dem Bahnsteig stehen geblieben und hätte ihr Gesicht betrachtet, aber das lässt sich nicht machen. Ich habe so eine Ahnung.

Ist die Fahrt gut gelaufen?

Ja, danke. Und deine?

Ich konnte kaum schlafen.

So ging es mir auch. Man liegt wach und grübelt.

Ja. Hast du kein Gepäck?

Nur die Tasche. Ich will ja heute Abend wieder nach Hause, ich nehme an …

Ich auch.

Wir gehen mit langsamen, geradezu zögerlichen Schritten zum Bahnhofsgebäude.

Das ist ein komisches Gefühl, sagt sie.

Ja.

Warum lebt er hier? Weißt du das?

Er ist hier aufgewachsen.

Ach so. Wir können zu Fuß gehen, oder? Wir brauchen doch kein Taxi?

Ich bestätige, dass es nicht weit ist. Nur über den Fluss und dann noch ein kleines Stück. Das können wir schaffen.

Sie schiebt ihre Tasche in ein Schließfach, und ich tue es ihr nach. Dann treten wir auf die Bahnhofstreppe hinaus, und die Sonne scheint uns direkt ins Gesicht.

Das ist ein komisches Gefühl, wiederholt sie.

* * *

Während wir oben im Krankenhaus warten, habe ich die Gelegenheit, sie mir ein wenig anzuschauen. Sie sieht jünger aus, als sie eigentlich ist. Mir fällt auf, dass sie ihrer Mutter nicht besonders ähnlich sieht, ich weiß nicht, warum mich das eigentlich verwundert. Wir reden nicht viel. In erster Linie nur Trivialitäten. Eine Krankenschwester kommt ein paar Mal vorbei und sagt uns, dass wir bald zu ihm gehen können. Er muss nur erst noch zurechtgemacht werden.

Wir nicken und erklären, dass wir Zeit haben. Den ganzen Tag.

Und wenn nötig noch länger, füge ich hinzu.

Er hat nicht mehr lange zu leben, sagt die Krankenschwester.

Wir wissen das. Wir sind informiert worden.

Es wäre ganz natürlich, die eine oder andere Frage zu stellen, aber uns beiden scheint es schwer zu fallen, die richtigen Worte zu finden.

Und wenn er uns jetzt anlügt? fragt sie, als wir wieder allein sind.

Er lügt nicht, sage ich. Er hat uns hergerufen, um uns zu erzählen, wie es war. Die Wahrheit.

Sie sitzt schweigend da und schaut auf ihre Hände.

Ja, sagt sie, das stimmt natürlich. Ich will … wir müssen uns später mal treffen … jetzt, wo …

Ja, sage ich. Natürlich müssen wir uns treffen. Du weißt mehr als ich, aber sag jetzt noch nichts.

Das ist ihr etwas peinlich.

Mein Zug geht erst spätabends. Wir schaffen es auf jeden Fall …

Ja, natürlich, sage ich lachend. Wir müssen uns ja erst einmal kennen lernen.

Sie lächelt zögernd. Holt eine Bürste aus der Handtasche und fährt sich damit ein paar Mal durch die Haare. Nein, sie sieht ihrer Mutter ganz und gar nicht ähnlich, das ist eine andere Art von Schönheit.

Jetzt kommt die Krankenschwester und sagt, dass es soweit ist.

Wir stehen so schnell auf, dass es schon komisch wirkt. Fast stoßen wir mit den Köpfen zusammen.

* * *

Er sieht aus, als wäre er geschrumpft.

An allen Gliedern, als würde er da in dem Bett unter der hellblauen Krankenhausdecke ungefähr im Maßstab 1:1,5 liegen. Es ist drei Monate her, seit ich ihn das letzte Mal gesehen habe, die Veränderung ist bedeutend. Der Krebs frisst ihn von innen auf, und der Krebs, das ist der Tod. Man hat aufgehört, ihn zu bekämpfen, sowohl er selbst als auch der Krankenhausapparat. Es fehlt nur noch das Ende. Vielleicht heute, vielleicht dauert es noch eine kurze Weile.

Trotzdem ist er ordentlich zurechtgemacht. Das dünne

Haar ist ordentlich mit Scheitel gekämmt, er trägt eines seiner eigenen weißen Hemden. Frisch rasiert und fast flott sitzt er halbwegs im Bett, aber sein Gesicht ist aschgrau und eingefallen. Es steht auf jeder Bettseite ein Stuhl; Wasserkaraffe und drei Gläser stehen auf dem Tisch. Eine kleine Schale mit Weintrauben, das hat er angeordnet und seinen Willen durchgesetzt, wie immer. Wir setzen uns.

Guten Morgen, sagt er. Meine Kinder.

Es sind nur vier Worte. Er spricht sie mit klarer, deutlicher Stimme aus, mir ist klar, dass er sie wohl abgewogen hat.

Vier Worte. Mehr ist eigentlich nicht nötig. Ich schaue meine Schwester an, aber sie will meinen Blick nicht erwidern. Es vergeht eine Weile.

Maria, sage ich. Du hast es gewusst.

Sie gibt keine Antwort.

Ich habe es geahnt, aber du hast es gewusst. Ich höre, wie anklagend ich klinge. Mein Vater hebt die Hand.

Ich habe es ihr am Telefon erzählt, erklärt er. Sonst wäre sie nicht gekommen.

Eine Zeit lang schweigen wir alle. Nur das leise Sausen der Klimaanlage ist zu hören. Entferntes Klappern auf dem Flur.

Du, sage ich. Du warst es.

Mein Vater schließt die Augen und holt ein paar Mal tief Luft.

Ja, sagt er. Ich war es. Die Stimme ist plötzlich deutlich schwächer. Eher nur ein Flüstern.

Du hast Kalevi Kekkonen getötet?

Ja.

Du hattest ein Verhältnis mit Ester Bolego, und Maria hier ist …

Deine Schwester, ja.

Er öffnet die Augen und schaut mich mit unklarem Blick an. Maria schaut mich auch an. Ich stehe langsam auf und drehe ihnen den Rücken zu. Stelle mich ans Fenster, schaue auf das Krankenhausgelände und den Stadtpark. Der Fluss schimmert durch das Laub der Bäume, ich erinnere mich, dass ich hier ein paar Mal spazieren gegangen bin.

Ester ...?, frage ich, ohne mich umzudrehen.

Meine Mutter ist vor acht Jahren gestorben, antwortet Maria hinter meinem Rücken. Herzinfarkt, es ging ganz schnell.

Ich zögere, aber die Regie scheint davon auszugehen, dass ich weiterhin die Fragen stelle. Ich denke einen Moment an meine eigene Mutter, die fast zur gleichen Zeit die Welt verließ.

Unwissend natürlich. Ahnungslos.

Ich denke an Katta. Sie wohnt seit langer Zeit mit einem anderen Polizisten in Sydney. Hat es einen Sinn, ihr das auch mitzuteilen? Ihr von unserem Vater zu berichten?

Signhild?, frage ich.

Signhild ..., keucht mein Vater, jetzt deutlich im Sterben liegend. Signhild hat es erfahren. Deshalb ist sie fortgegangen ... ja, das brauche ich dir ja nicht weiter zu erklären.

Du hast ihm den Kopf abgeschlagen? Ich verlasse den Ausblick und setze mich wieder auf den Stuhl.

Er strengt sich an, versucht, sich im Bett aufzurichten.

Ja, das habe ich gemacht. Er ist uns auf die Schliche gekommen. Hat es rausgekriegt. Es gibt mildernde Umstände, aber ich nehme an, dass du die nicht hören willst. Ich hebe sie mir lieber für Petrus auf.

Tu das, sage ich. Er verzieht das Gesicht. Versucht er zu lächeln?

Der Schachzug?

Ein Schauer durchfährt ihn, und er fängt an zu husten. Es geht vorüber.

Ich war gezwungen, den Vindhage in die Irre zu führen ...

falsche Spuren zu legen … aber, ehrlich gesagt, war das nicht schwer.

Der Mann im Hemd? Herr P?

Erinnerst du dich noch daran? Ich hatte Angst, dass Vindhage mir zu nahe kommen könnte, deshalb … habe ich den Brief geschrieben.

Ich frage gegen meinen eigenen Willen weiter.

Sannahed? werfe ich ein. Ein Tag im Mai, als es regnete. Ihr habt da im Auto gesessen.

Er denkt nach.

Das ist möglich.

In einem dunklen Amazon?

Ach, der? Der gehörte Nilsson von der Zeitung. Ich habe ihn mir ein paar Mal ausgeliehen.

Ein starkes Ekelgefühl überfällt mich plötzlich. Und Wut. Aber ich beiße die Zähne zusammen und schweige. Das ist sein Todestag, denke ich.

Mein Vater dreht den Kopf und schaut Maria an. Seine Tochter.

Es tut mir Leid, dass ich dir kein richtiger Vater sein konnte. Ich habe deine Mutter geliebt, aber …

Er verstummt.

Aber was?, fragt Maria.

Sie wollte nicht, sagt er. Sie wollte nicht, dass wir ein Paar werden. Ich war bereit, aber sie hat Nein gesagt. Doch sie hat mich die ganze Zeit geschützt …

Du hast es allein gemacht?, frage ich.

Ich war allein, nickt er. Ester war nicht beteiligt, aber das war die einzige Lösung … ihr wisst nicht, was das für ein Mensch war. Der reinste Teufel.

Und Signhild, denke ich. In gewisser Weise hat Signhild mich geschützt. Ich frage auch das, und er zögert lange mit der Antwort, atmet schwer.

Ich weiß nicht genau, sagt er. Ihr wart ja ganz offensichtlich zusammen, und als Ester das erfuhr, da hat sie alles erzählt. Und deshalb ist Signhild Hals über Kopf abgereist … wie gesagt. Es ging ja nicht an, dass …

Er schließt die Augen.

Hals über Kopf, denke ich.

Es ging ja nicht an.

Ich schaue Maria an. Sie hat die Hände in einer Art gefaltet, dass mir klar wird, dass sie in irgendeiner Weise gläubig ist. Der Kopf meines Vaters auf dem dünnen Hals ist zur Seite gekippt, und er scheint nicht die Kraft zu haben, ihn wieder aufrichten zu können.

Hals über Kopf, wiederholt er dennoch. Ich bin so müde, meine Kinder. So schrecklich mü …

Seine Hände huschen über die Decke, und dann verstummt er mit einem leicht glucksenden kehligen Laut. Eine Sekunde lang glaube ich, dass er wirklich tot ist, aber dann setzt seine Atmung wieder ein. Maria hebt ihren Blick, und wir sitzen eine Weile ganz ruhig da und schauen ihn an. Er schläft tief und fest.

Wir stehen auf und verlassen ihn.

* * *

Hast du Kontakt zu Signhild?

Es ist eine Stunde später. Im Restaurant Åkanten direkt über dem Wasserfall. Wir essen zu Mittag. Das Wetter ist schön. Es sitzen viele Leute um uns herum.

Sie schüttelt den Kopf.

Nur wenig, sagt sie. Aber ich habe natürlich ihre Adresse. Willst du sie haben?

Ich zögere.

Warum nicht?, sage ich. Doch, ja.

Sie legt das Besteck hin und sucht in ihrer Handtasche. Ich schaue auf das dunkle, schnell fließende Wasser und denke an nichts.

Nach einer Weile hebe ich meinen Blick. Maria blättert in ihrem Notizbuch. Auf der anderen Flussseite steht eine Frau und betrachtet uns.

Die Zeit ist eine Brücke.

btb

## Håkan Nesser bei btb

*Die Kommissar-Van-Veeteren-Serie*

**Das grobmaschige Netz** · Roman (72380)

**Das vierte Opfer** · Roman (72719)

**Das falsche Urteil** · Roman (72598)

**Die Frau mit dem Muttermal** · Roman (72280)

**Der Kommissar und das Schweigen** · Roman (72599)

**Münsters Fall** · Roman (72557)

**Der unglückliche Mörder** · Roman (72628)

**Der Tote vom Strand** · (73217)

**Die Schwalbe, die Katze, die Rose und der Tod**
Roman (73325)

**Sein letzter Fall** · Roman (75080)

*Die anderen Kriminalromane*

**Barins Dreieck** · Roman (73171)

**Kim Novak badete nie im See von Genezareth**
Roman (72481)

**Und Piccadilly Circus liegt nicht in Kumala**
Roman (75094)

**Die Schatten und der Regen** · Roman (75146)

Aus Freude am Lesen